Du même auteur

*J'ai de mauvaises nouvelles pour vous* (2001)
*Nouvelles d'autres mères* (2003)
*Humains aigres-doux* (2004)
*Le peignoir* (2005)
*Mises à mort* (2007)
*Dans sa bulle* (2010)

# B.E.C.

## Blonde d'entrepreneur en construction

Marchand de feuilles
C.P. 4, Succursale Place d'Armes
Montréal (Québec)
H2Y 3E9
Canada

www.marchanddefeuilles.com

Graphisme de la page couverture : Sarah Scott
Illustration de la couverture : Kai McCall
Mise en pages : Roger Des Roches
Révision : Annie Pronovost

Diffusion : Hachette Canada
Distribution : Socadis

Marchand de feuilles remercie le Conseil des Arts du Canada et la Société de développement des entreprises culturelles ( Sodec) pour leur soutien financier. Marchand de feuilles reconnaît l'aide financière du gouvernement du Canada par l'entremise du Fonds du livre du Canada (FLC) pour ses activités d'édition et bénéficie du Programme de crédit d'impôt pour l'édition de livres (Gestion Sodec) du gouvernement du Québec.

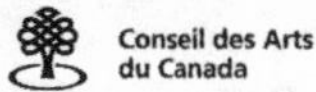

Société de développement des entreprises culturelles
Québec

**Catalogage avant publication de Bibliothèque et Archives nationales du Québec et Bibliothèque et Archives Canada**

Myre, Suzanne, 1961-
B.E.C., blonde d'entrepreneur en construction
ISBN 978-2-923896-36-6
I. Titre.
PS8576.Y75B42 2014 C843'.6 C2014-941437-4
PS9576.Y75B42 2014

Dépôt légal : 2014
Bibliothèque et Archives nationales du Québec
Bibliothèque et Archives Canada

Suzanne Myre

# B.E.C.
# Blonde d'entrepreneur en construction

roman

# 1

# Dans le ventre du Vallon des Valeurs

*

## L'entrepreneur, sa blonde

Je suis une veuve d'entrepreneur. Pas que mon entrepreneur soit mort, mais parfois, j'en ai la vague impression. J'ai toujours plaint les femmes de médecin. C'était avant de connaître le sort des Blondes d'Entrepreneur en Construction.

Jean-Marc travaille six jours sur sept. Le dimanche, il fait relâche et, entre les mille autres choses qu'exige le quotidien, on trouve parfois le moyen de faire quelque chose d'extraordinaire : l'amour. On s'y efforce même si ça nous dit plus ou moins ou que mes hormones ne sont pas au point, parce qu'il ne faut pas perdre le fil de notre relation. Et surtout parce qu'il tente encore de comprendre le fonctionnement de mon corps, la machine la plus amphigourique qu'il ait eu à manipuler jusqu'ici. Amphigourique, un mot compliqué pour dire : compliquée.

Mon chum m'aime, dit-il, il veut apprendre à me donner du plaisir, il manque juste de temps, dit-il encore (comme si cela allait me consoler). Et quand il en a un peu, du temps, sa tête est tout de même ailleurs, sur le barreau d'une échelle ou perchée au sommet d'un échafaudage imaginaire. Épuisé après une journée de travail, un doigt enfoui entre mes tendres replis qu'il caresse distraitement, il pense à ses tâches du lendemain ou alors il s'assoupit, les poils drus de sa barbe contre mon ventre. Il se met alors à ronfler et les vibrations qu'il émet me procurent de jolies sensations, comme s'il s'agissait d'un vibrateur nouveau genre à usage externe. Avec le temps, mon esprit a enregistré qu'une partie de *Rummy-Cube* avait davantage que moi le pouvoir de le tenir éveillé alors, le samedi soir, on brasse les tuiles numérotées en sirotant un verre de vin. Mais le vin l'endort aussi, alors on ne s'en sort pas. *Je* ne m'en sors pas. Je l'abandonne au divan, il ronfle la bouche ouverte devant la télé, et je confectionne quelques origamis jusqu'à ce que le sommeil s'empare également de moi ou que je décide de réintégrer mon appartement, à quelques coins de rue de chez lui. Au matin, en se réveillant, il trouve sur sa poitrine un paon vaniteux ou un lion rugissant en papier kraft, les animaux qu'il m'inspire.

Jean-Marc gère une compagnie très florissante qui compte une douzaine d'employés permanents sur lesquels il doit avoir l'œil, de manière à ce qu'une demi-heure de dîner ne se transforme pas en deux heures à boire de la bière. Gérer signifie être gestionnaire, donc également comptable, donc passer son samedi matin à brasser de la paperasse en ingurgitant des barils de café. Pendant ce temps, je pratique la kleptomanie au Vallon des Valeurs ou bien je vais marcher autour du parc, je vole ou bien je me promène en imaginant tout ce que nous pourrions faire s'il était seulement employé de bureau pour le gouvernement de neuf à cinq. Et combien il serait ennuyant, si c'était le cas.

Mon adoré très occupé possède de multiples talents, que n'aurait peut-être pas le commis aux approvisionnements du département des finances au fédéral : un peu électricien, un peu plombier, il est toutefois totalement charpentier-menuisier, et participe donc aussi aux travaux en cours sur ses chantiers. Depuis le temps qu'il cogne sur des clous, fait du marteau-piqueur et utilise ses beaux doigts pour taponner toutes sortes de matériaux qui n'auraient pas leur place dans une cuisine, ils ont fini par devenir de plus en plus gourds, jusqu'à développer une légère insensibilité. Je les plains, je les bécote, je les masse pendant qu'on écoute *Downton Abbey,* tout en me pâmant sur les robes et tenues sublimes des personnages féminins, me demandant si je pourrais me donner un style pareil grâce au Vallon des Valeurs, une jupe qui monte haut, un chemisier joliment chamarré, des bottillons qui écrasent les orteils. Je me visualise faisant partie de la noble famille Grantham ou de l'armada de fidèles serviteurs, fantaisie que Jean-Marc ne comprend évidemment pas, en grattant et triturant ses paumes couvertes de callosités ; ça ne lui fait même pas mal, tant la peau est épaissie et cornée. Avec ces mains, il pourrait construire un château les yeux fermés, réparer n'importe quoi, monter et démonter les appareils les plus complexes, mais il n'arrive pas toujours à me donner un orgasme. Il y parvient une fois sur trois, quand il est concentré sur mon mécanisme à moi et non perdu dans ses pensées, qui flottent vers un chantier de 400 000 dollars. Je l'ai déjà mentionné mais je le répète, car il y a du perroquet en moi : je le sais quand *il n'est pas là*. Ses doigts engourdis glissent et dérapent sur mon corps ; je me sens alors telle la patinoire sur laquelle il essaie des patins pour la première fois de sa vie.

Le samedi matin, pendant qu'il est dans son bureau à préparer les payes de ses employés, à pitonner sur sa calculatrice la somme qu'il donnera à sa menuisière pour ses quarante heures (parce que mon chum a un petit côté féministe et égalitaire : il engage une femme par chantier), je compte le nombre de journées entières qu'on passe ensemble, par mois. Pas besoin de calculette pour ça. Et je suis alors jalouse de la menuisière. Surtout depuis que j'ai appris qu'elle n'est *plus* lesbienne.

Donc, pour partager le plus de temps possible avec lui, je l'accompagne souvent dans des endroits inouïs où je ne serais jamais allée autrement parce que j'ignorais jusqu'à leur existence ou parce qu'ils ne correspondent à aucun besoin personnel. Home Depot, Rona Depot et tous ces immenses dépotoirs d'objets laids placés sur des étagères qui montent jusqu'au plafond et qui font bander les mecs ; ces endroits me dépriment au coton, surtout quand je vois les épouses se ruer au coin jardinage pour rompre leur ennui. Affalées dans le siège d'un ameublement patio en démonstration, les femmes examinent leurs ongles comme si elles craignaient qu'ils se décollent ou changent de couleur, ou encore elles espionnent les autres conjointes en leur attribuant un drame pire que le leur.

Le dernier dépotoir dans lequel j'ai accompagné Jean-Marc était un magasin aux vitrines hideuses baptisé d'un nom de Beatles, Paul, George, je ne sais plus lequel, pas Ringo en tous les cas, je m'en serais souvenue. On y vend des outils sophistiqués s'apparentant à des engins de guerre et des machines dont l'usage demeure nébuleux, même si mon savant entrepreneur me les explique patiemment en détachant légèrement les syllabes comme si j'étais débile.

Je devais effectivement avoir l'air d'une attardée devant tous ces connaisseurs qui zieutaient les appareils d'un œil expert. J'étais une tarte décorative qui faisait le pied de grue pendant qu'ils discutaient prix, qualité et autres détails soporifiques qui faisaient bourdonner mes oreilles comme si tout un essaim d'abeilles stériles voulait y faire son nid. J'avais beau écouter, je ne comprenais rien. Je trompais mon ennui en dessinant mentalement le profil psychologique des employés. Ce n'était pas difficile, c'est toujours le même : de bons *jacks* un peu balourds, gentils et armés de doigts épais comme des saucisses Toulouse. Ils ont pour la plupart les cheveux coiffés en brosse (comme ça, ils ne se prennent pas la couette dans les rouages) et portent des bottes de travail, ce qui est à mon avis hyper sexy, à condition de ne pas regarder plus haut que le mollet ; ils sont presque tous équipés d'un bedon qui semble avoir un pouvoir d'extension infinie. Chose surprenante, je n'ai repéré aucun calendrier de filles en bikini écartelées sur un banc de scie, prêtes à voir leur étonnante poitrine hachée menue par un autre instrument diabolique.

Je vis donc des expériences uniques qui marquent sûrement mon subconscient d'une manière ultra positive et m'instruisent énormément, même si je n'arrive pas à concevoir de quelle manière, étant donné que je ne sais toujours pas comment activer le mécanisme d'une scie sauteuse. Et ça ne m'intéresse tellement pas, de toute façon. Je travaille dans une bibliothèque médicale et ça ne me passionne pas tellement non plus, le médical. Mon chum lui, m'intéresse. C'est un cas.

L'idée qu'on se fait d'un gars qui travaille dans la construction étant fatalement négative, il serait injuste de ne pas le souligner : Jean-Marc est un homme intelligent, allumé, passionné et droit, pas du tout l'entrepreneur type. Et il aime tout autant que moi *Downton Abbey*, il est juste trop orgueilleux et macho pour l'avouer, surtout devant ses ouvriers qui, eux, écoutent *Occupation triple,* supposément pour plaire à leur copine, mais je me doute que ce n'est pas la raison principale depuis que je suis accidentellement tombée sur une scène de spa en changeant de chaîne de télé.

Bon, ce qu'est l'entrepreneur type, je n'en ai au fond qu'une vague idée, mais si je me décide à cogiter là-dessus, c'est sûr que je vais le peindre encore moins disponible que le mien, plus malodorant, inculte et véreux. Mon entrepreneur à moi, il lit de vrais livres, parfois au complet, sait cuisiner un délicieux saumon en papillote, passe l'aspirateur sous son lit, lave ses draps aux deux semaines, ce qui représente une bonne moyenne pour un gars, et fait du jogging en écoutant sur son iPod les vieilles émissions radiophoniques aux sujets indémodables de Jacques Languirand. Parce que oui, il se tient en forme et court, pas seulement autour du pâté de maisons, mais jusqu'au chantier le plus près (à douze kilomètres), comme s'il s'en ennuyait ou qu'il craignait qu'il ne s'effondre pendant les week-ends. Ça lui fait des cuisses d'enfer alors avec lui, ça vaut le coup de laisser l'œil se promener au-dessus du mollet ; l'ascension du regard n'est pas (encore) interrompue par un monticule abdominal disgracieux. Bien entendu, cela met en relief ma paresse personnelle quant à la nécessité d'entretenir aussi régulièrement que lui mon corps de jeune adolescente quarantenaire guetté par la dégradation, mais comme j'aspire à une vieillesse paisible où je me laisserais ratatiner avec sérénité, je compense en musclant mon cerveau par des prouesses cruciverbistes qui le rendent jaloux, lui qui est même incapable de repérer un seul mot dans la grille des mots mystères. À chacun ses talents.

## Le concessionnaire

Hier soir, dans ma tournée de ces endroits saugrenus que j'ai visités grâce à (ou à cause de) mon chum, j'ai vécu le saugrenu extrême : le concessionnaire automobile. Étant une cycliste jusqu'au bout des orteils, plus par souci d'économie que pour entretenir un minimum de forme physique, je n'aurais jamais imaginé qu'un jour, je pénétrerais dans les entrailles d'un entrepôt de « maudits chars ». « Tu es pas contente que j'en aie un, *maudit char*, pour te ramener trois boîtes de litière à chat ? » (C'était à l'époque où j'en avais un, chat. Poupounka, ma vieille minette slovaque est morte de chagrin quand elle m'a vue ramener Jean-Marc à la maison. C'est ce que je me plais à dire mais en fait, elle a succombé à une insuffisance rénale).

Avant ma visite, je n'avais jamais remarqué combien il en pullulait, de ces temples de la ferraille. Ils prolifèrent, particulièrement dans l'est de la ville, c'est une infection métallique et repoussante. Leurs bâtisses, toutes semblables avec leurs panneaux vitrés, me répugnent, les stationnements remplis à ras bord de carrosseries flambant neuves (dont les pare-brise affichent tous, comme par hasard, un autocollant indiquant : « flambant neuve ») me répugnent, et je serais assurément tout autant répugnée par les employés, leur langage, les mots qu'ils utilisent, leurs vêtements, leur odeur. La location du véhicule de mon amoureux arrivant à terme, il lui fallait choisir entre l'acheter ou opter pour un autre, neuf ou usagé. Le genre de décision dans laquelle une conjointe n'a pas tellement sa place, sinon pour intervenir à tort et à travers et semer la honte.

Jean-Marc roule dans un immense paquebot, il n'a guère le choix, étant donné la nature de son boulot, alors je l'excuse de participer à l'empoisonnement de l'atmosphère. Lui-même se sent coupable, il essaie autant que possible de minimiser l'usage de son véhicule, mais comme il est inenvisageable de transporter une échelle de 50 pieds ou des feuilles de contreplaqués à vélo, il n'a pas d'autre option que de piétiner ses penchants écologiques. Et puis, que Dieu me pardonne mais j'aime ça, rouler dans son 4x4. C'est effrayant à dire, mais on s'y sent invincible.

Juchés dans cet élégant bateau roulant, on a accosté dans le stationnement d'un concessionnaire Ford Chrysler, au milieu de plutôt mignons Ranger et de monstrueux F-150 rutilants. Je ne savais pas que ç'en était (non plus que j'étais assise dans l'un de ces foutus F-150), mais Jean-Marc me l'a dit avec tant de condescendance que j'ai décidé de me forcer à retenir les noms, pour éventuellement faire ma *smart*.

On est entrés par la grande porte. J'étais certaine qu'elle s'ouvrirait d'elle-même comme dans les épiceries modernes mais non, j'ai dû pousser, faire un effort physique pour entrer, en plus de l'effort que je fournissais pour juste être là. Une blonde d'un platine surréel, qui avait sûrement été l'objet d'un défoulement ou d'une vengeance féroce de la part de son coiffeur, nous a accueillis avec un sourire tellement artificiel que j'ai craint pendant un instant que toutes ses dents ne soient projetées dans notre visage pour nous défigurer à tout jamais. Je me suis imaginée avec des incisives plantées dans les joues, tandis que des éclats de plombages noirs feraient saigner le front de mon chum, et ça m'a amusée. Ce qui m'a permis de lui rendre son sourire, avec mes dents croches naturelles.

– Monsieur Lefebvre va vous recevoir dans un instant.

Elle a ponctué sa phrase d'un petit geste de la main pour nous congédier, tout à fait comme si nous étions susceptibles de contaminer son espace. C'est vrai qu'avec nos vêtements fripés-pas-griffés et nos haleines de gomme *balloune,* on avait l'air dangereux.

– Il y en a toujours une comme ça, chez les concessionnaires. C'est obligé, une tradition, en quelque sorte, a grommelé mon chum, alors qu'on faisait le tour des camions en exposition, d'immenses tas de tôle brillante montés sur de gigantesques roues.

– Je me demande bien pourquoi, j'ai répondu en constatant qu'autour de nous, il n'y avait que des hommes.

Je me suis sentie soudainement petite, pâle et terne devant ces monstres métalliques dont la peinture aux couleurs criardes et éblouissantes risquait d'incendier mes rétines si j'y laissais traîner mon œil plus que quelques secondes. Tout respirait le neuf, le vraiment neuf jamais utilisé et moi, j'étais vieille, vraiment vieille et mortellement usée, tout à coup, impression imputable à mon inclination naturelle pour l'autodénigrement. Mon chum regardait ces bolides high-tech en affichant une moue dédaigneuse et j'ai été plutôt contente, voire rassurée de constater que nous portions le même regard méprisant sur ces Tonka hors de prix. Nous avions du mal, malgré le danger que cela représentait quant à un éventuel glaucome, à détacher nos yeux du modèle rouge tomate qui ressemblait à un vaisseau spatial conçu pour un *alien* à casquette quelconque. Je ne pouvais concevoir qu'il existât des véhicules aussi gros et aussi vilains, ni surtout qu'on ait envie de les acheter.

– Dis-moi que tu ne le changeras pas pour un rouge, au moins.

– Jamais. On prendra la couleur que tu veux, si j'en rachète un, bien sûr. Et ce ne sera pas encore ce modèle. C'est vraiment... trop gros.

– Tu viens de t'en apercevoir, depuis le temps que tu as le tien ?

– Oui.

– Je peux maintenant te le dire : j'ai toujours eu honte que tu viennes me chercher chez moi avec ça. Je résiste toujours à l'envie de te demander de m'embarquer à deux coins de rue.

– Orgueilleuse.

– Non, je n'ai juste pas envie de marcher deux coins de rue.

La blonde, dont j'avais oublié l'existence au profit de cet étalage fastueux qui éradiquait l'existence de toute autre chose, même d'une chose du genre de la blonde, a ondulé de notre côté en faisant claquer ses talons. Elle nous a refait le coup de la main, cette fois pour nous signifier que nous avions suffisamment contemplé ses belles grosses machines et que monsieur Lefebvre était maintenant *tout à nous*. Elle devait craindre que nos regards belliqueux ne tachent les carrosseries. Il était évident qu'elle ne se doutait pas, vu l'allure de mon amoureux et surtout de la mienne, qu'il brassait des centaines de milliers de dollars de chiffre d'affaires par année, sinon elle nous aurait traité avec plus d'égards, genre avec un café à tout le moins. Quand j'ai vu qu'un distributeur contenant des bouteilles d'eau affichait : « Gratuit pour les clients », j'en ai piqué deux que j'ai enfouies dans mon sac sous le regard horrifié de Miss Platine, tandis que j'en décapsulais une troisième. J'ai dessiné dans l'air un petit signe ambigu de la main, en espérant lui faire comprendre qu'on était des gens assoiffés et non radins ou voleurs, mais ma pantomime ne l'a pas convaincue. Elle est retournée s'asseoir avec un air de *beu* et a déplacé sa chaise pour la mettre dans un angle qui n'avait aucun rapport avec celui de sa table de travail, mais qui lui donnait une vue directe sur le distributeur. Elle avait clairement peur que je ne vide son frigo et devait considérer l'urgence d'en cadenasser la porte.

Je me suis engouffrée dans le bureau du spécialiste en cargos, où mon chum montrait déjà des signes d'agitation. Son langage corporel ne ment pas : s'il est assis sur le bout d'un siège aussi moelleux qu'un petit pain hamburger tout frais dans lequel on pourrait disparaître pour toujours, c'est qu'il est pris d'anxiété. En m'asseyant sagement près de lui, j'ai agrippé sa main et entrelacé mes doigts dans les siens avec un sourire de Sainte Vierge pour faire croire que je suis la bonne épouse que je ne suis pas. Le vendeur (puisque c'est ce qu'il est même s'il essaie de se faire passer pour autre chose, genre un représentant d'importance mondiale) était certainement une sorte de croyant-chrétien-pratiquant ou je ne sais trop, compte tenu du nombre de petits encadrements dans lesquels étaient inscrites des paroles tirées de l'Évangile. Ou plus probablement était-ce une astuce pour rassurer le client inquiet : je crois en Dieu donc je ne vous *fourre* pas, ce serait contre les enseignements de Jésus Notre Seigneur, alors vous pouvez avaler mes paroles en toute confiance, ce ne sont pas des couleuvres.

Tandis qu'il énumérait des paquets de chiffres, tous suivis de signes de piastres, des hypothèses, des comparaisons et des options de prêt et d'achat auxquels je ne comprenais strictement rien sinon que ça coûtait cher, je scannais son bureau de mon regard d'inspecteur de police à la recherche d'un indice prouvant qu'il était un faux chrétien, mais je n'ai rien trouvé. Alors je lui ai lancé :

– Est-ce que vous travaillez pour le client, dans le but de lui faire choisir l'option qui va lui en donner le plus, ou bien est-ce que vous mentez pour en mettre plein les poches de votre compagnie ? En résumé, vous êtes pro-client ou pro-entreprise ?

Jean-Marc a serré les dents pour ne pas pouffer (ce qui est dangereux étant donné qu'il ne lui en reste que quatorze), il me connaît, il sait que je peux dire ce genre de choses et pire. C'est un peu pour ça qu'il m'aime. Monsieur Le Représentant a fait glisser ses lunettes sur le bout de son nez pour me regarder par-dessus la monture dorée, je me suis demandé s'il me voyait toute floue et si j'étais jolie, floue. Il m'a servi une réponse dans laquelle je n'arrivais pas à distinguer les verbes des noms et des compléments, pleine de ponctuations et de parenthèses qui m'a complètement embrouillée, si bien que je n'ai pas su s'il était un bon chrétien, en fin de compte. Alors, je lui ai dit ceci :

– Toutes ces sentences religieuses un peu partout, est-ce dans le but de faire croire au client que vous êtes honnête ou l'êtes-vous vraiment ?

Je me trouvais très drôle, vraiment, et sincère par-dessus tout, ce qui n'est pas mal dans un endroit où le mensonge et la fourberie sont visiblement de mise.

– Chérie, je sais que tu veux aider, mais je pense que tu devrais m'attendre dehors.

Dehors, il faisait noir et froid et le stationnement abritait des créatures horrifiantes n'attendant qu'une jeune cycliste pas fine et ignare en matière automobile pour lui rouler dessus.

Est-ce qu'il voulait dire dehors *dehors*, ou dehors, hors de ce bureau, dans la salle d'attente par exemple ?

Quand il m'appelle chérie, je sais que je dois le prendre au sérieux. Alors je me suis levée avec un sourire pincé emprunté à Maggie Smith et j'ai quitté le bureau saint en jetant un dernier coup d'œil au vendeur. Il ne m'en voulait pas, il me souriait avec des tas de dents sorties de je ne sais où, il me pardonnait, il était un bon chrétien, et moi, une paria. Mon amoureux m'a fait un clin d'œil signifiant : « Je ne t'en veux pas, tu es formidablement drôle, mais ce n'est pas le temps. Tu montreras ta grande lucidité une autre fois. » Il n'est pas fou, il voit bien quand on cherche à l'embobiner. Lui-même, en tant qu'entrepreneur, passe son temps à embobiner des gens.

Pour passer le temps, cachée entre un F-150 Platinum 4x4 SuperCrew et un F-150 Lariat 4x2 SuperCrew (je sais tout de même lire les écriteaux, à défaut de savoir faire la différence), je me suis absorbée dans l'examen de la blonde. Elle surlignait comme une dingue un livre ou un document dont les feuilles devaient peu à peu s'imbiber d'encre jaune jusqu'à doubler d'épaisseur et gondoler à mort. J'ai pensé que wow !, c'était vraiment une *surligneuse* professionnelle. Elle risquait la tendinite ou le syndrome du tunnel carpien à plus ou moins brève échéance, mais elle ne semblait pas s'en soucier, elle continuait à couvrir les pages de son feutre jaune citron avec une rare concentration.

– Je peux vous aider ?

Mon cœur a bondi au centre de ma poitrine, pire que si le moteur du F-150 sur lequel j'étais appuyée s'était mis en marche tout seul. Un vendeur m'examinait avec un air soupçonneux ; il avait peur que je ne m'enfuie avec un de ses véhicules en fracassant la devanture. Je me suis demandé s'il était là depuis un moment et, si c'était le cas, s'il était arrivé avant que je n'aie collé ma gomme *balloune* sous la poignée du F-150. Il était tout petit et plutôt mignon, dans le genre témoin de Jéhovah, et j'ai pensé que tous les vendeurs d'autos faisaient peut-être partie d'une congrégation religieuse quelconque. Il attendait ma réponse, tandis que je l'examinais à mon tour sous toutes ses coutures, mais je n'en avais aucune à lui fournir. Sinon :

– J'aime bien votre chemise. C'est vous qui l'avez choisie ?

Je ne comprends pas pourquoi les gens sont toujours désarçonnés quand on leur pose une simple question de ce genre, pour laquelle une seule réponse s'impose. Je ne lui avais tout de même pas demandé s'il connaissait le nom du petit Indien qui avait tissé ladite chemise pour un salaire de deux sous la journée, dans un entrepôt sombre, humide et infesté de cancrelats ! Il a touché son torse et caressé le tissu dont les rayures dorées reluisaient sous les néons et, sans rien dire, il m'a tourné le dos pour vaquer à d'autres tâches. Lesquelles ? Je n'ai pu en avoir la certitude parce que je ne l'ai pas suivi. Je suis retournée à mon observation de la *surligneuse* infernale, qui a été distraite de son travail par l'arrivée de mon vendeur Jéhovah. Il avait mis un temps fou pour se rendre jusqu'à son bureau ! Il est vrai que la disposition des camions formait un véritable labyrinthe pour des camionneurs qui seraient atteints de nanisme et comme la tête du vendeur ne dépassait pas le haut des habitacles, il était probable qu'il se soit perdu en chemin. Elle l'a accueilli avec un sourire d'enjoliveur. C'est là qu'il s'en allait, j'aurais dû m'en douter, ils formaient un couple idéal, dans le genre Arielle Dombasle-Bernard Henri-Lévy. Ils se sont retournés vers moi dans un même mouvement, je les ai très bien vus plisser les yeux de concert puis se consulter dans ce qui m'est apparu un conciliabule dont je devais être le sujet principal. Il était temps que je bouge de là et que je m'en retourne voir où en était mon chum avec ses transactions. D'autant plus que je risquais de m'endormir appuyée contre une portière, prise sous le joug de la musique soporifique de la radio-qu'on-écoute-dans-tous-les-bureaux. En passant devant la distributrice, j'ai attrapé une bouteille d'eau, même si les deux autres déformaient mon sac et menaçaient d'en faire craquer les coutures. Tout ça m'avait donné soif. Je m'attendais à voir la blonde et son sbire venir me mettre les menottes aux poignets mais non, ils s'étaient désintéressés de moi et elle lui montrait le super *surlignage* qu'elle avait accompli pendant les dernières heures. Il a feuilleté le document, qui s'est avéré être un bouquin, l'air très impressionné en hochant la tête. Comme j'ai à la fois l'ouïe très fine et le don de lire sur les lèvres quand ça m'arrange, j'ai saisi le mot « spirituel » sur celles de la fille, ce qui m'a fortement intriguée. En quoi un bouquin traitant potentiellement des 4x4 pouvait-il être qualifié de spirituel ? J'ai profité du fait qu'ils étaient absorbés dans leur conversation pour m'emparer d'une autre bouteille, j'aimais leur forme inusitée inspirée d'un bras de vitesse, et cela, bien que je n'aie jamais touché aucun bras de vitesse de toute ma vie ; je n'ai jamais conduit que des voitures automatiques (et seulement pour une question de vie ou de mort), et ça me va très bien. Franchement, tout ce que je veux, c'est me rendre là où je dois aller, sans nécessairement avoir l'impression de conduire une auto de course sur la piste Gilles-Villeneuve, alors que je me trouverais sur l'avenue Balzac à Montréal-Nord.

Mon amoureux chéri était en train de signer un document ; il avait pris sa décision, sans me consulter au préalable. J'ai pensé à un complot : il m'avait congédiée pour ne pas se faire mettre des bâtons dans les roues parce qu'il savait déjà qu'il opterait pour une autre de ces monstruosités dont le seul paiement mensuel équivaut à mon loyer. « C'est la compagnie qui paie. » La compagnie, c'est lui, mais en même temps, non. À ça non plus, je n'entends rien, même s'il me l'a expliqué cent fois de mille et une façons. Il m'a regardée d'un air coupable et j'ai tout de suite pensé à l'astronef rouge tomate. Non ! Ce n'était pas possible ! En effet, ce n'était pas ça. Il conservait tout simplement le camion actuel qui, maintenant, lui appartenait officiellement. Moyennant la somme de 678 dollars par mois. Mon vélo m'a coûté 89 dollars au total et il me mène partout où je veux. Mais bien entendu, je suis loin de m'y sentir invincible et pour transporter des boîtes de litière, on repassera.

Avant de quitter le concessionnaire, il me fallait à tout prix voir ce que la réceptionniste soulignait avec autant d'énergie. Elle ne se trouvait plus dans son bureau, elle était probablement dans une salle de toilette en train de faire des choses spirituelles avec le témoin de Jéhovah. Jean-Marc réglait quelques derniers détails avec le représentant, quelques badauds reniflaient les carrosseries et quelques représentants reniflaient les badauds : la voie était libre. Je me suis approchée en faisant l'hypocrite qui cherche quelque chose. Quoi ? Elle ne le sait pas elle-même... Et j'ai fait un geste terrible : j'ai volé le document en question, sans prendre le temps de voir de quoi il s'agissait. Cela m'arrive parfois, enfin, souvent, de voler des choses sans me poser la question : pourquoi est-ce que je vole *cela* ? J'ai foutu le camp, direction stationnement, le livre caché sous mon bras, suivie par mon chum qui se demandait par quel démon j'étais pourchassée.

– Vite, embarque et démarre.

– Quoi ? Qu'est-ce que tu as ? Tu n'as pas volé quelque chose, j'espère ?

Il me connaît. Il sait reconnaître le parfum que je dégage lors d'un mauvais coup.

– Oui. Regarde !

J'ai brandi triomphalement ce que je croyais être *Le guide du fourgon 2014* ou *Conduire zen à l'heure de pointe*, un truc du genre, alors qu'il s'agissait de l'autobiographie de Chantal Toupin, *L'envers de mon existence*. Il a éclaté de rire en me demandant où j'avais bien pu trouver ça. J'ai menti.

– Ça traînait sur le siège d'un F-150 en démonstration. Ça montre le quotient intellectuel de ceux qui les conduisent. Je vais moi aussi écrire mon autobiographie et l'intituler : *L'endroit de mon existence : le F-150*.

J'étais très fière de moi, avec mon ton pontifiant. J'ai tourné les pages qui sentaient l'encre encore fraîche.

– Donne-moi ça. C'est poison.

Il me l'a arraché des mains et avant que j'aie pu dire ou faire quoi que ce soit, il l'a jeté par la fenêtre. Je l'ai vu partir au vent et atterrir dans le pare-brise d'une voiture stationnée sur le bord du trottoir. Je n'avais même pas eu le temps d'en lire une seule ligne. J'aurais pu faire de chimériques origamis avec ces pages gondolées aux dégradés de jaune délavé ! J'ai pensé à la blonde en éprouvant un petit remords : je venais peut-être de ruiner son existence et de saboter sa lancée spirituelle. Mais ça ne m'a pas dérangée longtemps. Je me suis calée dans mon siège, j'ai ouvert une bouteille d'eau et mis la radio. On jouait une chanson de Chantal Toupin. Enfin, rien ne me permettait de l'affirmer, si ce n'est que la chanteuse roulait ses « r » comme si elle cherchait à éjecter un morceau de biscuit soda pris dans sa gorge, mais cela m'a plu de penser que c'était elle. Parce qu'il s'agissait de la station que syntonisait le concessionnaire.

– Ne me dis pas que tu écoutes un poste de radio qui passe de la musique de vendeurs de chars, maintenant ? On te commandite ou quoi ?

– Non, je ne sais pas ce que ça fait là. Tu peux changer, c'est détestable, ça va abîmer nos tympans et ta glande thyroïde.

– Après la chanson, si tu veux bien.

– Tu m'étonneras toujours.

– Tant mieux.

Il m'a tendu la main et j'y ai enfoui la mienne, confiante, toute molle de félicité. Parce que c'était une autre de ces choses merveilleuses qu'il savait faire avec ses mains, mon chum : conduire d'une seule sans que je me sente en danger. Ou alors, j'étais la veuve d'entrepreneur type, qui se nourrit de chaque miette de temps et de tendresse jetée par l'entrepreneur lui-même et je me leurrais : ce qui agissait vraiment, ce qui faisait fondre mon cœur en un petit tas tout mouillé, c'était la magie opérée par le F-150. Parce que celle de Jean-Marc, elle était plutôt inopérante depuis un bon moment. Je me suis dit ça et puis j'ai rayé cette pensée de mon esprit avec le crayon opaque du déni.

# La bibliothèque médicale

Bon. J'adore piquer de *petites* choses, je l'avoue sans honte, mais j'adore tout autant concocter des bons coups. L'un et l'autre me procurent des euphories différentes mais qui ont une certaine parenté. Voler est assurément ancré dans mon ADN, je suis donc naturellement douée, et jouer des tours fait partie de ma nature profonde. J'aime surprendre les gens et les faire rire, voilà tout, comme j'aime être surprise et rire. J'étais comme ça à la petite école déjà, un as en mimiques innocentes. Je me disculpais d'avoir attaché les lacets des deux souliers de ma voisine de pupitre en l'aidant à se relever tout en enlevant des poussières imaginaires sur sa robe, le visage orné d'un sourire angélique. Et plus tard, elle voyait le coin de son bureau décoré d'une grenouille fabriquée à partir d'une page des *G* de notre dictionnaire.

Ces *pratiques* émanent-elles d'un désir puéril d'attirer l'attention sur moi ? Aurais-je ce besoin incommensurable d'être vue et aimée au point de me commettre dans de petits délits qui pourraient porter atteinte à ma réputation, m'envoyer vite fait en tôle, à l'hôpital, dans une unité psychiatrique ? J'ai en tous les cas cessé de me culpabiliser pour ce qui est de mes larcins, qui n'en sont que de tout petits quand on pense à ceux commis par les pontes de l'escroquerie. J'espère tout de même que le karma, notion cruciale sur laquelle insiste Diep, la pharmacienne asiatique même pas bouddhiste qui me sert de conscience, soit une bonne blague, parce que se réincarner en barreau de prison, c'est très bas dans l'échelle cosmique, me dit-elle. Difficile de ne pas la croire.

Jean-Marc n'aime pas ma tendance kleptomane, alors je ne lui dis pas toujours d'où viennent ces petits cadeaux que je lui offre, ces nouveaux vêtements que je porte, ma jupe DNKY, mes sandales Prada, son t-shirt Dubuc, mon soutien-gorge La Senza. Il n'a pas besoin de le savoir, sa nature anxieuse ne le supporterait pas, son léger côté curé non plus. Je vole les riches pour donner aux pauvres, en fait. À la pauvre. Moi. Si parfois apparaît dans un coin de ma conscience étriquée une image diffuse de moi derrière les barreaux, je me visualise également en train d'y écrire, dans cette prison de solitude, mes mémoires de kleptomane. Ma cellule serait un lieu poétique et inspirant, magnifiée d'animaux fabuleux bigarrés faits des pages de vieux *Good Housekeeping* que m'aurait refilés en contrebande l'antique commis du centre de documentation. Des photographies de mon cachot feraient la une de la revue *Prisons d'aujourd'hui* et je serais connue sous le nom de l'*Origamigirl*, une prisonnière sympathique de la trempe de Martha Stewart, en moins argentée.

Mais je n'en suis pas là. Depuis quelques années, je travaille à la bibliothèque médicale d'un assez gros petit hôpital où il ne se passe strictement rien. Alors, en plus de chiper des crayons, des rames de papier et les pages montrant les plus horribles photos de cancer de la bouche de l'*American Journal of Oto-Rhino-Laryngology* avec lesquelles je tente de persuader mon chum d'arrêter de fumer définitivement et pas une fois de temps en temps, je me fais un devoir de

« distraire » une des employées dont la vie privée aride et dénuée d'amour me désole. Il faut toujours un bouc émissaire pour jouer des tours et je suis chanceuse, cette femme a le profil idéal : naïve, distraite et un peu lente. Je l'adore, cela dit.

Il y a quelques années, bien avant mon arrivée à la bibliothèque médicale, j'avais trouvé (volé) dans une librairie de livres usagés un délicieux *Manuel des farces et attrapes* datant des années 80 dont la seule lecture m'avait ravie, avant même que je ne commence à « pratiquer mon art ». Un bon coup c'est un bon coup, peu importe l'époque. J'avais à peine besoin de les mettre à jour, ils étaient presque tous applicables en notre ère platonique où jouer des tours pour montrer aux gens combien on se soucie d'eux semblait une chose révolue. Mon lieu de travail (aride et dénué d'amour) était l'endroit parfait pour en mettre quelques-uns à exécution et égayer l'atmosphère.

C'est ainsi que par un midi ensoleillé radieux, Raymonde est revenue de sa séance avec le psychiatre qu'elle consultait, l'arête du nez maquillé d'un trait noir charbon. Je me suis alors demandé, avant que ma deuxième collègue, celle qui affichait la même queue de cheval depuis sa naissance, ne me dénonce (car c'était bien sûr moi la coupable), si elle avait passé l'heure précédente à raconter son absence de vie au thérapeute sans que celui-ci lui signale ladite barre noire qui traversait son nez de gauche à droite ? Il avait dû se retenir de rire à mort ou alors il y cherchait un sens quelconque, pensant à une émancipation soudaine de sa cliente, une extravagance dont ses traitements étaient l'heureuse cause. Car il est vrai que ce trait ornait joliment un nez autrement banal.

Quelques minutes avant son départ pour son rendez-vous hebdomadaire qui se déroulait pendant son heure de dîner, j'avais enduit le pont de ses lunettes fumées de poudre d'encre provenant de notre photocopieuse ancestrale. Je savais qu'elle ne sortait jamais d'ici, ni du bureau de son psy, sans ses verres, élément essentiel au camouflage émotionnel post-thérapie. Le manuel assurait que ce tour ne manquait jamais, que même la victime ne pourrait se retenir de crier au génie. Raymonde, bonne joueuse, s'était contentée d'essuyer la marque avec un *Wet-one* et de brandir un doigt sous mon nez signifiant un truc flou du genre « Ne me refais plus cela » ou encore « Commence à frémir, ma vengeance ne se fera pas attendre », sachant fort bien qu'elle n'avait ni l'audace ni l'imagination nécessaire pour ourdir quelque vengeance que ce soit. En voyant que ma collègue à couette gloussait dans sa queue de cheval, montrant ainsi son approbation, je me suis frotté les mains en émettant un rire sadique pour lui donner un petit frisson d'anticipation. Car au fond, toutes les deux adoraient mes tours pendables et en redemandaient chaque fois, sans oser me le dire. Cela les divertissait des règles de catalogage RCAA2 et de la classification Dewey.

Parfois, quand l'occasion se présentait, je choisissais une autre victime. La docteure Jivago, endocrinologue élégante, avait l'art de se faire aimer. Contrairement aux autres médecins ou prétendants à la médecine (ces étudiants qui se prenaient déjà pour de futurs sauveurs de l'humanité et pour lesquels nous étions de la crotte, nous, simples employés qu'il importait peu de saluer), elle s'arrêtait toujours à mon poste pour me demander : « Comment allez-vous ? » avec son irrésistible accent des mille et une nuits. C'était peu mais beaucoup. Je lui répondais : « Ma thyroïde se porte plutôt bien » ou autres considérations sur ma glande, car on m'avait récemment diagnostiquée hypothyroïdienne et ma TSH était enfin stabilisée. J'aimais assez l'idée de pouvoir me couronner d'un titre et « hypothyroïdienne » me réjouissait, avec son joli tréma. Je pouvais commencer mes phrases par : « Nous, les hypothyroïdiens... », « En tant qu'hypothyroïdienne... », etc., ce qui ne manquait jamais de capter immédiatement l'attention, car il est nébuleux, le monde de l'hypothyroïdie, et tout le monde est curieux de savoir comment pensent les hypothyroïdiens. Sans compter qu'on peut justifier beaucoup de choses, avec une maladie pareille. « Ce n'est pas ma faute, je suis hypothyroïdienne. » Ça marche, mais seulement avec ceux qui n'y connaissent rien et qu'on peut donc duper.

Docteure Jivago s'avérait donc une personne délicate et attentionnée, habillée de vêtements griffés et joliment coiffée, extrêmement soucieuse de tous les détails concernant son apparence. Ce matin-là, elle s'est avancée vers moi de sa démarche de ballerine du Bolchoï, encore vêtue de son manteau de cuir auburn Rudsak et de ses bottes Pajar. En chuchotant comme il se doit dans une bibliothèque, où il semble qu'on doive absolument entendre respirer les livres, elle m'a dit :

– J'ai oublié mes escarpins chez moi. J'ai appelé mon mari, il devrait venir les porter ici. Je viendrai les chercher un peu plus tard. Vous pouvez me les garder ?

Contente d'être enfin investie d'une autre mission que celle de classer des revues commençant toutes par : *The American journal of... The Canadian journal of...*, j'ai acquiescé par un signe de la tête en prenant un air mystérieux et complice. Elle a quitté la bibliothèque sur la pointe des pieds en répandant de la sloche partout sur son passage et en laissant un petit îlot mouillé sur le sol devant mon bureau. Raymonde, qui ne supporte pas un plancher sale, s'est empressée de le nettoyer avec du papier essuie-tout brun industriel, dont j'ai quelques paquets sous mon lavabo, pratiques pour les tâches ménagères et faciles à subtiliser dans les toilettes de l'hôpital.

– Qu'est-ce qu'elle voulait ?

Raymonde est curieuse, c'est une qualité que j'encourage chez les gens, même si curiosité équivaut parfois à indiscrétion.

– Son mari va venir porter ses chaussures. Tiens, c'est lui. Mon Dieu, sa moustache !

Docteur Jivago, époux, est entré en poussant la porte comme s'il voulait l'arracher de ses gonds. Il m'est apparu clairement que son mariage ne se portait pas bien. Ses cheveux m'ont déroutée. Coiffés et englués vers l'arrière, ils lui faisaient comme un casque protecteur susceptible de le protéger de tout ce qui pouvait tomber du ciel, sauf les attaques de sa femme. Il arborait une moustache extravagante à la Dali, qui lui remontait de chaque côté des narines.

– Comme si j'avais le temps de courir derrière Madame. Tenez, ce sont les chaussures qu'elle m'a demandé de lui apporter. Elle en a cinquante paires, tant pis si ce ne sont pas les bonnes, elles se ressemblent toutes.

Il est reparti en claquant notre pauvre porte, nous laissant sans voix. Ces psychiatres ont de sales caractères. Je me suis demandé si celui de Raymonde était plus tempéré, ou aveugle, en repensant au trait nasal. J'ai sorti les souliers du sac, de chics Christian Louboutin qui à eux seuls valaient un mois de mon salaire. En les examinant, il m'est venu à l'esprit un autre de mes plans de nègre. Je pouvais faire d'une pierre deux coups : divertir la pauvre docteure Jivago de sa vie matrimoniale défaillante, et nous divertir par la même occasion. Et pour une fois, Raymonde, au lieu d'être la victime, serait mon acolyte.

– Raymonde, tu peux me prêter cette paire de godasses que tu gardes sous ton bureau depuis cent ans ?

– Quoi ? Pourquoi ? Elles sont poussiéreuses et usées, je devrais les jeter, je ne sais pas pourquoi je n'arrive pas à m'en débarrasser. Qu'est-ce que tu veux en faire ? Tiens. Nooooon...

Elle s'est mis la main sur la bouche pour étouffer un petit rire en me regardant remplacer les élégants brodequins français de la docteure Jivago par ses chaussures achetées chez Yellow en 1992, des choses infectes et hideuses moulées en une seule pièce dans un plastique luisant et dur, capable de survivre aux changements climatiques pendant des décennies sans s'altérer un brin. Il ne restait qu'à attendre. Ma collègue à couette ne semblait pas approuver mon plan ; elle avait un respect démesuré pour la gent médicale, tout juste si elle ne se prosternait pas devant un médecin qui lui demandait une photocopie. Les médecins étaient intouchables et voilà que j'allais en ridiculiser un sous son nez. Nous avons subi le supplice de l'attente pendant cinq bonnes minutes avant que notre docteure ne se pointe, toute remplie d'espoir que ses ravissants escarpins d'endocrinologue raffinée soient arrivés pour pouvoir enfin sortir de ses bottes.

– J'espère que mon mari a été gentil. Il est de mauvaise humeur, par les temps qui courent et ce matin, ouf !

– Non-non, il a été tout à fait charmant, charmant, vraiment. Voici vos chaussures.

Je lui ai tendu le sac de tissu et, sans en vérifier le contenu, elle est repartie pour revenir une minute plus tard, visiblement déconcertée, en tenant les atroces chaussures du bout des doigts avec dédain, craignant probablement d'attraper une maladie de peau.

– Ne me dites pas que ce sont les souliers qu'Ivan m'a apportés ? Où a-t-il pu trouver ces horreurs ? Je comprends qu'il soit fâché après notre dispute de ce matin, mais à ce point... Vivre avec un psychiatre, ce n'est pas comme en consulter un, quoiqu'il soit difficile de dire laquelle des deux situations est la pire, au fond, considérant le nombre de personnes qui voient des psys et qui sont aussi malheureuses que les personnes qui en côtoient de près. Enfin, qui peut dire...

Son regard est devenu vague et triste et s'est perdu au-delà du store vertical qui dissimulait notre unique fenêtre sale. Elle semblait se parler à elle-même, comme si nous avions tout à coup disparu, ou qu'elle nous voyait tel un trio de psychologues susceptible de lui apporter une réponse. Elle s'est ressaisie et est sortie de son bref coma aussi rapidement qu'elle y avait été happée et nous a regardées, toutes rouges que nous étions. Raymonde et Miss Couette, elles, se retenaient de pouffer, comme si rien de particulier ne venait de se produire autre que l'affaire des souliers. Pourtant, Raymonde aurait dû se sentir interpellée, en pensant à son psychiatre à elle. La docteure a éclaté de rire, subitement détendue et comprenant qu'elle avait fait l'objet d'une conspiration. Elle est intelligente, ma docteure, vive d'esprit et aussi bonne joueuse que Raymonde. Je sais choisir mes proies. Miss Couette semblait soulagée, elle riait plus fort que nous toutes. Elle avait la preuve que même les médecins peuvent avoir le sens de l'humour, quand ils n'ont pas le nez dans les entrailles béantes d'un patient. Et encore là, qui sait s'ils ne rient pas des entrailles en question.

– Vous faites ma journée ! Ah, j'ai quand même eu peur, pendant un instant !

Je lui ai remis ses précieux Louboutin, qu'elle a serrés contre sa poitrine en soupirant de soulagement, sans oser lui faire remarquer que « Vous faites ma journée » est un vulgaire anglicisme. Inutile de la déranger pour une question de vocabulaire ; ce que je lisais maintenant dans les beaux yeux bruns de ma docteure Jivago était une histoire triste qui se passait de mots. Je savais maintenant que ma gentille docteure était probablement mal accompagnée dans la vie, du moins qu'elle traversait un passage difficile, et j'ai eu un élan de compassion pour elle, que je ne pouvais malheureusement pas lui exprimer.

Elle riait toujours en quittant la bibliothèque, et cela m'a consolée, que cet enfantillage l'ait fait au moins rire. J'ai repris les godasses de Raymonde et je les ai jetées sur le plancher avant qu'elles ne m'infectent la peau des mains. Une espèce de nébulosité a obscurci mon esprit pour le reste de la journée, l'impression confuse que la docteure Jivago et moi avions quelque chose en commun.

Ainsi en allait-il de notre vie d'employées de bibliothèque où il ne se passait, sinon, jamais rien.

C'était un jour maussade, où le ciel menaçait de crever des poches d'eau à tout moment. Pendant ma pause, je me suis cachée dans le fond de la bibliothèque pour consulter ma bible, là où même les souris ne vont pas parce que les tuyaux produisent des bruits de film d'épouvante ; elles préfèrent la cafétéria. En mangeant une pomme, j'ai tenté de trouver un tour facilement réalisable, qui demandait peu de préparation et de matériel. Je me suis rappelé avec bonheur le tour intitulé « Avis à la population », qui m'avait inspiré l'installation de pancartes médisantes un peu partout : « Arrêt momentané » sur une porte d'ascenseur fonctionnel, « Toilette défectueuse » sur celles de toutes les salles de bain voisines de la bibliothèque, « Employée contagieuse H1N1 » sur le bureau de Miss Couette, et « Fermé aujourd'hui, congé férié » sur la porte de notre bibliothèque, un mardi matin. J'ai écarté les tours : « Ton bouton est décousu », « La confiture à ressort », « Les coups de marteau sur la tête » et

« Le pare-brise éclaté » pour retenir : « Boire de l'eau est dangereux ». Il tombait à pic. La mode de boire de l'eau en quantité ahurissante étant encore en cours, tout le monde se faisait un devoir de trimballer une bouteille remplie du précieux liquide devenu essentiel à la survie, comme si cela n'était pas le cas depuis toujours. Raymonde, soucieuse de maintenir une bonne santé aquatique, engloutissait des seaux d'eau, à se demander si un jour sa vessie n'allait pas péter en pleine bibliothèque, un rêve de néphrologue.

Pendant qu'elle était partie à la cafétéria chercher son croissant aux amandes du vendredi, j'ai tartiné de crème à mains parfumée à la rose les rebords du petit verre en carton qu'elle utilise pour boire de l'eau avant de le jeter, tout ramolli, à la fin de la journée. Mon manuel m'assurait que ce tour ne ratait jamais. Je me suis demandé si on pouvait s'empoisonner avec de la crème hydratante, mais ça ne m'a pas tracassée longtemps. Tout au plus aurait-elle les lèvres plus douces que jamais. La Couette, elle, puisait son eau à la fontaine la plus proche, glacée, « une agression pour ton pauvre organisme », lui disais-je. Je ne l'avais pas mise dans le coup car je savais que pour celui-là, elle m'aurait dénoncée ; c'était la reine des feux sauvages. Tout ce qui touchait aux lèvres devait être au préalable désinfecté ; cela me rendait songeuse, quant à celles de son mari. Les enduisait-elle de *Purell* avant de l'embrasser ?

À chaque verre qu'elle prenait, Raymonde nous demandait si nous avions remarqué combien l'eau avait tout à coup un petit goût étrangement parfumé. « Non, elle est comme d'habitude. » Pour en témoigner, je m'étais servi la même eau dans un petit verre de carton et, en prenant des airs de connaisseur, je l'avais testée en me gargarisant comme un expert en vin. Puis, j'avais hydraté mes mains de crème à la rose en me disant qu'elle allait sûrement faire le lien, qu'on ne pouvait avoir le nez bouché à ce point, mais il semblait pourtant que oui.

Et Raymonde de boire son eau parfumée jusqu'à 16 heures, et moi de lui annoncer qu'elle s'était bien fait avoir, encore une fois, et elle de dire : « Ah ben ça a pas d'allure ! Ça a pas d'allure ! Elle est trop drôle ! », en bonne joueuse qu'elle était. C'est ce même jour que, sur le trottoir mouillé par la pluie qui tombait à verse, elle a reçu quelques centaines de confettis sur la tête en ouvrant son parapluie. J'aurais aimé assister à cela mais Jean-Marc m'attendait à une autre sortie dans son F-150, officiellement sienne. Parfois, quand il finissait à une heure raisonnable, il venait me prendre. J'adore cela, surtout quand il pleuvait ainsi ; je me sentais comme une reine de gym en faisant le grand écart pour me hisser dans son camion tandis qu'il plaçait mon vélo dans le coffre. Si je portais une jupe courte, l'effet était décuplé, pour Jean-Marc du moins, du fait qu'il pouvait apercevoir ma petite culotte.

– Alors, tu as passé une bonne journée, chérie d'amour ?

– Oui, pas mal. J'ai souri à tout le monde comme Maggie Smith, mais personne ne l'a remarqué, c'est fou. Personne n'écoute donc *Downton Abbey* ? Regarde, je l'ai bien, non ?

– *Mouais*. Persévère, dans quarante ans, bien ridée, on va y croire. Qui tu as torturé, aujourd'hui ?

– La même que d'habitude. Elle aura quelque chose à raconter à sa mère.

Raymonde, à presque cinquante ans, habitait toujours chez ses parents. Elle n'avait pas de loyer à payer. J'étais un peu jalouse. Elle pouvait ainsi s'offrir la thérapie dont j'aurais eu besoin mais que je n'avais pas les moyens de subventionner.

– J'ai appris aussi que ma docteure Jivago était malheureuse dans son couple. Ça m'a déprimée pour la journée.

– Qui c'est ?

– Une endocrinologue libanaise qui a des centaines de paires de souliers. Je rêve de visiter sa penderie, surtout qu'on semble chausser la même pointure. Je l'aime beaucoup. Je prierais bien pour elle, mais depuis que j'ai vu son mari et sa moustache, j'ai compris que ce serait inutile.

– Tu es gentille, malgré les apparences. Ça te dit, un petit resto, ce soir ? C'est moi qui invite.

Il n'avait pas besoin de dire ça, c'était toujours lui qui invitait. Il faisait huit fois mon salaire, et je mangeais comme un oiseau, même qu'il terminait mes assiettes. C'était une poubelle humaine, sans fond. « Toi aussi tu mangerais comme moi, si tu travaillais physiquement. » Bien sûr.

– Tiens, tu les cherches toujours.

Je lui ai tendu un stylo. On en a des tonnes, à la bibliothèque, un de plus, un de moins, quelle différence ça peut faire ?

– Tu ne peux pas t'en empêcher, hein ?

– Ce n'est pas du vol ! De toute façon, un jour, j'aurais utilisé ce stylo, jusqu'à plus d'encre, alors ça revient au même !

– J'adore tes raisonnements arrangés à la comme-tu-veux. Tu préféreras que je t'apporte des oranges ou des pommes, en prison ?

– Apprends donc plutôt à jouer au Scrabble, ça sera plus divertissant, si j'ai droit aux visites.

Jean-Marc n'avait qu'un secondaire IV. Il faisait une faute aux deux mots, il ne savait pas qu'on doit mettre un point à la fin des phrases ou alors il était juste paresseux. Heureusement qu'il devait utiliser des clous et non des virgules pour construire ses maisons, sinon il y aurait beaucoup de gens ensevelis.

– Ok, je vais apprendre, si tu me laisses une chance.

– Nahhh, laisse faire. Jouer avec quelqu'un qui fait des mots de trois lettres, c'est tuant. Le panier de fruits sera une meilleure affaire.

On est allés chez lui pour qu'il puisse se décrotter, extraire de ses narines, de ses oreilles et autres orifices tous les résidus ramassés sur son chantier. Pendant qu'il prenait une de ses interminables douches, je suis allée sur Internet et j'ai *googlé* : kleptomanie.

## La voleuse et ses instructions

Quand on est la sorte de bandit que je suis, on développe toutes sortes d'astuces pour contourner le système et ne pas payer son dû à la société. Par société, j'entends ceux qui la gouvernent, pas mes amis, ma famille et mon chum. J'entends aussi les épiceries, les magasins à rayons et les boutiques de cochonneries. Je ne cache pas, comme beaucoup de mes connaissances le font, de petits montants au ministère du Revenu et pourtant, je suis quand même hyper stressée pendant les deux mois qui suivent ma déclaration, symptôme de kleptomane. Je ne vole pas chez les gens, je respecte leurs biens individuels gagnés à la sueur de leur front, ou de leurs aisselles, selon qu'ils travaillent de la tête ou du corps. Ces choses que je « prends » en magasin n'appartiennent encore à personne, elles sont là dans la boutique, en transition, entre l'usine et l'acheteur. Quand je suis dans un magasin, quel qu'il soit, j'éprouve ce besoin irrépressible : prendre une chose, n'importe laquelle. Et ne pas la payer.

Depuis mon larcin des nombreuses bouteilles d'eau chez le concessionnaire, qui avait détruit mon sac en bandoulière préféré, j'avais découvert, grâce à la mine d'or du Net sur les maladies mentales, que cette pulsion, la kleptomanie, était répertoriée dans le DSM, le *Manuel diagnostique et statistique des troubles mentaux*. Soit. Bizarrerie de ma personnalité, avouée et cataloguée qui plus est, disons qu'elle tient compagnie à mon hypothyroïdie. Une maladie, c'est bien, deux, c'est encore mieux, pourvu qu'elles fassent bon ménage. Jusqu'ici, l'une ne semblait pas nuire à l'autre, mais je me demandais si elles ne s'encourageaient pas mutuellement. Je n'ai pas osé en parler à mon endocrinologue, de peur qu'elle m'envoie consulter un psychiatre qui n'aurait pas la trempe du docteur Phil ou pire, qu'elle me réfère à celui qui traite Raymonde, lequel ne doit pas être coté trois étoiles compte tenu de l'attachement névrotique de Raymonde pour ses vieilles chaussures.

J'ai vaguement connu, jadis, une fille qui volait bio, que des trucs bio, rien de moins. Je n'ai jamais eu ce raffinement, même que j'essaie de prendre des choses pas trop chères, pour me sentir moins coupable. Début vingtaine, je m'étais fait prendre dans une pharmacie. La honte ! J'ai donc modifié mon champ d'action, puisque maintenant, je sais qu'on y engage des agents déguisés en badauds et je ne m'y risque plus. Celui qui m'avait pincée portait un imperméable, tenait un parapluie à la main et était chauve. Pourquoi s'empêtrer d'un parapluie quand on porte un ciré et qu'en plus, on n'a pas de coiffure à protéger ? J'aurais dû me douter que la section des shampoings était sans intérêt pour lui et marquer une hésitation quand je l'ai croisé dans l'allée où j'ai pris mon objet, une brosse à cheveux en soies de sanglier, moi qui ne me brossais jamais la crinière !

C'est dire combien la kleptomanie est une maladie insensée, qui infuse un manque total de discernement. Ce n'est plus l'objet qui compte, mais le geste et la sensation qu'il procure, bien meilleure que l'orgasme. Que les miens, du moins. Explication que je sers bêtement à mon amoureux pour me justifier.

Je payais les achats censés éloigner les soupçons quand je me suis fait arrêter. L'agent m'a dit : « Suivez-moi. » Comment résister à une telle invitation ? N'importe quoi pour échapper aux regards noirs des irréprochables acheteurs qui me canardaient de haut en bas, regardant s'écouler mon orgueil par tous les pores de ma peau. Le colosse me tenait avec force par le bras, craignant que je fasse une échappée à la Jack Bauer, alors que mes jambes étaient aussi molles que de la guimauve et que j'étais une brindille comparée à lui. Je marchais tête baissée, humiliée, aux côtés d'un espion qui se fichait bien que tout le monde me fustige des yeux comme si je venais de tuer le caissier.

Parenthèse : non seulement suis-je une hypothyroïdienne doublée d'une kleptomane triplée d'une joueuse de tours, mais j'ai un autre trait de personnalité qui, celui-là, tient plus du don que de la maladie : je suis une excellente comédienne. Je peux faire croire n'importe quoi à n'importe qui. C'est ainsi qu'au début de notre relation, alors qu'il me connaissait à peine, Jean-Marc a cru que je faisais partie de l'Église de Scientologie. Pour appuyer mes dires et le convaincre, j'avais passé dix bonnes minutes à chercher le bouquin de Ron Hubbard dans mon appartement, puis, simulant la panique, j'avais composé un numéro de téléphone (en gardant le doigt sur l'interrupteur) : « Tom, est-ce que tu aurais emporté ma *Bible* par erreur, l'autre jour, quand tu es venu chez moi avec notre groupe ? Non ? J'ai beau fouiller, elle n'est nulle part. C'est important, car je crois avoir un bon *prospect* ici, un gars de la construction, on n'en a pas, dans notre groupe ! Tu pourrais peut-être venir nous rejoindre et apporter ton livre ? » Et le *prospect* en question de hocher frénétiquement la tête de gauche à droite au risque de se déplacer le cerveau, avec le regard d'un homme traqué. J'avais tenu bon pendant toute la soirée, l'incrédulité de Jean-Marc faisant place peu à peu à la certitude que j'étais bien une cinglée religieuse dont il devait s'éloigner avant de trop s'y attacher. Quand son corps avait commencé à manifester des signes d'anxiété profonde (il était assis sur le bout de mon seul fauteuil moelleux) et que j'ai craint qu'il parte pour ne plus jamais revenir, j'avais craché la vérité pour qu'il cesse de s'en faire : je n'étais pas scientologue. Il a ri, soulagé.

– Tu m'as fait peur quand même. Ça arrive, ces choses-là. Un de mes employés est tombé sur une raëlienne, les chances que ça arrive et le foutoir dans lequel ça l'a mis ! Dis-moi que tu n'es pas dans une secte quelconque ? Dis-moi que tu as toute ta tête, espèce de timbrée ?

Oui, j'avais presque toute ma tête ; non, je n'étais dans aucune secte, et oui, j'étais à lui depuis la seconde où, tombant dans le panneau, il m'avait offert son visage attendrissant de crédulité. Il était resté, toute la nuit. Fin de la parenthèse.

L'agent de la pharmacie n'a pas ri, lui, en me questionnant, d'autant plus que je n'avais aucune carte d'identité avec moi pour prouver mon existence même si j'étais là, et que personne ne répondait à mon domicile. Évidemment, j'habitais seule, et Poupounka ignorait comment prendre les appels en mon absence. Alors, j'ai sorti le grand jeu, tambours et trompettes : j'étais déprimée depuis quelques jours, mon amoureux m'avait trompée (faux), c'était une première (faux), *promis-juré !* Regardez mes cheveux, vous pensez que ce petit tas de foin nécessite un brossage ? Quelques vraies larmes pour ponctuer mon laïus et j'étais affranchie, sur promesse de ne jamais remettre les pieds dans cette succursale. J'étais partie en me retenant de courir, avec à la main le sac dans lequel se trouvaient mes véritables achats, ceux que j'avais légalement acquis. J'avais pensé féliciter l'agent pour son bon boulot et lui soumettre ma candidature parce que franchement, il n'y a rien de mieux qu'un voleur pour en reconnaître un autre.

Je me souviens de cet épisode comme s'il datait d'hier. Il me sert de leçon mais il ne m'a pas vraiment guérie, pas du tout en fait, il m'a seulement obligée à être un peu plus vigilante. Ce qui explique le contenu *kleptomaniaque* de ma penderie ; je pourrais passer deux mois sans faire de lessive, et sans devoir porter deux fois les mêmes fringues ! J'ai un malaise quand j'ouvre la porte de mon armoire. À cause de la quantité de guenilles qui me renvoie l'image d'une malade vestimentaire, mais aussi parce qu'il en tombe toujours à mes pieds et que je dois me pencher pour les ramasser, puis trouver un espace pour les replacer quand, de l'espace, il n'en reste plus. C'est un fouillis, si bien que périodiquement, je fais des dons, là même où je fais mes *acquisitions* : au Vallon des Valeurs. Cet antre du haillon, à cause de sa piètre et peu commode politique d'échange, a donné l'élan fatal qui a relancé et *revampé* ma maladie, lui octroyant un lustre nouveau.

Je me retrouvais souvent avec un vêtement jamais porté (par moi, bien entendu, étant donné que ce morceau avait connu le corps d'un prédécesseur) et dont la date de retour était expirée depuis trois siècles. Cela me turlupine vraiment de conserver dans ma garde-robe surmenée un morceau inutile et il m'en coûte parfois tout autant de m'en défaire, la kleptomane étant probablement doublée d'une radine. À tout problème s'appose une solution.

Inutile, donc, de compter les fois où je suis allée à ma succursale préférée, vêtue de plusieurs morceaux de linge camouflés par superpositions, sous une veste ou un manteau. Je choisis d'autres articles et, une fois dans la cabine d'essayage, j'enlève ceux que je ne veux plus et enfile les nouveaux, souvent de valeur moindre. Déculpabilisation immédiate ! Je prends moins pour remettre plus, en quelque sorte. Ni vue ni soupçonnée, puisque je rends le même nombre de vêtements à la préposée aux cabines, qui n'y voit que du feu et non les couleurs et les motifs différents, voire la catégorie différente. Pour cette employée écœurée de devoir comptabiliser des fripes par centaines à l'heure, deux pantalons et quatre t-shirts ou le contraire, quelle importance, du moment qu'il y en a six au total ?

J'utilise plusieurs variantes. Parfois, fatiguée d'un jeans, j'en magasine un autre et je ressors de la cabine d'essayage vêtue du nouveau, tandis que l'autre est suspendu sur le cintre, encore tout chaud. Ce que je fais de l'étiquette du prix ? Facile, je la transfère sur le vêtement à rendre en la brochant bien correctement sur le tissu. Ils ont fini par modifier et complexifier le système d'épinglage des prix. J'aime penser que c'est à cause de moi qu'on a dû faire cet effort et changer des millions d'étiquettes à la main, mais même cet ingénieux nouveau système n'a su résister à mes assauts. Je suis une top, quoi, une débrouillarde. Maintenant, j'arrive au magasin munie d'un minuscule outil au bout pointu qui me sert à agrandir légèrement l'orifice dans lequel est plantée la cordelette plastifiée à laquelle est accroché le carton affichant le prix. Ainsi, je peux l'en extraire sans causer de dommage et le reporter sur l'ancien vêtement : un nouveau petit trou et le tour est joué. Cet outil pourrait aussi servir, le cas échéant, à me sortir d'un mauvais pas. Lequel, je l'ignore, mais je le saurai quand il surviendra.

D'autres fois, je m'écarte de mon code de conduite en redonnant deux morceaux pour ressortir du magasin avec cinq, soudainement plus grosse d'un centimètre de chaque côté. J'enfourche mon vélo, prends la première ruelle et enlève quelques couches de manière à rétablir ma circulation sanguine et à pouvoir pédaler sans m'asphyxier. Pendant ce strip-tease, en tassant dans mon sac les vêtements dérobés, je ressens de la culpabilité, mais pas longtemps. Je crains surtout de m'attirer moult malheurs, voire le juste retour des choses. C'est pour cette raison que, cambriolée à deux reprises, je suis restée d'un calme olympien. Je me disais que je le méritais.

Jean-Marc est au courant de mes petits larcins et se tient assez quiet sur le sujet.

– Je ne sais pas pourquoi tu voles au juste. Tu es une délinquante. À ton âge.

– Mon âge ! Et les entrepreneurs en construction, ce sont des gens au-dessus de tout soupçon ? Tu veux savoir pourquoi je fais ça ? Tu as du temps devant toi ? Genre deux ou trois heures pas payées pour écouter ?

– Si c'est pour demander un défrichage complet remontant jusqu'à tes vies antérieures, non.

Je le récompense donc. Tous les trois mois, je lui fais un défilé de mode de mes oripeaux pour qu'il me dise desquels je devrais me défaire, à son avis, de manière conforme en les rapportant là où je les vole. Il m'aide à élaguer ma penderie dont les tablettes risquent de s'écrouler sous le poids du linge. Il en profite, car il aime me regarder me pavaner, attifée de multiples façons. Il en profite aussi pour me sermonner brièvement, comme si j'étais une attardée.

– Je te jure, si je reçois un jour un appel de la police, je te laisserai sécher en cellule.

– Je n'en doute pas, occupé comme tu es.

– J'enverrai ta caution par la poste pour te laisser croupir quelques jours, le temps que tu apprennes ta leçon.

Et puis, ajoute-t-il pour accentuer la menace, pas sûr qu'il aurait envie de s'acoquiner avec une fille au dossier criminel, aussi mignonne soit-elle. C'est ce qu'il affirme, mais je suis certaine que ça l'exciterait, faire des cochonneries avec une hors-la-loi. À la fin de mon défilé et de sa leçon de morale, nous faisons parfois l'amour, couchés sur les fringues élimées, mes robes vintage 1950, mes *acid wash* 1980 et autres vêtements aux couleurs angéliques.

Mon éventail de gratuités recèle un autre élément, essentiel à ma santé mentale et physique : le café. Jean-Marc, qui est un grand amateur de cette boisson et qui en bois à raison de cinq tasses par jour, dit toujours que mon café est meilleur que le sien, sans savoir pourquoi. Je ne sais pas pourquoi non plus, peut-être parce qu'il est gratuit. J'ai décidé un jour que, vu que mon salaire de commis de bibliothèque était insuffisant et que mon travail ne suffisait pas à me garder bien réveillée, à moins que je ne l'agrémente de mes tours pendables — et encore faut-il que je sois bien réveillée pour les mettre à exécution —, il me fallait du bon café. Et comme le café est cher, pourquoi le payer quand on peut faire autrement ? Les petits sacs dans lesquels on moud les grains de café étant exempts de codes barre, susceptibles de faire sonner les deux machins gris postés à la sortie des épiceries, dont j'ai toujours soupçonné qu'ils étaient du toc pour faire peur aux voleurs, l'affaire s'avère simple. Je remplis au quart mon sac de café, dont je mouds au préalable les grains à la machine, puis je le cache dans le panier, écrasé sous mon sac à main et voilà ! Je me retrouve dehors avec mes achats dans le panier et mon petit sac à café gratis, sans avoir eu le crâne martelé par le tumulte des sentinelles électroniques. Je ne répands pas cette information, de peur que tout le monde s'y mette et qu'on finisse par insérer de petits bouts de métal dans les sacs à café, comme on fait pour les livres des bibliothèques. (Non, je n'en ai jamais volé. Pourquoi le ferais-je ? L'abonnement est gratuit.) Alors là, je devrais me contenter de mettre des poignées de grains de café non moulus au fond de mes poches, ce qui serait bien peu commode et pas du tout hygiénique.

Un jour, hier pour être plus précise, j'ai emporté ma petite machine à café à la bibliothèque médicale. C'était la fête de Raymonde et je voulais lui en faire un bon, tout frais, pour la changer de son café colombien rassis pris à la distributrice. Je l'ai accompagné d'une tranche du pain aux dattes et café (volé) que j'avais cuisiné la veille sans y avoir caché des choses immangeables pour rire et se casser une dent, du genre légumineuses crues. Elle était ravie. Nous lui avons chanté « Bon anniversaire » de la manière traditionnelle en levant nos tasses à sa santé. Elle a trouvé le café excellent, même si j'avais enduit le bord de la tasse de crème à mains à la rose. Je pense qu'elle commence à y prendre goût.

## L'accident théâtral

Le soir du gâteau au café, Jean-Marc m'a invitée à voir une pièce de théâtre expérimentale. J'aurais préféré une expérience-amoureuse-au-lit étant donné qu'on avait du temps à reprendre à ce sujet, mais il fallait y aller, les billets avaient été offerts par un client qui lui demanderait s'il avait aimé la pièce, on remettrait l'aventure une autre fois, enfin on sortait au lieu de jouer au *Rummy*, etc., etc. Je ne me suis pas obstinée trop longtemps, car je ne boude jamais une sortie, surtout quand elle est offerte.

Le théâtre avait son enseigne sur une petite rue d'un quartier miséreux où le nombre de chats errants rivalisait avec celui des crottes de chien laissées sur les trottoirs. Malgré une nette tendance à l'embourgeoisement, les immeubles continuaient à afficher des signes de délabrement, comme certains de leurs locataires. J'aimais bien ce quartier, je m'y sentais chez moi, entre les poivrots sortant de la taverne du coin pour fumer leur clope nauséabonde et le théâtre à l'architecture audacieuse. On y présentait des pièces à un prix abordable, alors si on était déçu, ce qui arrivait une fois sur deux, on ne bougonnait pas qu'on aurait dû aller voir un film.

J'aime aller au cinéma, au musée et au théâtre avec Jean-Marc, quand il a le temps, bien entendu. On partage à peu près les mêmes goûts, à moins qu'il ne fasse semblant de s'accorder aux miens pour s'éviter d'interminables discussions. C'est de toute façon un territoire où j'aime me retrouver avec lui, puisque l'on s'y bat rarement, contrairement à ce qui a trait aux choses domestiques.

Juste avant de partir, on s'était engueulés méchamment. Bon, c'est vrai, je pète rapidement les plombs quand je fais face à ce qui pourrait être vu comme une simple bourde ou une distraction, quant à ces choses domestiques qui semblent tenir de la plus haute complexité pour les gars mais qui vont de soi pour les filles.

– Jean-Marc, est-ce que tu es victime d'une maladie neurologique ou visuelle rare qui te fait confondre torchons et débarbouillettes, par hasard ?

Je lui avais piqué une bonne douzaine de ces débarbouillettes blanches qui *traînent* sur les étagères des unités de soins et, en pliant le linge sorti de la sécheuse, je constatais qu'elles étaient toutes constellées de taches brunâtres et jaunâtres suspectes qui m'ont amenée à la conclusion qu'il s'en servait pour laver les comptoirs et les planchers. Comme de fait, en farfouillant un peu, le temps qu'il se trouve un costume-pour-l'homme-qui-va-au-théâtre, j'ai trouvé une guenille suspendue après le pommeau de la douche. Je l'attendais à la sortie de sa chambre, un torchon maculé dans une main, une débarbouillette pourrie dans l'autre.

– Mais non, mais non, qu'est-ce que tu dis là ?

– Alors, comment ça se fait que les belles débarbouillettes blanches que je t'ai ramenées de l'hôpital au risque de perdre mon emploi sont dégueulasses à ce point ? Tu t'en sers comme papier de toilette ?

– Je ne t'ai jamais demandé de risquer ton emploi pour moi ni surtout pour des débarbouillettes qu'on peut trouver à quatre pour un dollar au Dollarama.

– C'est beaucoup moins drôle de les acheter. Et ça ne répond pas à ma question.

– Je ne sais pas, moi ! Arrête de me scruter à la loupe ! Tu fais toujours ça ! Tu vois tout, tu questionnes sans arrêt, tu me rends fou ! Rien n'est jamais correct, avec toi ! Débarbouillettes, torchons, guenilles, on s'en fout, du moment que ça fait la job !

Je déteste l'expression « Ça fait la job », mais encore plus « Rien n'est jamais correct, avec toi », qui semblait être devenue une formule dans son langage quotidien usuel. Il s'était mis à crier sérieusement et quand Jean-Marc crie, inutile de chercher à lui faire entendre quoi que ce soit, il part dans sa petite bulle schizoïde, il se croit en train de se produire devant des centaines de spectateurs en délire ou je ne sais trop mais en tous cas, ça fait du bruit, tellement que j'aimerais pouvoir enlever mes oreilles et les cacher dans un tiroir, le temps qu'il se calme.

– Tu ne comprends pas ? C'est infesté de microbes et tu mets ça dans ta figure ! Des torchons avec lesquels on a lavé les planchers, les comptoirs, le bain !

– Elles sortent propres de la laveuse, elles ont séché pendant une heure, il n'y en a plus un seul, microbe !

– C'est ce que tu crois ! Tu veux que j'en apporte une et que je la fasse analyser au laboratoire de microbiologie ?

– Par ton ancien amant, le gars avec les dents ?

– Au moins, lui, il ne se servait pas de ses dents pour me crier dessus ou pour décapiter mes bouts de seins ! Enduis-toi la face de bactéries si tu veux, je m'en fous. Tiens, maudit cochon !

Je lui ai lancé à la figure la pile de débarbouillettes que je venais de plier, elles sont mollement retombées sur le sol autour de lui. J'aurais aimé qu'elles fussent encore mouillées, ça aurait eu plus d'impact alors que là, il ne me restait plus qu'à les ramasser et à les plier à nouveau.

– Je ne t'ai jamais demandé de plier ma lessive de toute façon.

– Je sais, tu préfères jeter ton linge en vrac n'importe comment dans tes armoires, c'est comme ça qu'on retrouve tes bobettes avec les serviettes, et les linges à vaisselle avec tes bas.

– Tu ne vis même pas ici, en quoi ça peut te déranger ?

– Je te déteste ! Je suis ici plus souvent que toi chez moi parce que monsieur finit toujours trop tard pour arrêter chez moi, alors si je ne me pointe pas chez toi, on ne se verra jamais. Et en t'attendant, je fais la cuisine, je lave et sèche et plie ton linge sale et puant du chantier et toi, et toi, tu... tu...

– Tu ne sais même plus quoi dire. Allez, viens ici, on fait la paix. Sinon je te fous à la porte.

– La paix? Argh ! C'est trop facile. Je suis sur les nerfs maintenant, et on est obligés d'aller voir cette pièce d'intellectuels oulipiens qui va me les mettre encore plus en boule. J'en ai marre !

– Tu ne vas vraiment pas bien. Va faire une petite grenouille pour te détendre, je t'ai gardé une revue de machines industrielles, la qualité du papier est intéressante.

– Ne m'infantilise pas ! J'allais bien, avant les débarbouillettes. J'allais même mieux, avant toi. Je ne vivrais jamais avec toi, je serais toujours derrière toi à te ramasser.

– Derrière chaque grand homme se trouve une femme. Dans la dernière émission de Jacques Languirand sur les relations de couple, il dit...

– Va chier avec tes dictons à la con et ton Languirand ! On part tout de suite sinon je m'en vais chez moi. On prendra un mois de pause, ça nous fera du bien. De toute façon, pour le peu qu'on se voit, ça ne ferait pas une grande différence.

– Si tu te calmais un peu les nerfs là tout de suite, ça aiderait.

– Si tu prenais soin de me donner un orgasme une fois de temps en temps, espèce de stressé précoce, mes nerfs seraient calmes.

– Bon, ça y est, ça recommence. Ok, tu veux qu'on en parle, du sexe ? Si tu étais plus agréable, on en aurait, du sexe.

– Si tu travaillais moins, je serais plus agréable et détendue et pas obligée de me tenir disponible quand monsieur l'est et que ça lui tente.

– Ça ne te tente jamais !

– Ça ne me tente juste pas quand toi ça te tente, genre pour passer ton stress. Je suis une femme, pas une machine sur laquelle il te suffit de presser un bouton pour qu'elle se mette en marche !

Je me suis enfoui dans la bouche un morceau de gâteau au café aussi gros que le poing que je me retenais de lui mettre dans la figure, j'ai agrippé mon manteau et je suis sortie en furie sans attendre sa réponse, que je connaissais déjà pour cause de déjà-vu. Ce genre de discussion finissait très mal en général, je ramassais mes choses et m'en allais chez moi le cœur battant pour l'appeler dès mon arrivée, et on continuait à s'engueuler au téléphone jusqu'à extinction de mes cordes vocales, car les siennes étaient inépuisables.

J'étais encore en beau pétard quand on est arrivés sur la rue avoisinant le théâtre. Naturellement, aucune place de stationnement assez grande pour son camion ne s'est offerte, c'est toujours comme ça, il faut tourner en rond pendant des heures avant qu'il ne se décide à prendre une place interdite en tout temps, avec la pensée magique qu'il n'aura aucune contravention parce qu'il a un permis d'entrepreneur, ce qui implique qu'il a tous les droits en matière d'espace public.

Sur la scène se trouvaient une vieille chaise berçante (qui n'a été utilisée à aucun moment et qui me faisait envie tant la banquette sur laquelle nous étions assis était dure et ankylosait mes fesses, me donnant le goût de m'asseoir sur les cuisses de Jean-Marc même si j'étais encore enragée contre lui), un bureau aux tiroirs ouverts sur une quantité phénoménale de bas qui pendouillaient en me rappelant mes propres tiroirs, une plante tropicale, une poupée Bout de chou et des lampes de poche. J'étais si peu concentrée, occupée à ressasser notre engueulade et à imaginer les bonnes réparties que j'aurais pu lui faire, que je n'ai rien saisi du propos sinon qu'il s'agissait de personnages en quête d'absolu qui pensaient visiblement le trouver en enfilant des bas. Pendant l'entracte – le supplice s'étirait pendant plus de deux heures, et il fallait bien aller pisser, fumer une cigarette et/ou rétablir le flux sanguin du corps et du cerveau –, j'ai demandé à Jean-Marc de nous tirer de là. Je me sentais comme au sortir d'une chambre à gaz, quoique je n'ai pas la moindre idée de la manière dont on peut se sentir et si même on peut s'en sortir, mais en tous cas, j'avais le cortex tout égratigné, les fesses complètement engourdies, les oreilles me vrillaient en spirale tant les comédiens parlaient vite et la vision de la poupée Bout de chou me rendait folle. De plus, je rotais sans arrêt le gâteau que j'avais empiffré sur le coup de ma frustration et j'avais des brûlements à l'estomac. Il a refusé, il désirait absolument savoir comment se terminerait cette histoire de bas. « De bas étage », lui ai-je répliqué, sans même me trouver drôle alors que vraiment, ça l'était. Mais j'étais mentalement trop fatiguée pour apprécier mon propre humour, après l'effort fourni pour comprendre ne serait-ce qu'un iota du drame se jouant sur la scène. Notre dispute m'avait également éreintée. Ces scènes revenaient régulièrement depuis quelques mois, tout était prétexte à nous engueuler et, franchement, j'en avais un peu marre de penser que les seuls moments où on pouvait être bien étaient ceux où on ne pouvait pas se parler, cinéma, théâtre, ou bien lui chez lui et moi chez moi.

J'ai prétexté un paquet de gommes oublié dans son camion pour lui emprunter ses clés.

– Ça va m'aider à me tenir éveillée, de mâcher autre chose que ma langue.

– Tu peux m'en rapporter une, s'il te plaît ? C'est vrai que c'est un peu long, mais c'est pas mal, non ?

– Ton intonation manque de conviction. Et ton secondaire IV est nettement insuffisant pour décrypter les codes mystérieux de ce scénario minable qui se veut original. Abandonne.

Il est têtu, mon chum. Il n'avait pourtant pas payé les deux billets, mais il se comportait comme si c'était le cas. Il est retourné s'asseoir sur la banquette pour feuilleter le programme, dans l'espoir d'une explication qui l'aiderait à mieux apprécier la suite. Car lui aussi n'y comprenait que dalle, mais il ne voulait juste pas l'avouer.

Je me suis littéralement ruée dehors en retenant ma respiration, le temps de contourner le chapelet de fumeurs qui s'étendait du théâtre jusqu'au coin de la rue. J'ai fait la grande enjambée pour atteindre le trépied du camion et je me suis assise sur le siège du conducteur, là où je n'avais jamais mis le fessier auparavant. Je me sentais juchée sur un trône interdit, j'ai adoré ça. J'ai enfilé ses verres fumés de mafioso cool et démarré le moteur sans plus attendre. Je ne mâchais jamais de gomme, il aurait dû y penser.

Pendant que je roulais sur l'autoroute Ville-Marie en direction de la 10 vers les Cantons-de-l'Est, je me suis demandé s'il allait signaler le vol de son camion ou bien ma disparition. Je saurais ainsi qui ou quoi, moi ou sa bagnole, comptait le plus pour lui. J'ai mis de la musique, un CD d'Eli et Papillon dont les chansons ne parlent que de chicanes de couple, ça m'a requinquée. J'ai roulé pendant quinze bonnes minutes à 90 kilomètres à l'heure en ne réfléchissant pas une seconde à la conséquence de mon acte. La sonnerie du téléphone portable qu'il avait laissé dans la boîte à gants m'a fait sursauter et manquer une possible sortie. Laquelle ? je n'en avais aucune idée, pas plus de l'endroit où j'étais rendue. Il fait ça, *déscotcher* de sa hanche son cher cellulaire depuis que je l'ai engueulé pendant un film au cinéma ; il avait oublié d'éteindre sa sonnerie, évidemment. J'avais fait plus de boucan que la sonnerie, en fin de compte, et c'est moi qu'on avait blâmée, pas lui et son foutu cellulaire. Je me suis rangée sur le bord de la route et j'ai répondu. « Allô ? »

– Où est-ce que tu es passée ?

Il parlait très fort, pour ne pas dire qu'il hurlait. Je n'ai pas cillé, parce qu'à ce même moment, je sentais avec délice que mes fesses reprenaient vie. Les sièges du F-150 étaient, ma foi, vraiment thérapeutiques. Je retrouvais mon bon vieux derrière, c'était merveilleux. Il suffirait donc de perdre temporairement la sensibilité d'une partie de son corps pour l'apprécier pleinement ?

– Ça ne peut jamais être simple, avec toi ?

– Non. Alors, ta pièce, elle était bonne ?

– Elle n'est pas finie. Je suis sorti quand j'ai vu que tu ne revenais pas. Tu mériterais que j'envoie la police après toi. Qu'est-ce qui te prend, de faire ça ? Tu n'as jamais conduit ce camion, en plus ! Tu as ton permis sur toi, au moins ?

– Oui. Est-ce que ça prend un permis spécial pour conduire ça ? Comme les autobus scolaires ou les tracteurs, par exemple ?

– Reviens tout de suite. Je t'attends devant le théâtre.

– Je voulais juste voir ce que ça faisait, de voler quelque chose de gros.

– Il va falloir que ça te passe, cette manie. Tu n'as plus l'âge.

– Il n'y a pas d'âge pour ça.

– Ce n'était même pas un vol, tu avais les clés.

– Tu as raison, ce n'était même pas si excitant. Ok, je vais faire vite.

– Pas trop vite, s'il te plaît. J'ai besoin de mon camion demain, je travaille, tu sais.

– Oui, pour nous payer d'autres excellentes pièces de théâtre.

– Tu me donnes envie de recommencer à fumer.

Jean-Marc avait arrêté de fumer ses petits cigares dégoûtants deux mois plus tôt, sous la menace que je ne l'embrasserais plus jamais s'il persistait à présenter sa jolie gueule avec cette haleine de fond de cendrier humide. Au bout de quarante essais et rechutes et autant de boîtes de timbres de nicotine, il y était arrivé, enfin je le croyais. Difficile à dire, vraiment, car il persistait à se parfumer la bouche d'huile essentielle à la menthe BonneBouche, comme à l'époque où il voulait masquer, en vain, l'odeur du tabac, ce qui éveillait toujours mes vieux réflexes ; je devenais soupçonneuse et, mine de rien, je m'approchais de sa bouche pour sentir ce qui se cachait derrière la menthe. Et lui de s'enrager de mon manque de confiance. Mais comment faire confiance à un homme qui te jure tous les deux jours qu'il a finalement arrêté, pour ensuite recommencer le jour d'après ? Il est incompréhensible, le mystère du fumeur. Puant, en tous les cas.

– Non, ne fume pas, je t'en prie. Je te jure que je ne volerai plus ton F-150. D'ailleurs, j'aime bien le conduire, tu ne m'avais jamais laissée faire.

– Évidemment, tu n'arrêtes pas de le critiquer. J'avais peur que tu le plantes dans un poteau par exprès.

– Tu me fais vachement confiance.

– Et toi de même. Allez, arrive qu'on fasse l'amour, pour que cette soirée ne soit pas un fiasco total.

Jean-Marc était comme beaucoup des gars que j'avais connus : il croyait que baiser (vite fait) était la panacée à tout. Assurément, en cinq minutes, il pouvait conclure la chose et ainsi alléger son esprit, alors que moi et mon esprit, on restait bredouilles, à moins qu'il n'y mette un peu d'ardeur, chose qui se faisait de plus en plus rare, comme si je ne valais plus la peine qu'il mette de l'énergie à me faire jouir (pensée obsessionnelle). Mais je sentais que je lui devrais bien ça, après la frousse que je lui avais faite. La frousse de quoi, au juste ? D'avoir perdu son camion, ou de m'avoir perdue, moi ? Devais-je émettre un doute quant au fait qu'il aimait plus son véhicule que sa blonde ? Non, car en plus de ne pas être l'entrepreneur en construction typique, il n'avait rien de l'homme typique même si, souvent, il faisait passer ses besoins et ses désirs avant les miens, qu'il me servait de petits mensonges pour éviter des discussions qu'il jugeait inutiles, qu'il oubliait de m'avertir qu'il travaillerait plus tard ou qu'il irait boire une bière avec un pote, si bien que je me retrouvais à l'attendre en vain, bref ce genre de choses affligeantes. Finalement, oui, il était un homme typique. C'était un peu pour ça que je l'aimais malgré tout. Parce que sous ces défauts de gars se cachaient de minuscules qualités qui, parfois, émergeaient de sous la sciure pour m'aveugler et me rendre, justement, aveuglément folle (et dépendante) de lui. Parce qu'il faut se laisser aller à la cécité de temps en temps, pour s'engager avec un homme. Et eux, les hommes, diront exactement la même chose des femmes et je ne me battrai pas pour protester, car j'ai des copines imbuvables qui font passer leurs copains pour des saints. Dont moi (selon lui, du moins). Mais bon, est-ce que la volonté de comprendre par le menu détail chaque geste, parole et action de notre *douce* moitié fait de nous des névrotiques rongées par l'anxiété qui ne seront rassurées que lorsque notre zone de confort aura été restaurée par des paroles rassurantes ? Le couple est tout sauf rassurant. Et demander à un homme de nous rassurer n'est pas raisonnable ni même réaliste.

J'ai eu le loisir de mijoter tout ça en chemin, tandis que je roulais sous le soleil couchant, lequel m'aveuglait autant que mon amour tordu pour mon entrepreneur négligent, un amour teinté d'un attachement ressemblant étrangement à mon attachement pour le vol. Distraite par mes pensées, j'ai raté la sortie que j'aurais dû prendre et je savais que je ne m'en tirerais pas, que je tournerais en rond autour de toutes ces bretelles et de ces viaducs. J'ai alors fait la pire des folies, du genre qui nous fait se demander par la suite si on tient vraiment à la vie et si on se soucie de celle des autres : j'ai freiné et j'ai reculé, brutalement et par à-coups, puisque la manipulation des pédales de ce mastodonte et la délicatesse du gabarit de mon pied menu étaient incompatibles. Il ne s'agissait que de quelques mètres à franchir pour reprendre la sortie, mais, évidemment, ce n'était pas une raison pour effectuer cette manœuvre stupide, surtout que je n'avais aucune aptitude pour contrôler les rétroviseurs d'un si gros véhicule de manière à bien voir ce qui se trouvait derrière.

J'aurais pu emboutir les voitures qui me suivaient, mais il ne s'en trouvait aucune pour freiner ma course vers l'arrière. Je me suis donc retrouvée sur l'accotement et je n'ai pas eu le réflexe de m'arrêter là quand j'ai entendu le bruit du gravier m'avertissant que j'avais pris un mauvais angle. Les deux roues arrière ont plongé dans le fossé, la caisse du camion a basculé dans un angle incongru et l'avant du véhicule s'est retrouvé le nez pointé vers le haut. Comme je n'étais pas attachée, autre aberration due à mon impulsivité, j'ai été projetée du côté du passager et mon front a heurté la vitre en produisant un toc suspect, le bruit de l'idiotie contre un matériau dur. J'ai regardé au-delà du pare-brise le ciel qui s'assombrissait. Je me sentais dans le cockpit d'une fusée prête à décoller.

Le pompier qui m'a fait sortir du camion avec une échelle était fort sympathique, mais il n'avait rien des pompiers de calendrier. C'était un pompier réaliste. Je riais. « C'est la nervosité, vous êtes en état de choc ». On m'a conduite à « mon » hôpital en ambulance. Je n'avais rien, c'est ce que je m'obstinais à dire à l'ambulancier, mais ce n'était pas vrai, je m'étais fait mal, seulement je n'arrivais pas à situer où exactement. J'étais soulagée que le détail de la ceinture de sécurité inutilisée n'ait pas été souligné. Il le serait sûrement, en nombre de points d'inaptitude sur mon permis de conduire.

J'étais une miraculée, c'est ce que je fanfaronnais à l'ambulancier en mâchant mes mots, la bouche molle, en lui montrant comme un trophée de survivante mon chandail à peine déchiré, qui laissait voir une infime partie de mon soutien-gorge. Probablement était-il visible que je le portais pour la dixième fois sans l'avoir lavé. Même dans un tel moment, j'arrivais à penser aux détails inutiles et superficiels. Quand on m'avait sortie de la cabine du F-150, je me remémorais les paroles de ma mère, qui me disait de toujours porter des sous-vêtements impeccables dès que je mettais le pied dehors, au cas où je mourrais subitement; l'infamie, être trouvée avec un soutien-gorge et des petites culottes malpropres ! Ça aurait pu m'arriver, j'aurais pu crever dans ma brassière pouilleuse et on aurait inscrit sur ma pierre tombale : « Elle meurt habillée comme elle a vécu ». Parce que mes soutiens-gorge aussi, je les prends au Vallon des Valeurs. Certains pourraient trouver cela dégoûtant, mais je n'ai pas dédain des seins de mes consœurs et je sais très bien distinguer un soutien-gorge qui a été bien entretenu d'un autre qui a été lavé à la machine ou trop porté, quand même. Et non, je n'y achète pas mes slips. Quand même.

## L'expérience de la civière

Je n'avais aucune égratignure, certes, mais mon corps était perclus de courbatures et j'arborais une ou deux jolies ecchymoses. Je suis une fille à bleus, toutes les sortes de bleus. Les bleus moraux et les bleus physiologiques. J'effleure un objet de la cuisse, un bleu. Je suis à cinq jours de mes règles, quatorze bleus. Ma période ovulatoire ? On n'en parle même pas. Il me reste à tout le moins six ou sept jours de bien-être mensuel. Une douleur à la nuque m'empêchait de tourner la tête et mon épaule élançait. J'espérais que Jean-Marc n'apprendrait pas qu'en plus du reste, je n'avais pas mis la ceinture de sécurité.

De me voir couchée sur une civière, dans mon hôpital, là où je suis connue, vraiment, c'était me retrouver dans un grand laboratoire d'expérimentation humaine. Le pied, quoi. Car en plus d'être kleptomane, comédienne et joueuse de tours, je suis expérimentatrice. J'aime faire l'expérience des choses et mes cinq sens étant en constante vigilance, j'en retire des satisfactions innommables ; je ne tenterai donc pas de les décrire. Le DSM doit s'en charger, sous la rubrique des névroses diverses et de leurs résultantes. Pendant les vingt premières minutes, on s'est occupé de moi comme un petit chou. Tous les employés s'arrêtaient pour me demander comment j'allais, moi l'anonyme de la bibliothèque médicale qu'on ne connaissait que de visu. Je me présentais comme la grande survivante de la route en espérant qu'ils ne connaissaient pas la raison de mon accident et j'en profitais pour vanter la sécurité du F-150. Personne ne savait ce qu'était un F-150 et c'était pour moi une raison de plus de pavoiser, pendant que j'exhibais mes contusions invisibles à tous vents. Je faisais ma fraîche pour cacher ma gêne, c'est tout. Car au fond de moi, je n'étais pas très fière.

Ma civière était malheureusement située devant le poste des réceptionnistes, autant dire à l'entrée d'une gare de triage, avec le même fond sonore. Ou bien tout le monde était sourd ou alors ils se faisaient un devoir de crier chaque mot pour se donner de l'importance. On se hélait à qui mieux mieux, sans se soucier des gens qui gisaient tout autour, mal en point, mal installés sur les matelas durs, sans oreiller et sous les néons, privés de leur dignité, les fesses à l'air. Assis sur la civière voisine de la mienne, un type affublé d'énormes furoncles sur toute la surface de son corps se fichait bien que sa jaquette ne soit pas nouée, ce qui me donnait une vue impayable sur sa colonie de bourbillons dorsaux. Je me suis demandé comment il pouvait se sentir, ainsi picoté de bord en bord, mais il paraissait très à l'aise, même content de se trouver là. C'était un habitué du service de l'urgence, personne ne semblait faire cas de son affligeante particularité épidermique, alors que moi, j'en étais à vingt-sept dans mon décompte, seulement pour le dos et le visage. J'étais légèrement dégoûtée, je n'avais pas l'habitude de voir ce genre de pathologies en dehors des pages du *American Journal of Dermatology*. J'ai mis fin à mon calcul pour me focaliser sur la patiente en isolement dans la cage de verre réservée aux honnis, là où on ne peut pénétrer qu'à condition d'être revêtu d'un habit de scaphandrier. Les gémissements incessants qui me parvenaient malgré la vitre qui nous séparait étaient causés, semblait-il, par les affres d'un zona purulent. Mon mécanisme de sympathie aurait dû s'activer, mais il se trouvait qu'à ce stade, je n'endurais déjà plus grand-chose. J'étais là depuis à peine une demi-heure.

Dès que Jean-Marc est entré dans le corridor de l'urgence mineure, tout le monde l'a su. Il parle très fort naturellement mais, lorsqu'il est énervé ou contrarié, il gueule, peu importe qu'il soit en privé ou en public, même que ça doit alimenter la force de sa voix, la présence de spectateurs. Il me fait honte, souvent, et j'ai été embarrassée à ce moment, alors qu'une dizaine de paires d'yeux rougis par la fatigue se sont tournés vers nous. Un divertissement inattendu pour mes voisins d'infortune qui s'emmerdaient en tâtant l'emplacement de leur perfusion sur leur bras, s'imaginant le mal de chien que ça leur causerait lorsqu'elle serait retirée en même temps que les trois couches de ruban adhésif qui la retenait.

– Quoi ? C'est incroyable ! On ne peut pas te laisser là, qu'on te mette dans une chambre privée, je vais la payer, c'est incroyable !

– Chhhhhhutttt ! Oui, oui, c'est incroyable, tu l'as très fortement dit. Mais ça ne marche pas comme ça, l'hôpital ne pullule pas de chambres privées et s'il y en a de libres, elles sont réservées pour un ministre qui se foulerait une cheville pendant un banquet. Je dois attendre qu'on me passe des radiographies. Ne me rends pas la chose plus difficile qu'elle ne l'est. J'étais une star il y a encore vingt minutes, je suis déjà retombée dans l'anonymat, on ne s'occupe pas plus de moi que d'un autre. Tout le monde est égal, une fois couché sur une civière.

– Tu ne peux pas rester là, il y a trop de bruit, trop de déplacements, ça pue la merde, c'est quoi cette odeur, c'est dégueulasse !

– Du sang dans les selles, c'est ce que j'ai entendu dire, car on entend tout, ici, on n'a plus de secret pour personne, on est tout nu.

– Ils ne vont pas te garder pour la nuit, quand même ? Tu ne pourras pas dormir dans ces conditions, je vais payer ce qu'il faut pour qu'on te fasse tes examens plus vite.

– Tu es sourd ou quoi ? Tu vis sur quelle planète ? As-tu fumé ? Tu as une drôle d'haleine.

– J'ai mangé chez Amir ce midi. Ça pue tellement, ici, je ne comprends pas que tu te soucies de mon haleine. Et puis comment ça se fait que tu ne l'as pas sentie au théâtre ?

J'étais trop occupée à bougonner. Étonnant que je ne l'aie pas remarquée, toutefois. Dès qu'il mangeait dans ce resto, il revenait avec une haleine qui empestait les mille épices et l'ail, ce qui était une excellente barricade pour le tabac, meilleure encore que le BonneBouche. Il me l'avait servie souvent, l'excuse du Amir, pour cacher le fait qu'il avait rechuté.

– Je ne sais pas. Ah oui, je sais : on ne s'est pas embrassés.

– Bien non, tu étais trop occupée par la logistique de mes débarbouillettes.

– Oui, épaisse. Maintenant que j'ai frôlé la mort, je réalise combien on perd parfois du précieux temps de vie et de l'énergie pour des broutilles. Je te fais des reproches pour des niaiseries.

– Enfin, il était temps.

– C'était ironique. Non non, c'est vrai, je le pense vraiment. Je devrais garder mon énergie pour te reprocher des choses plus importantes.

– Tu en as beaucoup, d'énergie, pour une fille fraîchement accidentée.

– C'est la nervosité. Ils vont me donner un somnifère pour dormir, parce que comme tu vois, on se croirait dans un aéroport, ici. Au moins, je n'irai pas travailler demain, j'aurai droit aux visites de Raymonde et Couette qui se pointeront à la première heure après avoir eu mon message.

– Tu aimes ça, hein, au fond ? Qu'on s'occupe de toi ? Et je connais ce regard, tu cherches déjà des choses à voler.

– Non, pas du tout. Mis à part quelques gazes qui font très bien pour se nettoyer le visage, je n'ai pas vu grand-chose d'intéressant. Il est tard, abandonne-moi à mon sort mais avant, dis-moi que tu m'aimes et que tu ne m'en veux pas.

– Je t'aime mais je t'en veux.

– C'est tout à fait compréhensible. Tu ne pourrais pas acheter un mignon petit Ranger, ça se conduit sûrement mieux.

– Non, la boîte n'est pas assez grande. La tienne, par contre...

– Tu m'aimes pour ma grande gueule, tu me l'as déjà dit.

– C'était au début de notre relation. Je n'aime pas l'idée de partir et de te laisser là.

– Alors demande une civière et reste avec moi.

– Tu veux que je te ramasse une revue dans la salle d'attente pour faire des origamis ?

Je faisais des origamis depuis toute petite. Mon grand-père paternel, que je n'avais jamais vu et qui était apparu dans ma vie comme un polichinelle durant deux semaines après la mort de mon petit frère, m'avait enseigné cet art du papier. J'en avais rapidement assimilé les rudiments, je comprenais instinctivement comment et à quels endroits il fallait plier la feuille pour en faire émerger des formes fabuleuses. J'avais besoin de fixer mon attention sur une chose, de transformer mon chagrin en une activité de création, puisque j'étais incapable de le pleurer. Grand-père s'est occupé de moi dans un moment où mes deux parents ne pouvaient pas voir à autre chose qu'à leur propre peine. Il ne me connaissait pas, mais il a quand même pris le temps de me transmettre un savoir, avec affection et patience. J'ai intégré dans ma mémoire les mouvements faits par les doigts noueux de cet ancêtre qui disparaîtrait aussi subitement qu'il était apparu, pour retourner vivre dans la roulotte floridienne dont j'ai souvent rêvé par la suite, l'imaginant faite dans un papier épais, avec des ailes, un bec et des nuages de coton flottant au-dessus du toit.

– Non, merci, j'ai mal partout, jusque dans les doigts.

Jean-Marc m'a embrassée sur la joue en pressant mon épaule, là où j'avais un bleu, le savait-il ? Il était fâché, comment aurait-il pu en être autrement ? Inconsciemment ou pas, je testais son amour de toutes sortes de façons tellement j'avais l'impression qu'il était davantage intéressé par son travail que par notre relation. Je voulais un quotidien, une dynamique relationnelle équilibrée, pas juste des petits bouts qui, *raboudinés* ensemble, donnaient l'impression d'une vraie relation de couple. Je voulais qu'il me trouve plus importante que ses chantiers, que sa compagnie, que ses quatorze employés ! Je ne voulais pas qu'il crie pour revendiquer mon bien-être, je voulais juste qu'il me prenne dans ses bras et me dise que ça irait, doucement.

– Je ne peux pas rester plus longtemps, je dois rencontrer un client pour un nouveau chantier demain matin très tôt, j'ai encore de la paperasse à régler.

Ça n'était tellement rien de nouveau. J'ai soupiré. Mais je me sentais si coupable pour son camion que j'ai choisi de passer outre et de ne pas commenter.

– Jean-Marc, je suis désolée, vraiment, j'ai été stupide. Je paierai, pour les réparations sur ton camion.

– Mais non, les assurances vont intervenir, enfin je ne sais pas, vu que je n'étais pas au volant. Ne t'en fais pas, ce n'est que de l'argent. L'important, c'est que tu n'aies rien de grave.

– Tu ne seras pas fâché trop longtemps ?

– Il y a pire dans la vie, ce n'est que du matériel, ça se remplace. Tu aurais pu te blesser très sérieusement ! Tiens, j'avais mis ça dans ma poche avant de partir pour le théâtre. Je voulais te l'offrir après la pièce.

Il m'a tendu un porte-clés assorti d'un Snoopy miniature. Quand on pesait sur son ventre, on entendait quelques notes de la mélodie de Peanuts. Je me suis mise à pleurer. J'étais émue, il connaissait mon amour enfantin pour Charlie Brown et ses amis. Je l'ai embrassé sur la joue en évitant le courant d'ail qui provenait de sa bouche.

– Merci. Tu es un amour, je ne te mérite pas.

– Tu n'as pas besoin de risquer ta vie pour avoir mon attention, Laurence.

– Je sais, et ce n'était pas le but. Je sais bien que tu fais ton possible avec le peu de temps dont tu disposes. C'est à moi de voir si ça me convient au lieu de toujours critiquer. J'ai de la difficulté à voir clair dans mon esprit.

– Essaie donc de garder ça simple. Arrête de tout analyser tout le temps.

– Je ne suis pas faite comme toi. Tout le monde n'est pas toi.

– Et tout le monde n'est pas toi non plus.

– On ne s'en sortira pas. On rendrait un thérapeute de couple fou, toi et moi. Bon, je suis fatiguée. Tu n'oublieras pas d'arroser tes plantes, hein ? Je crois qu'elles en ont besoin. J'aurais dû le faire avant de partir pour le théâtre. Au lieu de chialer sur tes débarbouillettes.

– Continue comme ça, tu t'améliores.

Je lui avais imposé un hibiscus, un rhododendron, quelques araignées et un palmier, pas la mer à boire, cinq minutes par semaine suffisaient pour les garder en vie. Bien entendu, il oubliait deux fois sur trois de les arroser et elles étaient à moitié mortes et sèches quand j'y veillais, obligée. Il pouvait passer un temps interminable à bourrer son iPod de chansons qu'il glanait sur Internet, mais il n'avait pas une minute pour empêcher la mort de s'emparer de mes plantes. « Ne le prends pas personnel. » C'était difficile, en quelque sorte. Moi aussi, il oubliait de m'arroser régulièrement.

Je lui ai assuré que mon clitoris était intact, malheureusement pour lui qui n'en serait pas débarrassé de sitôt, puis il est parti. Un silence de plomb m'a enrobée ; il n'a duré qu'une seconde, mais c'était comme si Jean-Marc avait emporté avec lui mes oreilles et la vie. Seule à nouveau, je me suis sentie bien peu de chose, toute blanche et bleue sur cette civière inconfortable, dérangée par les va-et-vient continus des préposés qui ne voyaient en moi qu'une accidentée parmi tant d'autres. Ce que j'étais, vraiment. Jean-Marc avait été là, il n'y était plus, j'étais et serais toujours seule avec moi-même, avec ou sans lui. Juste avant que le somnifère ne fasse effet, je pleurais, en faisait jouer et rejouer la mélodie du porte-clés. Toute la tension que j'avais retenue de peur qu'elle ne me fasse perdre ma superbe et mon cynisme salvateur a émergé d'un coup, et je pleurais encore tandis que mon esprit était emporté ailleurs. Où ? Je n'en ai gardé aucun souvenir. Je n'avais jamais avalé de somnifère de ma vie, jamais connu ce genre de sommeil où rien ne se passe, ce pourrait être la mort mais non, c'est du sommeil. Non, ce n'est pas vraiment du sommeil mais on dort, alors c'est quoi ?

J'ai passé une nuit infernale. Enfin, je ne l'ai réalisé qu'en me réveillant, que j'avais mal et peu dormi, une nuit entrecoupée où dans chaque tranche de sommeil, j'avais l'impression de tomber lourdement dans un puits sans fond. L'effet récupérateur espéré au réveil n'y était pas. Attachée à mon soluté, j'ai poussé mon poteau comme s'il s'était agi d'un chien à trois pattes pour aller à la toilette, une toilette servant à accommoder trois dizaines de patients et qui devait avoir été utilisée par monsieur sang-dans-les-selles juste avant moi. J'enviais presque ceux qui s'étaient fait imposer la couche-culotte. La femme-zona était soit endormie, soit assommée par un préposé exaspéré, et l'homme-furoncles gisait sur le dos, écrasant son champ de boutons contre l'alèse. Il m'apparaissait que, pour dormir aux urgences, il fallait être mort. Je pensais à Jean-Marc qui pouvait dormir n'importe où, en se faisant couper les cheveux ou pendant un nettoyage de dents. J'aurais donné n'importe quoi pour être dans ses bras, à l'écouter ronfler. Au lieu, j'entendais des pets, des rots, des râlements et les voix de deux préposés qui se racontaient avec moult détails leur vie affective, me convainquant que je n'avais pas à me plaindre de la mienne.

Avec le matin est arrivé le changement de personnel. J'avais l'impression que des siphons aspiraient mes orbites par l'intérieur et mon corps me faisait mal à pleine grandeur. J'ai touché mon front, une prune grosse comme une pêche avait émergé pendant mon demi-sommeil. Raymonde est apparue alors que je me tâtais la tête à la recherche d'autres fruits.

– Je viens de prendre ton message sur le répondeur de la bibliothèque, je suis venue tout de suite. Comment vas-tu ?

– Épuisée, je n'ai pas dormi de la nuit malgré le somnifère. C'est l'enfer, les urgences. Comment me trouves-tu ?

– Comme d'habitude. Juste un peu blême.

– Arrête ! Je me sens monstrueuse. Tu ne vois rien de différent ?

– Non. Pas tant que ça.

– Raymonde, ne fais pas semblant ! Mon front !

– Ah, oui, il y a une petite prune, bleu mauve.

– Petite ! Elle est immense !

– Tu exagères, on la voit à peine. Réjouis-toi, tu pourrais être morte, avec ce qui t'est arrivé. Et alors, qui me jouerait des tours pour me faire damner ?

J'ai compris que Raymonde m'aimait bien, vraiment, et j'ai fondu en larmes, rompue par la fatigue. Tous les méchants tours que je lui avais joués depuis mon entrée en fonction à la bibliothèque sont passés devant mes yeux, au ralenti, devant un fond bleu parsemé de montagnes et de quelques vaches broutant de l'herbe.

– Raymonde, Raymonde ! Je suis désolée ! Je suis une peste. Je fais cela seulement pour nous divertir un peu, parce que je vous aime bien, Miss Couette, je veux dire Claudine et toi.

– Je sais, on t'aime aussi, on s'ennuierait vraiment si tu n'étais pas là avec nous. Ça ne me dérange pas de boire de la crème à mains de temps en temps si ça peut faire rire tout le monde.

J'ai pris une de ses mains dans la mienne. Elle était sèche et raide comme une peau d'iguane, quoique je n'en ait jamais touché. C'est sa peau qui avait besoin de crème, pas son estomac. Je lui offrirais un échantillon de ma lotion à mains Hydratation Extrême à mon retour au bureau, dans un joli petit pot de confiture. Et je cesserais de jouer à la plus fine. Je serais juste moi-même, quoique cela veuille dire.

Docteure Jivago est apparue derrière elle. Je me suis étiré le cou pour voir ses pieds, chaussés de ce qui m'apparaissait être des Louboutin racés *made in Africa* d'une extravagance folle, qui contrastaient avec la *beigitude* des lieux. À côté d'elle, Raymonde avait l'air d'une Cendrillon podiatrique. Je pourrais également l'emmener magasiner des chaussures convenables ! Non, c'était exagéré, j'allais m'arrêter au pot de crème à mains.

Docteure Jivago faisait la tournée de ses patients, aussi élégante que si elle s'apprêtait à commenter un défilé de mode.

– Qu'est-ce qui vous arrive ?

– C'est ma glande thyroïde, elle est tombée dans un fossé, hier soir. C'est une perte totale.

– On vous la remplacera par une autre glande. Mammaire, ça vous irait ?

Docteure Jivago avait le sens de l'humour. J'ai accepté sa blague parce qu'elle aussi pourrait en prendre, de la glande mammaire, alors elle ne riait pas seulement de moi, mais d'elle aussi. Je l'adorais, j'adorais son raffinement et ses souliers. Elle ne s'est pas attardée davantage, vu la multitude d'agonisants qu'elle devait examiner. Je me sentais mal pour elle dont le nez délicat était envahi par ces odeurs qui m'obligeaient à respirer par la bouche. Raymonde ne savait plus quoi dire et moi non plus. Nous n'avions pas l'habitude de nous retrouver ensemble ailleurs que dans la bibliothèque, là où nos conversations n'allaient jamais au-delà de l'organisation du travail. J'ai eu envie de me confesser, de lui expliquer que si nous devions commander aussi souvent des boîtes de papier, c'était en partie de ma faute. Et que si les crayons disparaissaient, ce n'était pas toujours à cause des résidents et des médecins distraits.

Un préposé est venu me chercher pour m'emmener aux rayons X. J'aurais aimé que Raymonde me suive en me tenant la main, mais elle devait retourner à la bibliothèque, pour surveiller le matériel qui pouvait s'envoler pendant son absence, entre autres choses. C'est fou ce qu'on peut se sentir seul et vulnérable quand on est couché sur une civière dans un hôpital, et cela, malgré le fourmillement incessant autour. Tout le corps devient une sorte de récepteur de l'environnement et dans cet environnement, il n'y a que des microbes et des bactéries pour s'occuper de vous. On ne peut que dégénérer, dans un corridor de l'urgence, pas récupérer. Aussi bien être couché sur le bord d'une autoroute.

Le résultat des radiographies a démontré que je pouvais très bien me lever, marcher et retourner chez moi. J'aurais pu le leur dire douze heures plus tôt mais ainsi va la science : ils ont besoin de preuves tangibles. J'ai été libérée de mon soluté, j'ai enfilé mes vêtements, pensé conserver la jaquette pour de vains jeux érotiques mais je l'ai jetée dans la chute à linge. Grâce à un habile tour de passe-passe, je suis sortie de l'hôpital avec une dizaine de carrés de gaze douce dans mon sac. J'adore le contact de la gaze sur mon visage ; avec un bon nettoyant, elle purifie à la perfection toutes les sortes de peau. Sauf certaines, pour lesquelles il faudrait un coton-tige ou une brosse à *car-wash,* ai-je pensé en saluant le patient aux multiples furoncles.

## La petite Laurence

Sept ans après ma naissance, un petit frère est né. J'étais heureuse, j'allais pouvoir jouer à la maman, lui montrer tout mon savoir, le chatouiller à mort. Il me tardait que ma mère revienne de l'hôpital, elle n'arrivait pas, je ne comprenais pas pourquoi c'était si long. Un bébé vient au monde, on se hâte de le mettre dans son berceau frais peint avec un coin de ciel bleu, on fait tourner le mobile au-dessus de sa tête et on lui chante des berceuses en espérant qu'il dorme jusqu'au matin. Ce n'était rien de si compliqué. Alors pourquoi y avait-il tant de chuchotements autour de sa naissance, de mots dits à voix basse et parfois larmoyante ? Pourquoi maman fuyait-elle mes yeux, qui étaient ouverts à m'en décapsuler les orbites et fixaient le paquet qu'elle tenait, quand elle est enfin rentrée ce soir-là, suivie par mon père qui semblait revenir de funérailles ?

Elle a déposé le bébé dans sa couchette avant de refermer la porte sur elle et mon petit frère, et je suis allée rejoindre mon père dans le salon, en quête d'une explication. Il s'est assis dans la chaise berçante avec une bouteille de bière à la main et a fixé le mur devant lui pendant un long moment avant de porter le goulot à ses lèvres. Je suis allée m'asseoir sur ses genoux mais, pour une fois, il n'a pas fait galop-galop, il n'a pas mis sa main autour de ma taille pour que je ne tombe pas, il a continué à boire sa bière comme si c'était la première de sa vie, ou la dernière. Et il ne m'a rien dit.

Je voulais voir Sébastien, l'enfant désiré et attendu. Je suis allée coller mon oreille à la porte et j'ai entendu ma mère sangloter un air que je ne connaissais pas. Ses larmes m'ont tellement fait peur que je suis allée m'enfermer dans ma chambre et j'ai pleuré moi aussi, sans savoir ce que je pleurais exactement.

Le lendemain, maman est venue me réveiller. Je n'avais pas école mais pour une fois, j'aurais aimé y aller. Ses yeux étaient gonflés au point de la rendre méconnaissable et ses lèvres toutes craquelées me rappelaient la peau d'un reptile. Je me suis renfoncée sous la douillette en me retenant de glisser ma tête sous l'oreiller. Je ne voulais pas entendre ce qu'elle s'apprêtait à me dire. J'aurais préféré me faire piquer le coude par une abeille.

– Ton petit frère n'est pas normal.

– Non ?

– Il a une forme rare de dégénérescence musculaire.

– Oui ?

– Il va aller de mal en pis.

– Ça va durer longtemps ?

– Je ne sais pas, quelques années.

– Il va mourir ?

– Oui.

– Plus jeune que moi ?

– C'est possible.

– Je peux le voir ?

– Tout à l'heure.

– On pourra jouer ensemble ?

– Pas comme avec les enfants normaux.

Je n'aimais pas qu'elle utilise ce mot, « normal ». Je me faisais souvent dire par des méchants garçons, à l'école, que je n'étais pas normale. Je ne comprenais pas ce que ça voulait dire au juste et je sentais que j'allais le savoir en voyant Sébastien.

– Ton petit frère demandera beaucoup, beaucoup de soins.

– Ça veut dire quoi ?

– Ça veut dire que tu vas devoir faire ta grande. Ton père et moi on va être beaucoup avec lui, car il ne pourra rien faire de par lui-même.

– C'est comme tous les bébés, non ?

– Oui, mais quand il ne sera plus un bébé, il continuera à en être un.

Ça devenait compliqué tout ça. J'ai fini par comprendre, sur le terrain, comme on dit. Elle avait été honnête : toute l'attention s'est vraiment portée sur Sébastien. La mienne aussi, parce que je voulais conserver une partie de cette attention, mais il semblait que même en collant aux fesses de ce garçon exigeant candidement chaque seconde du regard parental, j'étais transparente, sauf quand on me demandait d'aller chercher couches, biberon ou taies d'oreiller propres, vu qu'il bavait sans relâche. J'exécutais ces tâches avec abnégation et gentillesse, car j'aimais Sébastien comme il était, tout tordu et incapable de prononcer deux mots de suite. Alors j'ai fait mon petit bout de chemin comme une grande petite fille, préparant le plus souvent moi-même mes déjeuners et mes lunchs pour l'école, tâchant de déranger le moins possible. J'étais studieuse, soucieuse d'avoir de bonnes notes pour récolter l'admiration de mes professeurs, les étoiles dorées dans mes cahiers, les commentaires élogieux qui me propulsaient dans une béatitude éphémère ; j'étais vue et approuvée. Je montrais fièrement ces félicitations à mes parents, pour aller en chercher davantage ; ils souriaient tristement en me tapotant la tête, puis retournaient soit au petit frère, soit à la bouteille, car mon père soulageait sa peine dans la bière et le Jack Daniel's.

J'ai parfois souhaité la mort de ce frère qui m'avait volé mes parents. Volé, c'est ainsi que je le ressentais, dans ma psyché de petite fille. Cela m'arrivait quand je me lovais contre ma mère le soir venu, en écoutant la télé. J'arrivais à peine à m'abandonner dans sa chaleur maternelle qu'elle se levait pour aller dans la chambre de Sébastien, voir s'il respirait toujours. Je pouvais comprendre cela, je voulais aussi qu'il respire, mais mon souffle à moi s'arrêtait alors, jusqu'à ce qu'elle revienne s'affaisser contre moi.

Ce vœu funeste et inconscient de fillette triste a été exaucé le jour exact où j'ai eu treize ans, chiffre fatidique s'il en est un. Trop tard, car je n'avais pas eu le regard amoureux de mon père pour me prouver que j'étais une belle fille susceptible d'attirer celui des garçons, trop tard, car j'avais déjà commencé à voler dans les poches de ma mère, au magasin et à l'école, là où mes larcins me valaient une certaine notoriété, des regards amicaux, des tapes dans le dos pour souligner ma bravoure et mon insolence. Je ne voulais que cela, des regards approbateurs, et j'allais les chercher comme je pouvais. Quand je me suis mise à voler *sérieusement*, c'est mon regard sur moi qui a pris de l'ampleur.

Je n'ai pas pleuré pendant l'enterrement de Sébastien, et personne ne l'a souligné. N'était-ce pourtant pas remarquable ? Ma mère ne m'a pas pris la main, les siennes étant occupées à se moucher. Mon père était aux abonnés absents, les yeux fixés sur la tombe avec cet air hébété qu'il aurait jusqu'à la fin de ses jours. Ce soir-là, il est rentré en lui pour ne plus jamais en ressortir. Il a bu, bières par-dessus verres de Jack Daniel's, assis devant un poste de télé aphone, pendant que ma mère se berçait dans la chambre du petit défunt jusqu'au matin en chantonnant des comptines qui m'empêchaient de trouver le sommeil. Ce qui me servait de semblant de famille était disparu avec la mort de Sébastien. Puis grand-père a débarqué avec ses condoléances et ses origamis en têtes de chiens, de chats et de lapins, juste des têtes, pas de corps. Et il est reparti. Mon corps à moi est resté à la maison, mais ma tête en était séparée.

Pendant que mes parents faisaient séparément leur deuil, je faisais le mien en composant un tableau funèbre sur un grand carton avec les fleurs que j'avais volées sur le cercueil de mon frère au salon funéraire et que j'avais aplaties entre les pages d'un livre, en attendant qu'elles sèchent. Puis je l'ai brûlé dans la poubelle de métal du voisin qui était parti pour la fin de semaine. Assise sur l'herbe fraîchement tondue qui me piquait les cuisses, je regardais la fumée monter vers le ciel sans rien ressentir de spécial. Un chat s'est approché de moi et tous les deux, nous sommes restés immobiles jusqu'à ce que la dernière volute de fumée disparaisse en laissant une forme fantomatique qui est demeurée suspendue dans l'espace et qui m'a subjuguée pendant un long moment, jusqu'à ce qu'elle aussi s'évanouisse. Était-ce l'âme de Sébastien qui voulait me dire quelque chose ? Si oui, quoi ?

Après son départ, personne n'était plus là pour personne ni même pour soi. Nous avons continué notre vie les uns à côté des autres, nous effleurant parfois mais sans jamais nous toucher vraiment, jusqu'à ce que je parte de la maison à vingt ans pour me constituer une vie à travers de courtes études, des relations passagères et des vols insignifiants lorsque je n'en pouvais plus de me sentir en contrôle de rien.

Jean-Marc riait de ma fixation sur *Downton Abbey* ; j'y vivais par procuration l'apaisement et le confort d'une famille soudée, le temps de quelques heures que je disséminais parcimonieusement pour en avoir le plus longtemps possible.

J'ai dû m'avouer plus tard que si je croyais aimer ce petit frère de son vivant, j'en faisais seulement l'effort, et je m'en suis souvent sentie coupable. Et puis, pourquoi aimer quelqu'un dont, de toute évidence, les jours étaient comptés, me disais-je bêtement pour justifier mon cœur froid. Un thérapeute m'a dit un jour que si j'avais un bébé garçon, si je me composais ma propre famille, je pourrais guérir cette blessure. Ma blessure ne venait pas du bref passage dans ma vie de ce petit frère mais de mes parents, de leur disparition soudaine dès l'apparition du petit frère, avais-je spéculé pour lui clouer le bec. De toute façon, qu'aurais-je fait d'un bébé, qu'il soit garçon ou fille ? J'avais du mal à maintenir une relation à long terme avec un homme, je ne voyais pas comment j'aurais pu mettre au monde un être vivant dont je me sentirais responsable. Je mettais au monde des insatisfactions, des frustrations ayant toutes la même origine. Voler était un dérivatif, creux et stérile au bout du compte, cela ne comblait rien d'autre que le moment présent ; celui qui suivait arborait la même couleur morne que celui qui avait précédé la grande exaltation.

## Le vide

Si on ouvre la porte de ma penderie, on pourrait être porté à croire que je suis ce genre de fille qui se précipite dans les boutiques dès que tombent deux semaines de paye dans son compte en banque, mais ce n'est pas le cas. Je me fous un peu de quoi j'ai l'air, mais je veux avoir l'air de ce que je suis. Le problème est de savoir qui je suis, question qui me taraude plusieurs fois par jour, et donc, de savoir de quoi je dois avoir l'air, si je veux être honnête avec moi-même et face aux autres.

Un autre problème, qui n'en est pas vraiment un et qui montre à quel point on peut être paradoxal, est que je me fous bien, au fond, de ce que les autres peuvent penser de moi en me voyant. Par exemple, quand j'étais à l'article de la mort, couchée de façon grossière sur ma civière au vu et au su de toute la population, je me fichais bien de ma tête. C'est l'opinion *des gens qui me connaissent*, qui m'inquiète. Si Raymonde et Couette savaient que je pique du matériel dans notre bibliothèque, que penseraient-elles de moi ? Penseraient-elles : « Ce n'est pas étonnant de la part d'une fille qui s'habille dans un magasin de guenilles usagées et qui se paie notre gueule une fois par semaine » ou encore « On n'est pas les seules, alors », ce qui serait surprenant, ou bien « Il faut la congédier » avant de me demander de rembourser 675 dollars pour le matériel volé, alors que c'est bien plus ? Peut-être qu'elles n'en feraient aucun cas, qu'elles n'y verraient qu'un signe de ma marginalité et me semonceraient un bon petit coup en rigolant devant une bière aromatisée de crème à mains en ajoutant à la fin : « Mais ne reviens plus jamais dans notre succursale ». Bannie une fois de plus d'un espace d'approvisionnement. Suis-je une radine qui trouve plus élégant de se dire kleptomane, avec un *k* qui plus est ? Jean-Marc espérait sûrement qu'un petit séjour à l'urgence m'amènerait à réfléchir sur le sens de mon existence et de mes gestes de voleuse à l'étalage mais je n'ai pas eu le temps de réfléchir pendant que j'étais là. J'étais trop occupée à survivre à l'environnement et à y opérer un peu de contrôle en tentant de repérer du matériel intéressant.

Le médecin m'a mise en congé maladie pour un mois. Il a décrété que j'avais besoin de repos. « Pas seulement *physiquement* », m'a-t-il dit en insistant sur le dernier mot, sur un ton suggérant que mon état mental était encore pire que mon état physique. Il m'a même suggéré de consulter un psychologue, pour me remettre du « choc » et « faire le point sur certains aspects de ma vie ». Bien entendu, ma fatigue m'avait amenée à délirer sur des sujets que j'aurais dû taire. S'il avait su ce qu'impliquerait un mois de prétendue récupération pour sa patiente, s'il avait su ce que ces jours d'oisiveté allaient produire sur elle, il l'aurait renvoyée vite fait au travail. Ou lui aurait passé tout de suite les menottes. Il était hors de question que j'aille à la pharmacie pour prendre cette prescription « fortement conseillée » d'anxiolytiques. J'avais trop peur que l'ingestion de ces médicaments ne me dépersonnalise, ne fasse de moi une personne heureuse et équilibrée, reposée, honnête et satisfaite en général.

Raymonde et Couette m'ont rassurée ; elles pouvaient très bien se passer de moi et, non, je ne trouverais pas une montagne de travail accumulée sur mon bureau à mon retour. Je savais qu'elles mentaient par gentillesse, pour me rassurer. Mon chum fait ça aussi, et ça ne fait aucun mal, au fond, si c'est seulement pour arrondir les coins et ménager la sensibilité et la susceptibilité d'autrui. Moi aussi je mens parfois, tout le monde ment, vole et triche, cela fait partie de la nature humaine en général et c'est réconfortant de savoir que personne n'est parfait.

En nettoyant mon visage avec l'une de ces gazes sublimement douces, j'ai décidé qu'il était temps de me réformer et que cette réforme allait commencer par l'extérieur. Ensuite je passerais aux choses sérieuses. J'ai rasé mes jambes, mes aisselles, arraché à la pince quelques poils autour de mes sourcils et un autre qui s'obstine à empoisonner la vie de ma lèvre supérieure, sûrement de connivence avec celui qui persiste à réapparaître sur mon bras, un gros boudin noir qui n'a aucun lien de parenté avec les autres. Une fois mon corps épuré de son surplus de pilosité, consciente toutefois de l'évitement de la région des aines qui me demanderait des heures de travail supplémentaire, j'ai eu envie de faire leur sort à tous ces mini points noirs coriaces ayant élu domicile sur mon nez. Après un bref bain vapeur, sous un mauvais éclairage, devant un miroir grossissant ce qu'il voulait bien grossir et avec des Kleenex qui s'effilochaient sous mes doigts, j'ai pincé mes narines jusqu'à ce qu'elles chauffent comme si on les visait avec un lance-flammes. Au bout de quelques minutes de ce supplice que je m'infligeais, je suis allée m'enquérir du résultat sous un autre éclairage, celui de ma lampe de chevet, et en utilisant un miroir standard : mon nez irradiait, exsudait, cramoisi, presque sanguinolent ! J'avais dû briser des vaisseaux sanguins ! Mon esthéticienne me tuerait, si j'osais retourner la voir un jour.

J'ai appliqué des compresses d'eau d'Avène censée tout guérir, pour calmer la brûlure, puis un masque d'argile, qui a amplifié la démangeaison. Après cinq minutes, plus capable de le sentir durcir sur ma peau et l'emprisonner dans une bulle surchauffée, je me suis passé le visage à la débarbouillette, en tapotant délicatement la zone nasale sinistrée pour constater que rien n'avait changé : j'allais mourir pourrie de comédons, peut-être même à cause d'eux.

Il fallait que je me trouve une autre mission, une mission utilitaire. Rester centrée sur mon nombril ne ferait qu'ajouter à la vacuité du monde. Je me suis dirigée vers mon armoire, après avoir aspergé une dernière fois mon visage tuméfié d'eau d'Avène, bien décidée à faire le grand ménage.

C'est difficile de jeter des vêtements que l'on aime, et cela, même si on ne les a pas portés depuis un an. On croit que dans l'année qui vient, on sera enfin prête pour cette originale robe à franges qui tombe comme un abat-jour rétro ou pour ce pantalon un peu trop serré aux hanches alors que non, finalement, on n'y touche pas plus que l'année précédente, la robe est aussi épouvantable et on n'a pas perdu de poids, même pire, on s'est déformée.

Alors, j'ai fait l'impensable : j'ai ouvert un sac de poubelle vert opaque et, les yeux fermés, j'ai saisi des t-shirts au hasard, des jupes, des camisoles, tout ce que ma main pouvait prendre en écartant les doigts sans effort. Une fois le sac plein, les paupières toujours closes pour ne pas changer d'avis, j'ai fermé le sac en faisant un nœud si serré que même Houdini n'aurait pu s'en échapper. Inquiète, j'ai scruté ce qui restait et j'ai estimé que je pouvais remplir un autre sac sans pour autant avoir à me promener nue entre les rayons de la bibliothèque. Par terre, écrasée sous une valise remplie de bas et de collants de laine, se trouvait une longue et droite jupe noire dont j'avais oublié l'existence du fait que je ne l'avais jamais portée, et qui pourrait me donner un semblant d'allure de lady de *Downton*. Je l'ai proprement épinglée sur un cintre et rangée comme il se doit, pour le moment où mon moral reviendrait et où j'aurais envie de ressembler à Miss Mary.

Pour me donner du courage et détendre cet élastique qui essayait de me tirer vers l'arrière, j'ai ouvert une bouteille de bière, jeté quelques chips au vinaigre dans un bol et, assise par terre devant ma penderie, j'ai observé ce qui se passait. Rien, rien ne se passait. Les vêtements dans le sac ne bougeaient pas, ne cherchaient pas à s'échapper pour retourner sur les étagères, et les autres attendaient sagement leur tour. Si on pouvait ainsi se débarrasser de ses tares sans se faire trop de mal, extirper de soi ses désordres intérieurs pour se purifier, ce serait fantastique. Il fallait que ce ménage symbolise la fin de ma kleptomanie, sinon, à quoi bon ? J'aurais tôt fait de regarnir mon espace physique par quelques visites au Vallon des Valeurs, et du même coup, mon espace mental. Je voulais que Jean-Marc soit fier de moi. Et qu'il m'aime, affublée des deux mêmes t-shirts jusqu'à la fin de mes jours, du moins jusqu'à la fin de notre relation. La fin de notre relation ! Voilà que je devenais pessimiste, et paranoïaque. Je suis restée assise sur un sac-poubelle et j'ai réfléchi en me prenant le nez à deux mains.

Je volais depuis la plus tendre enfance. Je volais dès que les regards étaient posés ailleurs que sur moi. Mes petits doigts agiles savaient saisir l'occasion, jeter de la poudre aux yeux en trompant l'attention et mon petit cœur en avait alors pour son argent. Je volais des petits gâteaux Vachon sur les étagères du dépanneur de madame M.P., je volais des rouges à lèvres bon marché chez Rossy, je volais des paquets de gommes Juicy Fruit et de Sweet Tarts chez Woolworth, j'ai même volé au cinéma, en me faufilant d'une salle à l'autre, et je le fais encore. Pire, je volais dans le portefeuille de ma mère. Elle y laissait des quantités effroyablement excitantes de pièces, tandis que dans la poche de sa robe de chambre accrochée au dos d'une porte étaient enroulés des billets de 10 et 20 dollars. J'ai dit que je ne volais jamais les gens mais c'est faux, j'ai volé ma propre mère. Ma seule excuse était que je n'avais pas dix ans et que je ne savais pas ce que je faisais. C'est encore faux, je devais très bien savoir ce que je faisais, car avec le premier billet de 10 dollars que j'ai piqué, j'ai acheté pour 10 dollars de bonbons à un sou (Mojo, gommes Bazooka, cigarettes Popeye, boules noires, pailles en cire remplies de liquides infects, Rockets, Lune-de-Miel) et j'ai été dépassée par la quantité que cela donnait, 10 dollars de bonbons. Assez pour carier les dents de tous les enfants du tiers-monde. À quoi bon se mentir ? J'ai compris à ce moment précis, en admirant les petites montagnes de sucreries sur mon lit, la valeur de l'argent que j'avais subtilisé. Je crois que le début de mes caries a commencé avec ce larcin et je mérite aujourd'hui tous ces plombages noirs qui déparent l'intérieur de ma bouche. Mais cette noirceur n'est rien comparée à la noirceur qui s'est alors et pour de bon emparée de mon âme de petite fille. Parce que ce fut le début de la fin, que dis-je, pas de la fin mais du début. J'y ai pris fatalement goût, à cette petite démangeaison, lorsque j'ai enfin réussi à mettre la main sur la maudite clochette du professeur d'anglais, qui brandissait cet objet détestable dès que l'une de nous avait le malheur de respirer un peu trop fort dans la classe. Le fait est que tout le monde a su que j'étais la justicière ; j'en ai retiré une telle satisfaction, étant donné les félicitations que j'ai reçues, que cela n'a eu pour conséquence que de m'encourager à continuer de plus belle. Avec le ballon que je recevais en plein ventre et qui me coupait le souffle lors des récréations où on nous imposait des parties de ballon-chasseur pour lesquelles je n'étais pas physiquement conçue. Avec le bâton de notre professeur de français qui nous tapait sur les doigts dès qu'on épelait mal. Avec les cigarettes de monsieur Phaneuf, le prof d'histoire qui nous jetait son haleine enfumée en plein nez en s'approchant trop près des nôtres pour nous ridiculiser parce que nous ne savions pas situer la Mésopotamie sur sa carte défraîchie. Cigarettes que j'ai vendues vingt-cinq sous pièce à mes collègues de douze ans sans jamais en fumer une moi-même, ce dont je suis quand même fière parce que pour le reste... J'aimais déjà l'étrange sensation de pouvoir qui m'habitait aussitôt que ma main se déposait sur une chose qui ne m'appartenait pas, sachant à cette seconde qu'elle était devenue mienne. Parfois, comme un tueur en série qui signe son crime d'un symbole abstrait, je laissais un petit oiseau en papier plié sur le lieu de mon méfait en guise de signature. Je ne retrouvais nulle part ailleurs cet état de jubilation lié à l'appropriation de choses insignifiantes, le plus souvent sans valeur et dont j'aurais pu me passer. Toute petite déjà, je connaissais cette montée de l'adrénaline, cette drogue sournoise qui amène des gens à se commettre dans des activités physiques ou sportives extrêmes.

J'ai bien dû jeter la moitié des vêtements pour lesquels je n'avais pas eu à débourser un sou, tout en sacrifiant probablement certains des rares que j'avais honnêtement acquis. Et, derrière mes paupières fermées, j'ai repassé le film des larcins de ma jeunesse sans éprouver aucun remord, même que je l'ai trouvé drôle. Je n'avais tué personne, quoi. Je remplissais le vide, un vide si grand qu'un tas de guenilles haut comme le Kilimandjaro ne pouvait suffire à remplir. J'ai pris goût à me saisir ainsi de tout et de rien sans plus me questionner parce que se questionner, ça devient fatigant, surtout quand on ne veut pas avoir la réponse.

## La pharmacienne

C'est faux quand je dis n'avoir jamais volé chez une personne, enfin, mis à part ma mère. Et je l'avais prédit, que ce congé maladie sonnerait le glas. Il n'y a rien de pire que l'oisiveté pour ouvrir les vannes de la perdition quand on est atteint d'un vice. Si j'avais travaillé ce jour-là, je ne serais peut-être pas allée à cette soirée, prétextant la fatigue. Si je m'étais simplement rappelé combien ces soirées sont emmerdantes, je serais restée tranquillement chez moi, à me ronger les sangs en imaginant Jean-Marc se faire draguer par les jeunes techniciennes en architecture. Si j'y étais allée et que je m'étais au moins retenue, si je m'étais contentée de ne voler que les babioles trouvées au rez-de-chaussée, je n'aurais peut-être jamais su ce que j'ai su. Si...

– Viens donc, ça va te faire du bien.

– Oui, et comment refuser une seule occasion de passer du temps avec toi ? J'aimerais beaucoup mieux qu'on se passe un DVD, j'ai acheté *30 days of night*.

– Toi et tes films d'horreur. Tu l'as vu trois fois déjà.

– Oui, mais pas avec toi. J'aime quand tu sursautes.

– Je sursaute déjà bien assez avec toi. Habille-toi comme du monde, je serai là dans trente minutes. Sois prête. On ne traînera pas trop longtemps. Je dois me lever à cinq heures demain.

– C'est ça, toujours toi et tes besoins, toi toi toi.

– Hé, madame en congé maladie, ferme-la et sois sur le trottoir dans une demi-heure, sinon je ramasse la première que je croise dans la rue.

– C'est ça, fais donc ça, avec un peu de chance, elle ne portera pas de culottes.

Je me sentais particulièrement fragile, le corps et l'esprit flapis, j'aurais dû me désister, écouter mon film de vampires hyper violents et me coucher tôt, ou écrire à ma pharmacienne vietnamienne, nos boîtes de courriels nous servant à la fois de confessionnal, de cabinet de défoulement et de lieu de distraction. Mais, épuisée ou pas, je sautais en effet sur toutes les occasions pour passer du temps avec Jean-Marc, car je craignais qu'un refus ait pour conséquence que je ne le voie que cinq jours plus tard, au mieux. Il était mon agent de sécurité dans le magasin contenant mon grand espace vide.

Vêtue de la seule robe sortable que j'avais volontairement conservée, signée Marie Saint Pierre, cadeau de mon amoureux offert sous la forme d'un coupon d'achat à la boutique de la designer, j'ai fait les cent pas sur le trottoir en l'attendant. Lui, acheter une robe ? Lui, connaître la taille que je porte, décrire mes goûts ? Lui, avoir le temps de magasiner pour moi ?

– Pourtant, je te fais une liste, ce n'est pas compliqué, j'indique même l'endroit où tu pourras trouver chaque suggestion !

Ou bien il m'achetait ledit objet, mais pas celui que je lui avais précisé, non, celui d'à côté, qui ne faisait pas aussi bien l'affaire, allez savoir pourquoi ; le désir de conserver une sorte d'ascendant, je suppose.

– Je suis un gars qui a été élevé avec des gars, qui travaille avec des gars ! Je ne connais rien aux coquetteries de filles ! J'aimerais que tu sois contente de te faire offrir une scie à chaîne, ça serait moins compliqué ! Tiens, un coupon de cent dollars pour Dollarama. Tu aimes ça, les Dollarama ? Je suis tanné de me faire réprimander à chacun de tes anniversaires, là tu n'auras rien à dire, tu te choisiras toi-même une centaine de cadeaux.

– Ce ne sont plus des Dollarama, mais des DeuxDollarama maintenant.

– Alors ça t'en fera cinquante.

Il avait fini par se replier sur la solution géniale des cartes-cadeaux pour toutes les fêtes de l'année. Tous les magasins y sont passés, mais celle qui m'a le plus réjouie est la carte-cadeau de la pharmacie où j'ai rencontré une pharmacienne aux yeux bridés avec qui j'ai développé un lien inusité. « Peut-être est-ce que je triche en donnant suite à votre message, mais il est trop irrésistible. Je devrais m'informer pour savoir si notre code de déontologie permet une relation pharmacien-client qui se poursuive au-delà du comptoir », m'avait-elle écrit lors de notre premier échange Internet. « Déchire-le, ton foutu code », lui avais-je répondu. Elle persistait à me vouvoyer et à m'appeler madame Laurence, je lui disais *tu* et l'appelais Diep.

Je l'avais rencontrée alors que j'errais dans les dédales de sa pharmacie à la recherche de sels de bain. Nous avions parlé de méthodes de relaxation pendant une bonne demi-heure, plantées sous les néons qui mettaient en évidence mes yeux cernés. De fil en aiguille, j'avais fini par lui confier des détails sur ma vie intime ; elle avait été fascinée par la relation tumultueuse faite d'inconvénients, de compromis et de disputes que j'entretenais avec le cowboy de la construction qui, selon elle, annulerait les résultats bénéfiques des sels de bain. Bien entendu, quand on parle de sa relation amoureuse, on met l'accent sur les problèmes, alors la mienne lui était apparue telle une courtepointe d'accrocs et de carreaux décousus. L'anecdote des débarbouillettes l'aurait particulièrement réjouie : elle aussi avait un problème avec les choses domestiques.

Cette fille constituait à mes yeux une anomalie, car elle aimait l'être humain dans sa totalité, ce qui m'apparaissait nettement impossible. « J'adore la psychologie, les gens sont si stupéfiants », m'avait-elle dit, les yeux pétillants, en tentant de comprendre pourquoi je voulais, en même temps que des sels de bain, des caramels mous enrobés de chocolat. Elle attirait les confidences et ne se gênait pas pour donner des conseils, même dans des domaines dépassant ses compétences. Elle était comme un prêtre au confessionnal qui, malgré une absence de vie sexuelle et matrimoniale, se mêle de dire à ses paroissiens comment vivre la leur.

Diep faisait figure de véritable encyclopédie des médicaments et bien qu'elle les détestât, elle en avait fait son domaine d'expertise. « Ce sont les gens que j'aime et qui m'intéressent, pas leurs béquilles. » Le jour suivant notre rencontre, je lui avais envoyé un courriel via le site de la pharmacie pour lui dire que les sels d'Epsom, il fallait sûrement les laisser fondre sur la langue et non les mettre dans le bain, parce que je n'avais ressenti aucun effet relaxant particulier. Elle m'avait répondu de manière élaborée et si disjonctée, et en passant par son adresse personnelle, que j'avais pensé qu'elle avait avalé quelque psychotrope. « Si vous avez mangé tous les caramels en prenant votre bain, il est normal que le sucre soit monté à votre cerveau, madame Laurence. Les caramels mous enrobés de chocolat contiennent des substances inappropriées à la détente, à moins que vous ne les preniez en fumant un joint d'herbes relaxantes, si vous voyez ce que je veux dire. Je ne le recommande pas, remarquez, même si j'en parle et non, nous n'en avons pas sur les rayons dans notre pharmacie, mais nous avons des centaines de médicaments qui occasionnent des centaines d'effets secondaires. Vous étiez-vous disputé avec votre ami de cœur avant de faire couler l'eau du bain ? »

Avec cette carte-cadeau, Jean-Marc m'avait offert une amie. Une amie épistolaire, mais une amie quand même, avec qui je pouvais ouvrir mon cœur. Avec Jean-Marc, elle était la seule à savoir que je volais. L'épisode de la pharmacie l'avait fait marrer ; pour ça aussi, elle était bien la seule que ça avait faire rire.

– J'espère que vous volerez dans ma pharmacie, un jour. C'est tellement ennuyant la plupart du temps, il ne se passe rien.

– Employez-vous des agents déguisés ?

– Non, mais il y a des caméras partout, derrière chaque produit en spécial, alors je vous conseille de voler nos produits à prix régulier.

Elle avait le sens du marketing, mon amie Diep. Et une jolie coupe au carré sur laquelle, parfois, un papillon se reposait. « Je suis comme vous, je ne suis pas très coquette, madame Laurence. Je n'en ai que pour ce papillon, que mon oncle cher m'a envoyé du Vietnam avant sa mort. Il m'a dit qu'il déposerait une partie de son âme dans le papillon au moment de partir vers l'au-delà. Alors quand mon cœur est un peu triste, j'accroche ce papillon dans mes cheveux, il me donne l'air d'une fillette mais peu à peu, je sens ma bonne humeur revenir, c'est étrange, non ? »

J'adorais cette fille, elle était la meilleure des pilules. Je passais parfois à la pharmacie même si je n'avais besoin de rien, juste pour la voir et lui parler quelques minutes, puisqu'elle me disait aimer que je la dérange. « Écrivez-moi quand même, madame Laurence. Par écrit, on est encore plus drôles, vous ne trouvez pas ? » Oui, je trouvais. Alors je ponctuais chacune de mes visites impromptues par un courriel. Je lui communiquais le moindre de mes larcins et même si elle s'inquiétait de l'accumulation de mon mauvais karma, elle ne me décourageait pas, ajoutant que grâce à moi, elle se sentait vivre par procuration la vie exaltante d'un brigand et qu'elle serait ravie de me visiter en prison quand le moment serait venu de purger mon karma négatif. « Vous y donneriez des ateliers d'origami, ce serait super ! On vous adorerait ! Le papillon géant que vous m'avez donné, fait avec une page de la circulaire de notre pharmacie, est, avec mon papillon capillaire, le plus joli objet que je possède. Faites-m'en d'autres, que je fabrique un mobile qui flottera au-dessus de ma tête pendant que je dors. » Oui, j'aimais Diep. Pour elle, parfois, je pratiquais mon écriture cursive, je retrouvais les beaux A et les jolis B de mon enfance en les alignant sur des feuilles de papier brouillon ligné que j'avais conservées de la petite école et je lui envoyais des lettres écrites à la main, qu'elle recevait avec une telle exaltation que je récidivais deux fois par mois. « Madame Laurence, une lettre écrite à la main, et pas en lettres carrées, sur du papier ! Vous êtes une espèce rare, il faudra vous empailler à votre mort ! Quand je trouve une de vos enveloppes dans ma boîte aux lettres, entre les circulaires et les factures, je ne me contiens plus de joie. J'essaie d'attendre le plus longtemps possible pour la décacheter, comme je me retiens, quand je développe une tablette de chocolat, de ne pas la manger d'un coup. J'ouvre l'enveloppe, je dépose la lettre sur la table et je la contemple comme ma grand-mère contemplait le vide après être devenue aveugle sauf que moi, je vois le plein dont vous remplissez ma vie par ce détail précieux. J'aime vos courriels, mais j'honore vos lettres. »

Pratiquer l'écriture cursive me détendait, comme plier des feuilles de papier et, parfois, je pliais ma lettre à Diep en forme d'oiseau exotique sublime pour lui faire vivre le drame du gâteau si beau qu'on n'ose pas le couper : lire ou ne pas lire ?

## L'effondrement

Jean-Marc est évidemment arrivé en retard, la bouche collée à son cellulaire, éructant des instructions à un employé apparemment débile profond, vu les postillons projetés jusque sur le pare-brise et le ton d'impatience que je percevais malgré les fenêtres closes. Le jaillissement de ses décibels m'a quasiment échevelée lorsque je me suis installée à côté de lui. C'est fou ce qu'il parle fort.

– Tu ne comprends pas, ce n'est pas un problème avec les solives !

– Tu parles d'olives ?

– Tchutt ! Attends, chérie, j'achève avec ce taré.

Elle est mystérieuse, la communauté de ceux pour qui solives, ossatures ajourées, gypse, scellant calfeutrant, scie va-et-vient, scie sauteuse, marteau piqueur, sac à clous et pied-de-biche n'ont pas de secret. Il devait manquer un boulon à ce pauvre type au bout du fil. Jean-Marc a continué à crier un bon moment, comme si un chantier au complet dépendait de sa performance vocale et ensuite, il était tout tendu. Je n'ai rien dit, je savais qu'il valait mieux ne pas commenter et lui laisser le temps de reprendre une respiration normale, parce qu'une veine traversant son front semblait sur le point d'éclater. Il a fini par prendre ma main et y mettre un bisou en s'excusant. Je ne voyais pas pourquoi il me faisait des excuses à moi plutôt qu'à l'employé qui devait être en train de caler trois bières pour se calmer les nerfs.

Les événements mondains de dévoilement du *lifting* d'une maison qui l'était déjà, *liftée* à mort, selon mes critères de simplicité volontaire, ne m'étaient pas inconnus et pourtant, je n'avais toujours pas compris la leçon. Je n'avais jamais rien à faire là et pourtant, je ne pouvais résister, par curiosité malsaine, jalousie et, sûrement, masochisme ; retourner dans mon petit appartement exigu après avoir pénétré dans un de ces manoirs aux dimensions dantesques me foutait le cafard. L'architecte était toujours présent, suivi d'une jeune technicienne attifée d'une petite robe de couturier qui me faisait me sentir telle Cendrillon. L'architecte avait toutefois toujours un air sympathique et détendu, comparé à l'air bête et crispé de l'entrepreneur, ce qui me portait à croire que le sort de la femme de l'architecte était enviable comparé à celui de la femme de l'entrepreneur.

Un des clients de Jean-Marc, dont la richesse scandaleuse s'étalait sur trois étages, donnait la fameuse et traditionnelle fête visant à célébrer la fin des travaux de « modernisation » de sa résidence d'époque dans l'ouest anglophone de la ville. Je pouvais quand même apprécier un tantinet ces réceptions, parce qu'on y mangeait des choses que je ne mange jamais et dont je ne connaissais souvent même pas l'existence, mais je les détestais en même temps parce que, la majorité du temps, elles mettaient en exergue les échelles sociales en espérant nous faire croire que nous sommes tous égaux. Bien sûr, l'évidente inégalité sautait encore plus aux yeux dès que la bonne philippine quinquagénaire au sourire las venait proposer des canapés de foie de tortue sur un plateau d'argent, les pieds gonflés, coincés dans des souliers en plastique blanc usé.

Ma robe Marie Saint Pierre me serrait trop sous les aisselles, comme si j'avais engraissé du dessous des bras depuis la dernière fois où je l'avais portée un an auparavant, sûrement lors d'une autre mondanité du genre. Je tirais sur le tissu aux cinq minutes, au risque de le distendre et de transformer mes mignons moignons de manches en entournures d'une robe qu'aurait portée l'épouse du hobbit. Ça n'arrangeait rien, et mon geste devait me donner l'air de celle sur qui une tenue Marie Saint Pierre n'a pas sa place. Mes escarpins plats me tuaient, la plante de mes pieds n'est pas faite pour frôler le sol, mais je ne pouvais tout de même pas chausser mes bottillons australiens Blundstone faits d'authentique peau de kangourou avec une telle robe, en fait oui, j'aurais pu, mais je n'avais pas osé et pourquoi ? je me le demandais bien, alors que je souffrais le martyre, à plat sur le bois franc à danser sur un pied et sur l'autre. Les femmes rivalisaient entre elles, autant par la hauteur de leurs talons que par leurs robes, toutes très courtes ou très longues, faites dans de hideux tissus chatoyants et signées par des couturiers distraits qui avaient en tête des rideaux pour Noël lors de leur confection. Pour une rare fois, je me disais qu'on ne devait pas être plus mal, ainsi juchée jusqu'au plafond sur la pointe des orteils dans ces chaussures aux talons vertigineux, que je ne l'étais avec mes pieds amoindris qu'aucun cul-de-jatte n'aurait enviés.

Sur une table de chêne foncée, près d'un immense sapin de Norvège, reposaient des bibelots de prime abord insignifiants, dignes de ceux qu'on retrouvait dans les boîtes de thé Salada de mon enfance. Bien entendu, tous ces bibelots étaient des souvenirs de voyage, probablement dans les pays de l'Est, ai-je pensé en constatant qu'ils avaient tous un air triste et délavé. Mon attention s'est tournée vers un petit ange de plâtre blanc aux ailes de soie. L'objet était minuscule, personne ne remarquerait sa disparition. Il y avait tant de choses dans cette maison, sur cette table ! J'ai commencé par ça. Mais, évidemment, cela ne m'a pas rassasiée. C'était trop peu, ce n'était même rien du tout. J'étais outrée par le faste de la maison que ce sale type avait fait rénover par Jean-Marc, nous sapant ainsi des mois de bonheur conjugal et fusionnel. Il me fallait faire payer ce riche. S'il avait les moyens de mettre 500 000 dollars pour ajourer sa baraque qu'il avait payée à la base 2 millions, il pouvait se priver de quelques petites broutilles. Quel dommage que mon don ne fût pas doublé du talent de pickpocket ! J'aurais adoré faire quelques poches de ces costumes Armani et Hugo Boss qui défilaient devant mes yeux.

Après avoir fait une razzia dans le buffet de canapés fins et bu autant de vin blanc que mon pancréas pouvait en absorber sans que je perde complètement la tête, j'ai commencé à me dandiner d'une pièce à l'autre, ma coupe vide à la main. Comme elle m'embêtait et qu'elle était plutôt jolie, je l'ai fourrée dans mon sac. J'ai adopté mon visage angélique pour examiner les tableaux qui tapissaient les murs, parmi lesquels j'ai reconnu un Riopelle et un Borduas, trop grands pour être emportés. Je me suis laissée fondre pendant un instant dans les hachures noires et blanches en prenant un air expert, un doigt sur la joue, la tête légèrement inclinée vers la droite, mais en fait, il n'y avait rien à voir, je voulais seulement me donner le temps de reprendre mes esprits. Il importait que j'aie la tête froide pour bien faire les choses, même si ma légère ivresse ajoutait un brin à mon audace innée. La fête battait son plein, je n'étais, pour tous ces gens, que la blonde de l'entrepreneur en partie responsable de ce luxe flamboyant, lequel éclipsait de toute façon ma présence insignifiante. Mon absence passerait donc inaperçue parmi la centaine de personnes tassées dans la pièce principale, un salon gigantesque au plafond constellé de lustres monstrueux et répandant leur cristal clinquant sur un demi-kilomètre de mauvais goût. Dale Chihuly en aurait vomi. Le plafond était haut comme deux étages, j'arrivais à peine, en me cassant le cou, à distinguer l'origine de ces lustres. Je rêvais d'en voir un s'écraser au sol, ses innombrables billes de verre exploser comme des obus dont les éclats se ficheraient dans les chignons des femmes, les parant de mille feux. C'est fou comme les gens fortunés ont souvent un goût médiocre, Jean-Marc est le premier à le reconnaître, et à se foutre de la gueule du client en lui disant combien il a su décorer avec chic.

J'ai cessé mon observation *borduesque* pour aller vérifier si le champ était libre. De là où je me trouvais, je voyais mon pauvre chou aux prises avec la femme probablement frustrée et manifestement soûle de ce client, lequel était soudé à son cellulaire depuis le début de la soirée. Elle devait lui décrire combien son mari travaillait fort pour lui offrir tout ce confort, combien elle souffrait de solitude ; elles faisaient toutes ça, se plaindre à l'entrepreneur qui lui, au moins, montrait une écoute exceptionnelle et mieux encore, avait été là pendant des semaines, jour après jour, à gueuler après ses ouvriers et à tout saloper autour mais peu importe, il était présent ! Elle tanguait sur ses hauts talons et ne cessait de presser le bras de mon chum et de renverser sa tête en éclatant de rire à ses propres paroles. Je savais bien que la plupart de ces gens n'étaient pas si heureux, pas plus heureux que moi. Je les observais, ils parlaient comme des pies en regardant au-delà de l'épaule de leur interlocuteur sans même attendre une réponse, ils remplissaient le vide en gargouillant des propos insipides, brandissant leur statut social comme un trophée. Cela me fascinait, à vrai dire, de voir dans une même pièce autant de lèvres fortunées articuler des mots avec une sorte de frénésie, une urgence palpable et une imagination que je supposais pauvre, mais cette médisance stérile à laquelle j'avais tendance à me livrer quand je me sentais décalée du monde m'a soudain accablée, d'où l'importance pour moi de bouger et d'explorer d'autres horizons, plus fertiles.

Je me suis discrètement postée près d'un homme à la barbe volontairement négligée, parce que sa tenue juvénile, qui contrastait avec celle des autres, me sidérait. Il était chaussé de Doc Martens noires et luisantes qui semblaient avoir été achetées la veille et avait, pour une raison mystérieuse, inséré le bas de son jeans blanc dans ses bottillons. Je ne sais s'il pensait avoir une allure d'enfer comme ça mais chose certaine, ce look ado ne masquait pas le fait qu'il devait avoir la mi-quarantaine. Peut-être espérait-il être vu de la planète Mars. Il parlait, du moins essayait de parler à un autre homme, lequel *textait* sur son téléphone avec une autre personne.

– Tu écoutes ce que je te dis ? Tu ne peux pas arrêter de *texter* pour une minute, *man* ? Sacrebleu ! Un yacht, presque neuf, pas cher, le deal du siècle. Fini les chambres d'hôtel à la sauvette. On pourrait l'acheter ensemble et y mettre nos blondes.

– Nah, ma femme se douterait de quelque chose, elle voit tout.

– Elle ne pourra pas voir jusqu'à la marina, crois-moi, c'est un bon investissement.

J'avais du mal à croire ce que je venais d'entendre. Ces hommes étaient mariés et avaient des maîtresses qu'ils appelaient leurs « blondes ». J'ai décidé de traîner un peu pour me faire plaisir et comprendre que mon sort n'était pas si déplorable. Le type qui *textait* a fermé son cellulaire en poussant un juron (« bordel de merde ! ») et l'a brusquement fourré dans la poche de son jeans troué à 20 dollars du trou. Il a avalé d'un coup le contenu de sa coupe de vin. J'ai cru qu'il allait la projeter contre le mur tellement la frustration émanait de tous ses pores en formant des volutes presque visibles.

– De toute façon, je pense qu'on vient de rompre. La salope. Après tout ce que je lui ai acheté.

– Par téléphone ? Mec, ça ne se fait pas. Tu as quel âge, là ?

Oui, quel âge pensait-il avoir ? J'ai décrété pour moi-même que Jean-Marc était le meilleur des partis, qu'il s'avérait probablement le seul homme présent à être fidèle. De toute façon, comme il me le disait lorsque je lui faisais une crise d'insécurité : « Quand est-ce que j'aurais le temps de te tromper ? Je dors et je travaille ! Je ne fais que ça ! Je n'ai même pas le temps de voir mes amis ! » C'était malheureusement à peu près vrai.

J'ai quitté le pathétique duo d'adultères pour monter à l'étage. Au deuxième, l'atmosphère changeait carrément ; on se serait cru dans le château de *Downton* ! Des corridors éclairés par des luminaires accrochés aux murs, des portes fermées sur des pièces mystérieuses et sûrement inutilisées étant donné l'absence de progéniture des propriétaires, à moins qu'elles n'abritassent les domestiques, quoique ceux-ci devaient être logés dans les combles ou le sous-sol. Des tableaux aux couleurs et textures sombres garnissaient les murs, des toiles de grands maîtres inconnus, paysages et portraits de plus ou moins bon goût qui m'ont rappelé les toiles déprimantes du Louvre. Les parquets de vieux merisier bien conservés à la patine irréprochable ne craquaient pas sous mes pas, ce que j'ai apprécié. Qui sait quel gendarme pouvait se terrer dans une de ces pièces closes, pour en sortir brusquement et s'enquérir de la raison de ma présence à cet étage où je n'avais rien à faire et, ensuite, me mettre au cachot ? Ceux qui exercent l'art de la kleptomanie sont suspicieux et prudents, surtout s'ils se sont déjà fait pincer.

La pièce la plus intéressante d'une maison étant évidemment la chambre à coucher, j'ai allumé mon radar dans le but de la trouver, en me demandant si j'aurais le courage de la profaner. Je n'aime pas trop entrer dans les chambres de couple, je crains de rencontrer des odeurs dérangeantes. Lesquelles ? Je n'ose ni les nommer ni même me les imaginer. Parfois, quand j'entre dans la chambre de Jean-Marc le matin, alors qu'il dort encore (je dors souvent sur le divan, ses ronflements m'y contraignant), l'odeur est insupportable, un mélange d'haleine, de linge sale jonchant le plancher autour du lit et de flatulences nocturnes confinées sous les couvertures, tout ça ayant fermenté entre les quatre murs pendant sept heures. Je me demande comment il fait pour ne pas mourir. Je retiens ma respiration jusqu'à la fenêtre, que j'ouvre en expirant bruyamment, ce qui le réveille et l'énerve au plus haut point.

Mon regard a été attiré par un halo de lumière projeté sur le plancher du corridor. La porte de la chambre principale était restée ouverte, contrairement aux autres, alors je l'ai pris comme une invitation, voire une incitation. Je savais que je ne devais pas entrer dans cette pièce d'intimité suprême, ce qui s'avérait un encouragement encore plus irrésistible. J'ai vérifié que personne ne pouvait me voir et je m'y suis faufilée en refermant la porte avec la délicatesse du voleur aguerri. Mon cœur battait légèrement plus fort, c'était délicieux de sentir le flot de cette adrénaline hydrater tous les conduits de mon réseau neurologique. Un fourmillement connu s'emparait des mes doigts, il se diffusait jusqu'à mes poignets et me chatouillait agréablement.

L'arôme qui imprégnait l'espace m'a quasiment coupé la respiration : un *sent-bon* inséré dans une prise de courant diffusait un intense parfum d'une vanille exécrable destinée à camoufler toutes les autres émanations. Cela fonctionnait, j'ai à peine senti la légère odeur de sueur de mon aisselle quand j'y ai enfoui mon nez pour reprendre mes esprits et échapper à la vanille maléfique. Mon attention a vite été canalisée par la vision du lit à baldaquin. Comment pouvait-on dormir ainsi encadré par une telle orgie de draperies ? Devait-on les refermer autour du lit ? Si oui, ça devait rapidement devenir irrespirable ! Avec la vanille et tout !

Oh ! Une coiffeuse ! La dernière fois que j'en avais vu une, c'était dans un film de Bette Davis ! Ces petits meubles ornés d'un miroir devant lequel la femme se maquille, assise sur un banc sans dossier, armée de tous ses produits de beauté alignés comme des petits soldats salvateurs, me fascinaient. Je ne me maquille jamais, aussi suis-je toujours ébahie devant la quantité d'articles nécessaires pour transformer ses yeux, sa bouche, ses joues, d'autant plus si tout cela est disposé sur un meuble spécialement conçu pour cette mystérieuse alchimie. Je n'y comprends rien et mon ignorance m'a tant effrayée devant cette panoplie que j'ai décidé qu'il fallait bien m'initier un de ces jours. Et pourquoi ne pas commencer maintenant, alors que tout était à portée de main ? Je savais ces produits hors de prix malgré leur piètre valeur si ce n'était celle du pot qui les contenait, décoré du nom d'un fabricant renommé. Laroche-Posay, NeoStrata, Avène, Nuxe, Lancôme, Guerlain, tous ces jolis noms me faisaient rêver d'un visage meilleur qui ne serait jamais le mien parce que franchement, il était à son apogée à ce moment, il ne pouvait être mieux qu'il ne l'était, là, tel que je le voyais dans le miroir ; les traits dilatés, magnifiés par la sensation exquise qui s'emparait de moi à l'idée de remplir mon sac à main.

J'avais bien fait de prendre mon sac fourre-tout. Franchement, je n'avais même pas à m'en faire ; vu la quantité hallucinante d'articles qui emplissaient aussi les tiroirs de la coiffeuse, sa propriétaire ne se rendrait même pas compte qu'il lui manquait un tube de mascara, quelques rondelles de fond de teint et de rouge à joues, un crayon contour des yeux et un contour des lèvres, trois tubes de rouge à lèvres, quelques fards à paupières, des cotons démaquillants, des échantillons de crèmes hydratantes et nettoyantes qui, vu la quantité, devaient être pour la plupart périmés et tiens, tant qu'à y être, des serviettes hygiéniques pour tous les flux. Un tiroir plus petit que les autres m'intriguait particulièrement, du fait qu'il possédait une serrure. Par chance, il n'était pas fermé à clé. Ce qu'il cachait m'a fait penser que j'aurais préféré qu'il le soit. Un vibrateur de couleur rouge tomate en forme de très grosse queue gisait sur un mouchoir rose. Des tubes de gelée lubrifiante avec ça, et un autre petit machin dont je ne pouvais imaginer la fonction sinon qu'il devait servir à stimuler une autre partie du corps dont je n'avais non plus aucune idée. Son mari n'avait pas de pénis, pas de doigts, pas de langue, seulement un portefeuille bien garni, cela crevait les yeux.

J'étais en train de zipper mon sac et de me diriger vers la porte de la chambre sur la pointe des pieds lorsque j'ai entendu des pas, talons durs et semelles spongieuses, et des voix. Impossible de sortir de la chambre sans me faire voir.

Les voix, celles d'un homme et d'une femme, se rapprochaient dangereusement. Je n'avais d'autre choix que de me cacher dans la chambre. Sous le lit ? Impossible, le sommier touchait presque le sol. Derrière les rideaux ? Non plus, Ikea n'avait pas prévu ce genre de situation avec ses stores composés de lattes de bois synthétique. Il restait la penderie, qui représentait une pièce aussi grande que ma chambre. Je n'ai même pas eu le temps de savourer la joie liée à mon larcin. Les battements qui agitaient mon cœur avaient une tout autre source : celle d'être découverte dans cette posture honteuse. J'avais lu sur le Net que la seule manière de traiter la kleptomanie était de se faire pincer. C'était hors de question. De toute façon, je savais pertinemment que si l'humiliation que j'avais vécue à la pharmacie plus d'une décennie auparavant n'avait pas réglé ma manie, rien n'y parviendrait. Et puis, je n'avais aucune envie de guérir, cela m'apparaissait évident. Je jouissais de mon pouvoir, en même temps qu'il m'affaiblissait, surtout à ce moment.

– Je veux seulement te montrer les fenêtres de la chambre. Il me semble qu'elles ferment moins bien qu'avant, comme si la structure des murs avait bougé pendant les rénovations. William est tellement nul de ses mains, contrairement à toi.

– Arrête donc. C'est impossible. On n'a pas beaucoup travaillé dans cette aile de la maison.

Mon cœur a manqué un battement en reconnaissant la voix ferme et chaude de Jean-Marc et celle, nasillarde, de la femme de son client. J'ai essayé de voir entre les lattes des portes pliantes, mais je n'arrivais pas à un résultat satisfaisant alors je les ai légèrement entrouvertes. J'ai vu mon chum jeter un coup d'œil professionnel aux fenêtres et la femme poser la main sur son épaule ; sa manière langoureuse ne donnait aucune place à l'interprétation, elle voulait se le faire. J'ai hésité entre bondir en hurlant hors de la penderie, ce qui aurait créé une situation fantastiquement surréaliste, ou rester là, respirer à fond pour ne pas me mettre à pleurer et attendre la suite. J'en tremblais. Retenir mes impulsions relevait pour moi d'un tour de force. Mais je saurais ainsi de quoi mon chum était fait. Appartenait-il au type d'homme qui ne peut résister aux avances d'une femme, même s'il est engagé avec une autre, ou à celui qui sait les repousser, celui dont l'ego peut se passer de ces flatteries ?

– Excuse-moi, Diane, tes fenêtres ferment parfaitement.

– Tu en es certain, mon beau Jean-Marc ?

« *Mon beau* Jean-Marc » ? Elle l'a obligé à se retourner pour lui faire face et a pris son visage, un visage qui m'appartenait à moi, entre ses mains manucurées pour l'attirer vers le sien.

– Woooo ! Qu'est-ce que tu fais, là ?

– J'ai envie de toi. Tu es si viril, même là, comme ça, sans tes bottes et tes habits sales.

– Tu es soûle. Et ça ne m'intéresse pas. Ça ne va vraiment pas, dans ta tête. Ma conjointe est ici, en bas !

– Vous n'êtes même pas mariés.

– Parce que ça compte ? Tu l'es, mariée, et regarde comment tu te comportes.

– Oh, tu sais bien que William s'en fiche de toute façon. Il a je ne sais combien de maîtresses. On n'en parle même pas, comme si c'était inclus dans notre contrat de mariage.

– Eh bien tout ça, ce n'est pas ma tasse de thé. Tes petites misères et ton oisiveté, ton harcèlement depuis le début des travaux, ça a assez duré. Trouve-toi un hobby, une œuvre de bienfaisance, n'importe quoi. Cette maison était parfaite avant les rénovations, vous avez vraiment du temps et de l'argent à perdre. Vous savez dans quoi on vit, ma blonde et moi ? On a chacun un petit quatre et demi, et on n'est pas plus malheureux pour autant. J'espère que vous le serez plus, heureux, dans votre nouveau décor, mais j'en doute. Je redescends, Laurence doit s'inquiéter de ne pas me trouver, et s'emmerder à mort, surtout. Vos amis ne sont pas ce qu'il y a de plus amusant.

– Elle est peut-être en train de se faire draguer par mon mari. Une romanichelle en ballerines, c'est exotique pour lui qui a plus l'habitude des catins. Je n'approuve pas sa tenue vestimentaire, mais vous allez bien ensemble, cowboy. Enfin, elle en a de la chance, d'avoir un homme comme toi. J'espère qu'elle le sait. Je suis jalouse.

– J'aimerais bien qu'elle soit là pour t'entendre.

Je n'en revenais pas. J'hésitais entre applaudir ou manger le bas de la robe en soie douce qui me tombait sur le front. Il est sorti de la chambre en jetant un regard découragé à sa cliente. Elle l'a retenu pour l'embrasser sur la joue. La joue, c'était encore trop. Mon cœur battait dans toutes les directions ; venait-il de me faire une déclaration d'amour ? Ou d'avouer un adultère ? J'avais trop chaud pour exercer mon discernement.

Madame s'est assise à sa coiffeuse et s'est mise à farfouiller nerveusement dans un tiroir en faisant un boucan d'enfer. J'aurais pu éternuer sans m'inquiéter. Elle était vraiment fâchée. J'ai cru qu'elle allait jeter un pot contre le mur.

– Mais où est donc passé mon foutu rouge à lèvres Lancôme ?

J'ai pensé émerger de la penderie comme un guignol de sa boîte en brandissant triomphalement son tube de rouge à lèvres, tadam ! Ça aurait été le paroxysme, l'apothéose, on aurait sûrement entendu des bravos provenant de nulle part.

Mais, avec le manque d'air, je commençais à ne plus trouver cette situation très amusante et mes jambes risquaient l'ankylose si je ne bougeais pas bientôt. Je craignais par-dessus tout qu'elle ait envie de changer de robe. Les femmes qui souffrent d'oisiveté et qui possèdent beaucoup de vêtements font ça, je crois, changer de tenue plusieurs fois pendant la journée. Dans *Downton Abbey*, les femmes se changent à tous les repas ! Le magasin de haute couture dans lequel j'étais coincée recelait le potentiel pour se transformer aux apéros, aux repas, aux collations et aux digestifs. Elle en a eu pour une éternité, pendant laquelle je l'ai entendue ouvrir et refermer des tas de tubes et de pots. Il est ardu d'effacer de son visage une humiliation comme celle qu'elle venait de vivre. Rien de plus triste qu'une femme dont les avances ont été rejetées par un homme.

Jean-Marc me cherchait partout, il était sur le point de demander au D.J. engagé pour créer le tintamarre techno de faire un appel général au micro. Il était près de minuit, il en avait assez, il voulait partir. Moi aussi. J'avais eu mon lot d'émotions pour la soirée. Il n'a pas remarqué que mon sac était passé de petit à très élargi. C'est le genre de détails auxquels les gars prêtent peu attention. Une fois dans son camion, je l'ai ouvert pour lui en montrer le contenu.

– Tu as bien fait. Tu aurais dû prendre plus, leur literie en satin, leurs oreillers en mousse de la NASA, n'importe quoi.

Comment il savait, pour leurs oreillers, et les draps ? Lui qui ne savait pas faire la différence entre la ratine et le coton ? J'investiguerais plus tard. Pour le moment, j'étais encore sous le choc.

– C'est toi qui me dis ça ?

– J'en ai plus que marre de travailler pour des riches. Je vais aller construire des huttes en Afrique.

– Bonne idée. Mais ce serait gênant de voler quoi que ce soit s'ils sont plus pauvres que moi.

– Je t'aime, tu sais. Même si tu es gravement atteinte.

– Je sais. Je sais. Ouais...

À peine avait-il mis le moteur en marche que la Diane s'est jetée contre la fenêtre. Elle pressait un minuscule chihuahua contre ses seins, il tremblotait comme la plupart des chiens de taille anormalement petite mais celui-ci semblait pris de secousses sismiques. Nous avons sursauté en même temps ; pour une fois, nous étions à l'unisson, c'est la pensée singulière qui a transpercé mon esprit à ce moment. Jean-Marc est devenu blême, ce qui relevait de l'impossible car pâle, il l'était continuellement, comme s'il manquait d'une vitamine essentielle. Il était donc plus blanc que le blanc de l'aspirine quand il a ouvert la fenêtre lentement, devant le visage triomphant de la femme.

– Tiens, tu as oublié ça, le dernier jour des rénovations. Je le conservais en souvenir. Et peut-être pour ce genre d'occasion...

Dans sa main aux ongles longs comme des griffes d'oiseau de proie, elle tendait le caleçon-short aux imprimés de bébés tigres que j'avais offert à Jean-Marc au dernier Noël, tandis que la petite motte de poil s'agrippait au seul bras qui le soutenait, les yeux exorbités d'effroi. Jean-Marc s'est emparé du short sans un mot et a remonté la fenêtre en regardant fixement devant lui. Je pouvais percevoir le frémissement qui l'habitait, alors que tout à l'intérieur de moi s'effondrait, comme si vis et boulons avaient subitement été retirés, que ma charpente subissait un glissement de terrain.

– Laisse-moi t'expliquer.

– Il n'y a rien que tu puisses me dire. Ramène-moi à la maison. Je ne veux plus te voir.

Au contraire, des explications, j'en voulais à la tonne, je voulais tous les détails, même ceux qui m'auraient fait souffrir à fond la caisse. En même temps, je voulais aller mordre mon oreiller et hurler en silence, la face enfouie dans les plumes d'oie du Canada. Il m'avait abandonnée sur mon chemin et en un instant, la certitude que j'étais seule et le serais toujours, avec ou sans lui, sur une civière d'hôpital, sur mon lit ou sur un grabat dans une cellule de prison m'a terrassée. Je me visualisais, encerclée par des monticules d'objets volés, dans le plus grand espace vide qui puisse exister. Qu'aurait-il pu me dire qui m'aurait consolée ? Les gens disparaissent, ils vous trompent, ils meurent. Les choses restent, elles servent un moment à vous faire croire que vous êtes plus heureux. À moins qu'elles aussi ne disparaissent, volées ou détruites par le feu. En définitive, il n'y a toujours que soi, ce terrain miné.

En serrant ce sac stupide rempli d'illusions de bonheur et d'une vie améliorée contre ma poitrine palpitante, j'ai encaissé le coup : tout n'était que cela, illusion. Le déni n'est salvateur que jusqu'à ce que la vérité finisse par éclore, généralement quand on s'y attend le moins.

Un état de profonde déprime s'est emparé de moi.

## Le psyclownologue

J'ai commencé à calculer les jours me séparant du moment où nous avions échangé nos derniers mots, Jean-Marc et moi. Je me repassais sans cesse le même film, en y ajoutant des détails sordides et typiquement maso-féminins : elle avait de plus gros seins que les miens, et il avait ensuite dû trouver les miens miniatures ; ses cheveux lui tombaient au milieu du dos et étaient brillants, les miens couvraient à peine ma nuque et manquaient de tout, et alors que je ne supportais pas qu'il y passe sa main, il avait dû s'en donner à cœur joie à caresser les siens ; je n'épilais que le nécessaire et elle devait avoir eu une épilation intégrale au laser, etc. J'étais le yéti indigent et elle était la somptueuse Diane chasseresse.

Pour m'enlever ces idées noires de la tête et remplir le vide créé par mon absence soudaine de relation, j'utilisais mon antidote habituel : le Vallon des Valeurs. Pourtant, mes petits larcins ne me procuraient plus le soulagement et l'adrénaline auxquels j'étais accoutumée et qui m'exaltaient, du moins pendant quelques minutes, alors j'ai cessé d'y aller. Plus grand-chose n'avait de saveur, mes chips au vinaigre préférées me brûlaient les lèvres même si je les arrosais de Cream Soda. Je me suis passé et repassé *ad nauseam* la mélodie du porte-clés Snoopy, jusqu'à ce que le mécanisme finisse par se casser. Puis je l'ai jeté, sans rien ressentir de particulier.

Perdre son chum quand on n'a pas de hobby peut amener une personne à se commettre dans des activités stériles. Je taillais au ciseau des serviettes hygiéniques trop larges pour ma délicate anatomie, puisque d'une fois à l'autre, je changeais de marque sans jamais me rappeler laquelle m'avait convenu. Je lavais mon linge à la main, dans le lavabo, même les serviettes. J'avais teint en rouge un soutien-gorge beige qui avait ensuite déteint sur le t-shirt blanc sous lequel je l'avais porté et, le pire du pire, j'avais rendu mon ordinateur impotent en supprimant des fichiers aux noms étranges, avec la prétention d'en améliorer la performance, alors que je n'y connais rien, aux ordinateurs, et encore moins à ce qui se trouve dans leurs entrailles. Je m'étais coupé le toupet à l'œil – il ne faut jamais, jamais se prendre pour une coiffeuse et couper sa frange soi-même, même les coiffeuses ne s'autocoupent pas le toupet tant l'opération est impossible. J'avais le look frontal de Fifi Brindacier, en moins mignon, alors je me suis *bobépiné* les mèches qui restaient sur le dessus de la tête, ce qui m'a permis de constater avec effroi que mon front était strié de rides que je n'avais jamais remarquées auparavant. Je pratiquais l'écriture cursive, alignant mon nom et celui de Jean-Marc en spirales formant des couronnes funèbres. Mes animaux en origami ressemblaient invariablement à des monstres préhistoriques.

Pour en rajouter une épaisseur, je dormais d'un sommeil hachuré, quand j'arrivais à m'endormir, c'est-à-dire quand les nouveaux voisins qui avaient élu domicile en face de chez moi et qui passaient leurs soirées sur le balcon à jacasser sans interruption avec des voix d'oiseaux miniatures étaient occupés ailleurs. J'enfonçais mes bouchons d'oreilles si profondément qu'ils me ressortaient par le nez. J'avais aussi commandé par *Amazon* un générateur de bruit blanc fabriqué par des Allemands pour enterrer les bruits ennemis. J'étais devenue hyper sensible à tout et la seule chose que j'aurais dû faire, je m'en sentais encore incapable. Appeler Jean-Marc était au-dessus de mes forces. Quand j'ai cassé mon dérailleur en tentant d'ajuster les vitesses de mon vélo, j'ai compris que je devais agir avant de mettre le feu à mon logement.

J'ai donc repris le travail volontairement, avant la fin de mon congé maladie, mais je ne jouais plus de tours. Raymonde et Miss Couette gardaient une distance et un silence respectueux, me croyant probablement en choc post-traumatique de catégorie F-150. Elles étaient à mon service, je n'avais qu'à penser « eau » pour qu'un verre se matérialise devant moi. Je réfléchissais trop, j'imaginais par le menu détail des scènes de sexe lubrique entre Jean-Marc et la maudite Diane, dans la poussière érotique du chantier, appuyés contre une poutre ou sur un banc de scie. Comme je manquais de sommeil, j'avais des nausées et des étourdissements et je n'arrivais qu'à manger des miettes lorsque mon estomac se détendait. Je pensais m'évanouir en ouvrant les revues de dermatologie qui, autrefois, me divertissaient avec leurs horreurs cutanées. Je préférais encore lire les articles du *Schizophrenia Digest* auxquels je ne comprenais rien et je regardais avec une curiosité malsaine les photos des malades « avant et après » la médication. La plupart du temps, ils étaient mieux avant, comme pour la plupart des chirurgies esthétiques, ce qui m'a inquiétée, car quand j'ai revu mon médecin, il m'a ordonné non seulement un retour en congé maladie mais la prise d'antidépresseurs « légers ». « Il se peut que cela affecte votre libido et que vous soyez incommodée par des effets secondaires avant de voir apparaître les véritables effets recherchés. Je vous conseille également de consulter un psychologue du Programme d'aide aux employés. » Je m'en fichais, de ma libido, je n'avais aucune envie de me brasser les méninges avec un spécialiste et encore moins de prendre des médicaments, aussi légers soient-ils. Je voulais simplement rester couchée toute la journée, lovée contre mon coussin-banane et garder l'esprit clair pour la suite des choses, dont je n'avais aucune idée.

Diep m'a plus ou moins dissuadée de prendre des médicaments. Elle m'a écrit, sur le ton de la sagesse : « Vous devez affronter, madame Laurence. Prendre ces médicaments ne fera que mettre un couvercle sur vos émotions. Il ne faut pas confondre peine d'amour et dépression majeure. Attendez un peu. Je peux par contre vous refiler quelques somnifères de ma provision personnelle qui couperont le cycle infernal de vos insomnies. Allez plutôt voir un psychologue, regardez ce qui se passe en vous. Votre ego est écorché, votre ami a fait une erreur, il semble assez intelligent et sensible pour la reconnaître et vous l'êtes assez pour lui pardonner. Je suis certaine que si vous lui dites calmement que sa tromperie vous a fait vous sentir comme une grosse merde, il vous rassurera, il vous dira qu'il tient à vous et qu'il a eu une faiblesse. Les hommes sont comme ça, faibles, ce sont eux les grosses merdes, mais je ne devrais pas vous parler comme cela en ce moment. Mettez ça sur le compte de mon syndrome prémenstruel. Nous, les pharmaciennes, sommes aussi faites de chair et de sang et avons aussi nos problèmes. Travailler entourées d'un arsenal pharmaceutique et savoir ce qui, sur ces étagères, pourrait geler le temps d'une saison un bourdonnement interne trop intense n'y change rien. Aucune pilule ne peut me faire oublier le fait que je n'ai pas d'amoureux présentement et j'ai l'impression que ma famille va finir par me renier, car nous, les Asiatiques, si nous ne sommes pas mariées avant trente ans, nous sommes bonnes pour le rebut. Je vous dis cela pour vous consoler. Vous avez la chance d'avoir un « bon parti » (je parle comme mes parents : « Épouse donc ce pharmacien, Diep, c'est un bon parti, même s'il fait du diabète, qu'il a un groin en guise de nez et une haleine de sauce soya rancie, cesse de faire la difficile, sinon tu mourras vieille fille ») et dites-vous bien que s'il vous a blessée, ce n'était pas son intention. Quelle était son intention, c'est à lui de le découvrir. Le cerveau de votre ami est surmené par trop de responsabilités, les conduits ont été obstrués par le stress et l'air ne s'est plus rendu au cerveau. Il n'a plus eu de cerveau pendant un moment, cette femme s'est pointée et lui a insufflé de l'oxygène, mais pas au niveau du cerveau, car il ne s'agissait pas d'une fine mouche mais d'une garce. Je ne dis pas ça pour excuser votre ami pas fin du tout, son geste est inexcusable. Mais votre ami l'est. S'il tient à vous, il fera tout pour vous reconquérir. Si, jusqu'ici, il ne vous a comblée que de cartes-cadeaux, ce dont je le remercie car jamais nous ne nous serions connues vous et moi autrement, il vous donnera pour réparer son erreur la mer et le ciel et ses étoiles ; c'est du moins ce que je ferais si j'étais lui. Car vous êtes un astre lumineux dans sa vie, j'en suis convaincue, et pour moi aussi, dans ma clientèle trop souvent faite d'éteignoirs. Je pourrais vous prêter mon papillon capillaire magique, mon oncle n'y verrait pas d'objection. Et il ferait très joli dans vos cheveux jamais peignés, ce qui fait partie de votre charme, mais je pourrais toutefois vous recommander un bon styliste, aussi. Les bons coiffeurs sont les esthéticiens de l'âme pour la femme déprimée. Mais si jamais vous décidez de prendre quand même les médicaments, venez à ma pharmacie, n'encouragez pas notre concurrent qui vient d'ouvrir à deux coins de rue ! »

J'ai pleuré en finissant de lire son courriel. Et j'ai composé le numéro de téléphone du Programme d'aide aux employés au lieu de celui du salon de coiffure « Épi en tête ». J'étais encore enrouée par les larmes, ce qui a dû avoir pour effet d'accélérer le processus, car j'ai été jointe, deux heures plus tard, par un monsieur Leclerc, dont la voix au téléphone m'a instantanément fait penser au son de ma balayeuse lorsqu'elle est enrayée par un mouton de poussière. J'ai été étonnée qu'il me donne un rendez-vous le jour même. J'aurais dû me méfier de cette disponibilité instantanée. N'étais-je pas censée attendre des semaines, voire des mois, sinon des années, comme pour les chirurgies orthopédiques et toutes les opérations médicales dont dépendent nos vies ?

Il habitait le Village gai, j'en ai donc déduit que son bureau serait décoré avec un soin maniaque, qu'il y aurait un brumisateur d'ambiance à l'odeur épicée planté dans la prise électrique, un fond de musique *lounge*, une pile de revues *GQ* séparées par des numéros de *Fugues*, que des pantoufles en tissu gris perlé, et non en papier, seraient disposées dans un panier métallique dans le but de préserver le vernis de son plancher flottant et que sa mise serait impeccable, cheveux gominés ou crâne rasé, chemise ocre au col détaché sous un veston de lin vert bouteille savamment froissé. J'y allais à reculons, et ma génératrice à préjugés fonctionnait à plein régime.

Dès que je suis entrée dans son cabinet de consultation, qui s'avérait être une pièce dans son propre appartement, mon odorat a été attaqué par une odeur reconnaissable entre toutes : litière de chat saturée d'urine. Comme de fait, deux matous dodelinaient vers moi, des chats de type face-écrasée-en-permanence-contre-une vitre, hyper poilus et obèses, quoiqu'il soit difficile de discerner l'obésité de la maigreur sous une touffe de millions de poils longs. J'aime bien les chats, mais pas s'ils ont une figure de bouledogue. Ceux-ci arboraient un faciès tellement aplati qu'ils semblaient dépourvus de système olfactif. Leur propriétaire devait être atteint du même mal, pour oser accueillir des clients dans une telle atmosphère ; c'était irrespirable.

Il m'a fait louvoyer dans un long corridor encombré par des meubles à multiples tiroirs d'une patine rouge et or douteuse, sur lesquels reposaient quelques représentations de bouddhas bedonnants et heureux de l'être. Je n'avais jamais rien vu de pareil, sinon dans un McDonald surprenant d'une banlieue près de l'aéroport d'Orlando, sûrement décoré par un actionnaire bouddhiste soucieux de nous faire oublier que ce qu'on y mangeait était contraire aux principes fondamentaux de sa religion. Le couloir débouchait sur une pièce exiguë où j'espérais échapper à l'odeur, mais non, elle persistait dans les moindres recoins. Je me suis installée dans un fauteuil de style Louis XVII dont le dossier montait presque jusqu'au plafond et qui aurait eu sa place chez la Diane pécheresse, sous ses lustres rococo. Je me suis sentie instantanément miniature. Ce devait d'ailleurs être le but, se sentir inférieur à l'Inspecteur Cérébron qui a pris place dans le même type de fauteuil en face de moi, sauf que son dossier à lui n'avait rien d'anormal, il était même doté d'un appuie-tête ! Je me suis tassée dans mon siège, comme pour souligner mon abdication ; il pouvait faire de moi ce qu'il voulait, me lobotomiser ou rester là pendant cinquante minutes sans rien dire en me fixant avec des yeux de merlan frit, je m'en fichais.

Les deux gros tas de poils nous avaient suivis et se sont installés, l'un sur les genoux du psychologue, et l'autre, sur le rebord de la fenêtre. Ils ont réparti leur graisse avant de tourner leur museau vers moi. C'était trop bizarre, ils me regardaient tous les trois et attendaient visiblement que je l'ouvre la première. L'envie m'a pris d'émettre un miaulement plaintif, en prenant connaissance de ce qui était accroché aux murs : des caricatures du psychologue ! J'étais tombée sur un de ces adeptes de l'« humour guérit tous les maux ». Un histrionique-narcissique admirateur de sa suprême personne, compte tenu de l'importance qu'il s'accordait en affichant ainsi des représentations de lui, grotesques par ailleurs. Dessinés avec un souci d'hyperréalisme et remplis de détails sortis de la tête d'un maniaque, tous les tableaux le montraient dans différentes scènes improbables et plus indécentes que guillerettes. Ici, les hanches entourées d'un paréo sur une île déserte en compagnie d'un tigre dont il caressait la queue, là chevauchant telle une amazone un divan de psychanalyste et caressant sa barbichette et, dernière œuvre, perché sur le poney d'un carrousel dont il caressait la crinière figée avec, en arrière-plan, une grande roue aux habitacles remplis de clowns qui devaient aussi caresser quelque chose. Tout en haut, une enseigne faite à la pyrogravure : « L'humour est le meilleur des médecins. » Bingo.

Personne ne paraissait vouloir prendre le contrôle de la séance. Ou alors il me laissait le loisir d'apprivoiser son décor, lequel devait avoir un succès fou auprès des aveugles. J'ai craint qu'il n'offre de me caresser, pour remplacer le mode verbal.

Le chat assis sur les genoux du *psyclownologue* a tressailli, puis il est descendu de son trône pour aller rejoindre son copain sur le rebord de la fenêtre. À eux deux, ils créaient un épais rempart de fourrure entre le dedans et le dehors.

L'ambiance était saturée de gêne et de non-dits. J'ai supporté ce jeu de silence inconfortable pendant ce qui m'est apparu une éternité en espérant que ce soit lui qui craque le premier. Je gaspillais de précieuses minutes, c'est ce qu'il devait penser, en même temps qu'il se disait que gagner son pain aussi facilement était vraiment merveilleux. Il a fini par s'éclaircir la gorge avant de pontifier, en caressant le fond de barbe qui camouflait son menton fuyant :

– Il semble que le but de votre visite vous soit obscur. Vous désirez que je sorte ma lanterne, question de mettre un peu de lumière sur « notre » problème ?

Était-ce de l'humour ? Devais-je éclater de rire à ce qui devait être pour lui un grand trait d'esprit ? Le classique : « Vous désirez que je brise la glace » n'avait plus cours ? J'ai passé une autre bonne minute dans le non-dit pour finalement lui répondre avec franchise.

– Ce n'est même pas drôle, vous savez. Au cas où vous pensez que ça l'est.

Il a haussé les sourcils d'un air vachement intéressé. L'insulte n'avait pas de prise sur lui. Ou il avait l'habitude. Il a cajolé son menton à nouveau, ça devait être un tic ou alors sa barbichette était irrésistiblement douce. Puis, il a griffonné une ligne dans un carnet qui est soudainement apparu je ne sais d'où et a refait le coup de la transmission de pensée qui devait signifier, en langage non dit : « Dites-m'en davantage. » Un des chats est descendu de son perchoir pour venir sentir mes espadrilles. Je n'en étais pas fière, elles dataient de l'ère tertiaire mais semblaient toutefois très attrayantes pour le matou, puisqu'il a commencé à se frotter les joues contre les lacets.

– Qu'est-ce que vous faites quand vous avez un patient allergique ?

– Vous êtes ici pour parler de vous, pas de mes autres patients. Par ailleurs, votre curiosité est légitime ; mes chats sont anti-allergènes. Je les vaporise régulièrement.

– Un peu plus que vous ne nettoyez leur litière, à ce que je peux sentir. Vous les vaporisez d'urine ?

– Je ne sens rien. Vous devez être très sensible sur le plan olfactif.

– C'est que vous avez le nez bouché. Désolée mais non, ça ne passe pas entre nous. Je ne me sens pas bien chez vous. Et votre truc de nous faire sentir mini avec votre fauteuil au dossier interminable, c'est minable.

J'ai pris mon sac, sa réponse m'importait peu, tout comme le fait de l'avoir froissé. De toute façon, il devait s'enduire d'un produit antiadhésif contre les attaques des patients, comme tous les psychologues, lui plus que les autres. Peut-être même que son système de défense était situé au niveau de son menton. J'avais du mal à croire qu'on puisse le prendre au sérieux. J'étais écœurée, par l'odeur qui brûlait mes sinus, sa face de pitre, ses fauteuils ridicules et la pensée qu'il aurait tenté de faire de l'humour avec ma souffrance. J'ai foncé vers la sortie en retenant ma respiration et sans demander mon reste, en attrapant au passage un des minuscules bouddhas en terre cuite qui s'empoussiéraient sur une table haute. C'était ça, les psychologues du Programme d'aide aux éclopés ? On m'avait refilé les restes ou alors, je manquais carrément d'humour. Je ferais un rapport détaillé au caporal du Bureau de santé et je serais bonne joueuse en demandant une autre référence, si je ne me faisais pas happer par un camion-remorque sur le chemin du retour.

À mon arrivée, excédée, j'ai écrit à Diep pour lui raconter dans le menu détail ma rencontre avec le psy. « Aurais-je préféré me faire analyser par ses chats ? Oui ! » Me confier à ma pharmacienne m'a suffisamment détendue et requinquée pour que je marche sur mon orgueil et brise le silence qui s'épaississait dangereusement entre Jean-Marc et moi. Je n'en pouvais plus. Mon besoin de le savoir toujours là pour moi éclipsait l'humiliation que j'avais subie. Je raisonnais ainsi en me disant que coucher, pour un homme, n'est pas comme coucher pour une femme. Un homme, étrangement, supporte l'idée que sa conjointe ait une relation sentimentale avec un homme à condition qu'elle ne couche pas avec lui, mais s'il arrivait qu'elle couche, alors là, ça ne passerait pas. Dans le cas opposé, une femme peut tolérer qu'un homme ait eu une aventure d'un soir (certaines femmes le peuvent, du moins), mais s'il s'agit de sentiments, c'est une autre affaire. Car nous savons, nous les femmes, que si le cœur est impliqué, c'est bien plus dangereux que s'il ne s'agit que du corps. Ce qui me forçait à croire que Jean-Marc ne m'en aimait pas moins : il avait pris le corps de cette femme, mais son cœur m'appartenait toujours, elle ne représentait rien pour lui et moi j'étais... bon. Enfin, j'essayais de m'en convaincre pour calmer l'émotion qui vibrait derrière mon raisonnement. Pour ne pas penser que je faisais probablement partie de ces victimes qui ne croient pas mériter l'amour et les gestes liés à cet amour, et que je courais après l'espoir que les choses changeraient au lieu de les changer moi-même, que je persistais auprès d'un homme qui ne répondrait jamais à ces besoins. J'étais lâche, et peureuse. J'avais lu plein de bouquins de psychologie sur les relations amoureuses, mais pour mettre leurs beaux principes en pratique, j'étais nulle.

J'ai appelé Jean-Marc sur son cellulaire. J'ai dû m'y reprendre par trois fois, mon clavier numérique semblait avoir rapetissé sous mes doigts. Derrière sa voix, je pouvais entendre le bruit insupportable provenant du chantier sur lequel il se trouvait, et d'autres voix qui criaient des ordres, ou des insultes ; ce capharnaüm, tout à coup, a résonné dans mon oreille comme une comptine réconfortante. Jean-Marc était heureux de m'entendre, il attendait, il espérait mon appel. Il voulait me voir en soirée, le plus vite possible. Il se disait prêt à répondre à toutes mes questions. J'ai fondu en larmes mais seulement après avoir raccroché, je ne voulais pas qu'il me sache si atteinte et diminuée par notre « accrochage ». Je ne voulais pas lui dire qu'il était au-dessus de mes forces d'envisager une séparation. Et cela, même si je savais que j'aurais dorénavant du mal à lui accorder mon entière confiance. Que chaque nouveau chantier inclurait pour moi la possibilité qu'il me trahisse à nouveau. Que même le siège de son nouveau F-150 ne me procurerait plus ce sentiment d'abandon confortable, cette certitude que rien ne pouvait m'arriver. Tout pouvait toujours arriver. Je ne pouvais avoir confiance que dans mon pouvoir de prendre des choses sans me faire prendre moi-même. Et même celui-là était en train de s'affaiblir. Alors je devais reprendre Jean-Marc, accepter son erreur, écouter ses excuses, espérer qu'il chiale un bon coup pour montrer un véritable repentir, résister un peu pour la forme puis lui dire que je ne serais plus jamais la même et qu'il devrait vivre avec ça, comme je devrais vivre avec mes doutes.

Je voulais quand même me mettre belle. Bien entendu, étant donné la modeste quantité de vêtements potables qu'il me restait, trouver ceux qui étaient susceptibles de lui faire regretter son infidélité a été difficile. Je me suis décidée pour un t-shirt et un jeans de la marque Grrr. Ce *grrr* correspondait bien à mon état d'esprit. J'imaginais le créateur de cette ligne en grogne constante. Le haut de couleur crème brûlée au coton trop mince laissait transparaître mon soutien-gorge noir, ce qui s'avérait d'un goût douteux, et le jeans était troué à divers endroits mais pas aux endroits où moi, je me sentais trouée, évidemment, puisque mon cœur ne se trouvait pas dans mes genoux mais bien à la surface de ma poitrine, palpitant, saignant, presque visible à l'œil nu tant j'avais les émotions à fleur de peau. Il me semblait que je m'apprêtais à jouer une scène qui serait *deleted* dans un épisode d'une sitcom sur les problèmes de vie de couple de vieux trentenaires désillusionnés. J'aurais pu rester vautrée dans le divan en compagnie de mon coussin-banane, d'un ginger-ale et de chips graisseuses et me repasser toute la saison 1 de *Girls* ou carrément terminer tout *Downton Abbey* sans attendre mon chum adultère, tant pis pour lui, au lieu d'aller m'*a-plat-ventrir* devant monsieur. Je détestais ce mot, *adultère* ; il ne devrait pas y avoir le mot « adulte » dans un autre qui exprime un acte relevant de l'immaturité et de l'inconscience.

## Le placebo

En écoutant Jean-Marc tenter de m'amadouer pour aller passer une semaine « à ses frais » dans un tout-compris au Mexique, je m'imaginais, essayant en vain de me détendre sur le bord d'une piscine tout en subissant le pire : ouïr un animateur hurlant des ordres sur un ton sadique à des femmes possédées par le démon de l'aquaforme, désireuses de perdre leur mou de bras en une semaine en les agitant dans tous les sens comme des forcenées, au son d'une musique électro-latino bas de gamme.

Je croyais savoir ce qu'il en était de ces endroits, car j'avais commis l'erreur d'accepter, quelques années avant de connaître Jean-Marc, une invitation de ce genre, « tout compris *à mes frais* » d'un ami qui avait gagné, lui, ce voyage pour deux à Cuba. Je n'ai jamais revu cet ami, d'ailleurs. Je ne me souviens même pas de son nom, seulement qu'il arborait une queue de cheval minuscule faite des cheveux restants d'une calvitie précoce et qu'il était déjà soûl avant de sortir de l'avion, ce qui était précurseur de tous les jours suivants, où il avait adopté un régime liquide oscillant entre les margaritas, la bière mexicaine et tous les cocktails farfelus inventés par des barmans blasés de répondre à ces incessants : « Mets plus de vodka... de rhum... de gin. » « Mets-y donc de l'arsenic », avais-je envie de leur dire, « qu'on en finisse une fois pour toutes de ces éponges détrempées ».

Mais mon espagnol n'étant pas au point – pour ne pas dire qu'il était inexistant –, je me contentais de lever les yeux au ciel pour leur démontrer ma sympathie.

Je suis probablement injuste, et surtout malchanceuse. Certaines personnes que j'aime adorent les *tout-compris* et ils insistent sur le fait que je suis mal tombée, et surtout que j'étais mal accompagnée, ce en quoi ils ont assurément raison. Ma docteure Jivago, qui semble avoir l'art de vivre et des goûts irréprochables, mis à part pour le choix de son mari, est une adepte des *resorts* en tous genres. Raymonde aussi...

L'enfer régnait de toute façon bien avant notre arrivée sur le site, alors qu'un parasite intestinal courait dans le *resort.* Je pouvais reconnaître les contaminés par les sprints qu'ils effectuaient entre leur chaise de piscine et la toilette la plus proche, sur la porte de laquelle on aurait dû apposer une icône représentant une tête de mort. Toutes les femmes étaient armées d'une bouteille de désinfectant antibactérien, c'est tout juste si elles ne la confondaient pas avec leur bouteille d'eau « sécuritaire », tant elles utilisaient l'une et l'autre au rythme d'un métronome. Les hommes se stérilisaient à la bière locale et se riaient bien de cette bactérie invisible, affichant leur bonne santé par un ventre débordant de bonne humeur et un voyeurisme incessant et puéril des bikinis de tous âges alanguis sur les chaises installées autour des piscines. Je faisais tache dans mon une-pièce sportif à 5,99 $ volé au Vallon des Valeurs, et mon ami ne comprenait pas que je me cache ainsi. « Je ne me cache pas, je me protège ! » Le soleil était intolérable, dur, implacable, je rougissais après trois secondes, et cela, malgré l'écran solaire à indice extrême dont je m'enduisais. Ma couperose s'est indiscutablement aggravée lors de ce voyage pour se transformer en rosacée, mes vaisseaux sanguins n'ayant pas aimé la transition du froid hivernal à la chaleur tropicale pour être à nouveau éprouvés par le retour au froid du mois de janvier. Depuis, mes joues sont ornées de points rouges, lesquels, si on les relie entre eux, créent une constellation qui rivalise avec celle de la Grande Ourse.

En me concentrant, je pouvais encore sentir l'odeur de moisissure qui imprégnait la chambre, dont le système de climatisation antique me faisait craindre d'attraper la maladie du Légionnaire. Le balcon donnait sur la rue principale et le trafic commençait aux aurores. En face, un immeuble était en rénovation, ou en démolition – c'était difficile à comprendre, s'ils construisaient ou s'ils démolissaient, vraiment. On aurait pu parler d'un phénomène de stagnation immobilier du troisième type, un endroit autour duquel grues et bulldozers valsaient en faisant un vacarme continu, sans toutefois avoir l'air de faire quoi que ce soit, étant donné que l'état du chantier n'avait pas changé au bout de la semaine. Il était impossible de contempler la mer dudit balcon, mais si je me tordais assez bien des lombaires jusqu'aux cervicales, je pouvais admirer la piscine ovale qui se remplissait dès 11 heures du matin d'ignobles spécimens rougeauds, ceux sur lesquels le parasite n'avait eu aucune prise. Un verre d'alcool à la main, ils se laissaient ratatiner dans l'eau toute la journée, devenant de plus en plus cramoisis sous la morsure du soleil qui se réverbérait de la surface de l'eau sur leur peau, le seul parasol existant se trouvant dans leur verre. À l'heure des repas, ils se ruaient vers les buffets comme s'ils étaient pourchassés par un gringo armé, un exploit vu la quantité d'alcool qu'ils avaient absorbé. J'avais passé la semaine à tout critiquer et mon (ex) ami en était venu à préférer la compagnie de ces truites chlorées et imbibées de bibine à la mienne. Pouvais-je le blâmer de vouloir fuir la rabat-joie qui lui gâchait ses vacances ?

Mes seuls moments de répit, ceux où mon odieux sens critique s'apaisait, c'était quand je me retrouvais quasiment seule au bord de la mer, à une heure où tout le monde était soit à la cafétéria, soit sur une piste de danse. Je voulais du calme et du silence, c'est tout. On était tombés dans le mauvais tout-compris, Jean-Marc en était convaincu. Il en avait expérimenté, pour sa part, des tout-compris franchement charmants.

– Le bon, il existe ?

– Je vais te le trouver. Un endroit tranquille, avec des petites familles sympathiques, des couples qui veulent sortir du tapage urbain et simplement se détendre, comme nous.

– Hu-hum. Mais, ô Maître indispensable du Chantier Universel, comment vas-tu faire pour partir sept jours ? Tout va s'effondrer pendant ton absence.

– Laisse-moi faire.

« Laisse-moi faire » constituait une autre de ses expressions favorites. Je m'en méfiais. Si je le laissais faire, de par mon expérience, il risquait le plus souvent de ne rien se passer. Donc, si je décidais de le laisser faire, il oublierait peut-être son offre, distrait par un cataclysme quelconque comme il en survenait quotidiennement sur un de ses chantiers.

– J'ai déjà tout arrangé.

Oh.

– J'ai un nouveau gars qui est fiable, je lui ai fait le topo et en l'appelant de là-bas tous les matins, je vais pouvoir faire le suivi. Non, je ne téléphonerai pas devant toi, promis, tu n'entendras pas parler travail. On a besoin de se retrouver. Je te promets de boire modérément. Je te promets de te laisser gagner au *Rummy*. Je te promets de te faire oublier mon écart de conduite.

– Écart de conduite ? Tu l'as, toi, la façon élégante pour dire « infidélité » ! Tu ne peux pas imaginer toutes les images qui me sont passées par la tête depuis que je sais que tu as tâté cette bourgeoise! J'ai passé presque une demi-heure dans sa penderie à sniffer ses maudites robes sans jamais penser que tu lui en avais arraché une de sur le dos!

– Je n'ai rien arraché du tout. On est restés habillés, si ça peut te rassurer.

– Ha! Que ça me rassure donc que tu n'aies pas pu voir sa cicatrice de liposuccion et la couture sous ses seins refaits! Ça me fait mal, ça me tue, ça me brûle d'imaginer ta bouche sur la sienne, vous deux couchés dans les draps de satin, la tête sur les oreillers en mousse de la NASA.

– On ne s'est pas embrassés...

– Et ta queue dans sa chatte, elle a eu une vulvoplastie aussi, peut-être? Argh. Je ne pense pas que je suis capable d'accepter ça. Je veux mourir. Lâche-moi, laisse-moi partir, j'ai changé d'avis, laisse-moi, ça me fait trop mal...

– Bébé, viens, viens, là, laisse-toi aller, vas-y, pleure.

Il avait toujours détesté que je pleure. «Sois plus forte que ça, arrête de pleurer, je sais pas quoi faire quand tu pleures, tu n'es pas un bébé, ressaisis-toi!» Il fallait qu'il tienne à moi pour resserrer ses bras autour de mes épaules, lui qui m'étreignait rarement ainsi. Il a même effleuré mes cheveux gras et emmêlés du bout des doigts en murmurant de tendres *chhhuuttttchhhhuuttt* tandis que je chialais comme je ne l'avais pas encore fait depuis des semaines. Je suis devenue toute molle entre ses bras et il m'a emmenée sur le lit, où il m'a fait des caresses que je le croyais incapable de me prodiguer plus d'une fois par décade. Après cela, je ne pouvais que dire oui à tout, mon cerveau ayant momentanément oublié les négligences des dernières années. Cinq jours plus tard, nous prenions un taxi à 5 h 30 du matin pour l'aéroport.

## Blessure ouverte

Je savais que j'étais méconnaissable sur la photo de mon passeport, mais pas au point de forcer le douanier à passer une minute entière à comparer ma face à celle qui se trouvait sur la photo. J'arborais pourtant le même air bête, ce n'était pas difficile de voir qu'elle et moi, on était des jumelles spécialistes en matière de ne pas sourire.

– Vous vous êtes fait une teinture ou quoi ?

– Moi ? Non ! En quoi ça vous regarde ? C'est l'éclairage de la pharmacie où la photo a été prise qui crée cet effet. C'est monstrueux, je le sais. J'ai l'air d'être embaumée. J'aurais dû tuer le photographe, mais comme c'était ma pharmacienne et que je l'aime bien...

– Vous êtes mieux comme ça.

– Comme quoi ?

– Comme maintenant. C'est bon, vous pouvez y aller.

– J'espère bien.

Il était assez mignon avec son million de taches de rousseur attendrissantes et j'aurais dû apprécier sa tentative d'être gentil, mais je sentais le souffle inquiet de Jean-Marc dans mon cou, qui devait craindre que je ne dise une connerie qui nous emmène droit à la fouille. Avec lui, chose étrange, je revivais constamment et dans toutes sortes de circonstances l'épisode du concessionnaire, qui l'avait apparemment marqué ; j'étais une récidiviste potentielle, je pouvais par le pouvoir de ma bouche nous mettre les pieds dans les plats à tout moment. Comme je me sentais encore très remontée contre lui malgré mon orgasme annuel qui datait déjà de deux jours – mon niveau d'ocytocine était redescendu –, je n'avais aucune envie d'être fine avec qui que ce soit. J'aurais peut-être dû en profiter et minauder pour l'énerver un peu, mais je n'en avais même pas l'énergie.

– Il te draguait ou quoi ?

– Tiens, tu as remarqué ? C'est sûr, je suis *croquable* avec mon air désespéré de fille qui vient d'apprendre qu'elle a été trompée.

– Bon, tu vas remettre ça toutes les deux secondes ? Peux-tu ne pas en parler pour quelque temps ? Tu peux te mettre à ma place ? Tu n'es pas la seule à souffrir.

– Tu crois que je vais oublier ça en une semaine, tu crois que mon cerveau va fondre sous le soleil de plomb mexicain, que ma mémoire va griller ? De quoi tu souffres ? De t'être fait pincer ? Tu aurais été mieux si je ne l'avais jamais su ? Comment aurais-tu pu vivre avec une conscience tranquille ?

J'ai continué sur ce thème pendant dix bonnes minutes pendant qu'il accélérait le pas vers notre terminal, créant un espace de plus en plus grand entre son corps et le mien, mais j'ajustais le timbre de ma voix au fur et à mesure dans le but qu'il n'en manque pas une.

– As-tu pensé à moi une seule seconde pendant que tu la baisais ?

Il s'est arrêté d'un coup sec en laissant tomber son sac et je me le suis pris dans les pattes. Son visage était rouge et ses yeux larmoyants. Il allait se mettre soit à hurler soit à pleurer. Je préférais la seconde option, plus silencieuse. Il y avait vraiment beaucoup de monde qui circulait autour de nous.

– Je t'aime beaucoup, Laurence. Je sais que je ne suis pas assez présent pour toi et que tu as besoin qu'on passe plus de temps ensemble, mais je te donne ce que je peux. J'ai foiré, je suis conscient que ta confiance va être dure à récupérer et je te demande de faire un effort, c'est tout ce que je souhaite. Je ne peux que te promettre ceci : ça ne se reproduira pas. Et si ça arrivait, je te quitterais.

– Bravo, quelle belle initiative, c'est rassurant à mort. Donc, ça pourrait arriver à nouveau ?

– Nooon, argh, j'ai du mal à m'exprimer, tu me stresses, je ne sais plus comment dire les choses. Peut-on ne pas en parler pendant juste sept jours, s'il te plaît ? Ma tête va exploser si tu continues à me faire subir ce viol mental. J'ai besoin de me reposer, de tout. Je gère une compagnie de fou et je ne veux pas avoir à gérer notre relation en plus ! Est-ce que je peux, est-ce qu'on peut prendre une pause ?

– Depuis quand on gère une relation ? On doit la vivre, pas la gérer ! Oui oui, fais-moi tes gros yeux, je sais que je suis mal placée pour faire la professionnelle des relations amoureuses. Et puis, viol mental ! Tu en as, des expressions.

– C'est ce que tu fais ! Tu veux aller dans les tréfonds des tréfonds, là où il n'y a plus rien à trouver, à comprendre. Tu grattes, tu grattes, tu veux que je saigne, eh bien oui, je saigne. Je regrette, amèrement, je ne sais pas ce qui m'a pris, je me suis laissé avoir. Je suis juste un gars !

– Laissé avoir ? Comme si tu n'avais pas eu le choix ! Arrête ton char, on a toujours le choix. Hé, juste un gars ! Y a des gars qui réfléchissent. Qui ne sont pas juste une queue sans tête.

– J'étais épuisé, Laurence, c'était la fin des travaux. Elle me harcelait depuis le début, j'ai cédé, elle ne me plaisait même pas. C'est toi mon genre de fille, pas elle, cette caricature de femme.

– Apparemment, ses formes caricaturales t'ont séduit. Elles t'ont fait oublier mes formes à peu près normales, et ennuyeuses, forcément.

– Non, tu es parfaite. C'est autre chose, ça n'a rien à voir avec elle, ni avec toi, c'est moi le problème. Je sais, je n'ai pas d'excuse qui tienne. Demande-moi ce que tu veux.

– Je veux tout savoir, ce qui s'est réellement passé.

– Elle m'a proposé un verre de vin après une journée merdique où rien ne fonctionnait, puis on a fumé un joint.

– Tu ne fumes jamais de drogue.

– Je sais, ça ne me fait pas, alors bon... j'étais un peu à côté de la plaque. Elle m'a ensuite... écoute, qu'est-ce que ça te donne de savoir les détails ?

– Rien, mais je veux savoir.

– Elle m'a seulement sucé, ça n'a duré qu'une minute, même pas. Je n'étais pas conscient de l'énormité de ce que j'étais en train de faire, j'étais stone, je n'y ai même pas pris de plaisir.

– Je me retiens de vomir. Tu as quand même enlevé tes pantalons, et ton short avec les bébés tigres. Ne viens pas me dire qu'il n'y a eu que ça. Tu l'as pénétrée ?

– Non. Et c'est elle qui m'a dévêtu.

– Vous étiez où ?

– Dans le salon.

– Tu étais debout ? Elle était à genoux ? Mets-toi à genoux, alors. Et implore-moi, parce que là, tout de suite, j'ai envie de te tuer et d'y aller seule, au Mexique, me taper quelques mecs bien membrés pour t'oublier.

Il s'est mis à genoux, les deux genoux, puis il a pris mes mains et s'est caché la figure dans mes paumes. Il les a embrassées, une après l'autre, je pouvais sentir l'humidité de ses larmes sur ma peau. Mes jambes flageolaient, mon cœur voulait sortir de ma poitrine, j'aurais pu mourir là après avoir visionné le film qu'il m'avait donné à voir. Les gens qui passaient nous regardaient en souriant, croyant à une émouvante demande en mariage, le gars qui ne se peut tellement plus d'amour et d'émotion qu'il en braille dans les mains de sa blonde adorée.

– Moi, Jean-Marc Dubé, regrette profondément de m'être conduit comme un con.

– Un très très con. Et d'avoir mis en danger notre merveilleuse relation.

– Oui, merveilleuse relation, enfin, la plupart du temps.

– Dis-moi, avoue, tant qu'à y être... ta menuisière, tu as couché avec elle ?

– Chérie, je ne te connaissais même pas à cette époque.

– Quoi ? Tu l'as donc fait ? Avec une de tes employées ?

J'étais ulcérée. Poser des questions est une chose, mais il faut être solide pour recevoir les réponses. Et j'avais eu mon quota. Mais trop tard, le train était en mouvement.

– Elle se posait des questions sur son identité, je trouvais ça intéressant, on est sortis une fois ou deux ensemble, je me suis laissé attendrir, j'étais seul depuis un moment, j'avais besoin de féminité ...

– Jean-Marc ! Écoute-toi, écoute ce que tu me dis !

– Tu veux savoir ou pas ? On n'était pas ensemble, toi et moi ! J'avais une vie avant toi ! Est-ce que je te questionne sur tous tes ex ?

– C'est quoi le truc si excitant pour vous, les gars hétéro, de vous faire une lesbienne ? Il m'en manque un bout ou quoi ? Après, tu t'es vanté d'avoir « défroqué » une lesbienne à tes ouvriers sensibles qui écoutent *Occupation triple* ?

– Personne ne l'a su. Je ne suis pas comme ça, je ne parle pas de ma vie privée avec mes employés.

– Non, tu couches avec ! Bravo l'éthique.

– Je l'ai regretté, ça n'a été que l'affaire d'une fois, même si elle voulait sortir avec moi. Je n'étais pas amoureux.

– Non, tu voulais seulement voir ce que ça faisait que de pénétrer un orifice qui ne l'avait pas souvent été.

– Elle était troublée, elle avait besoin de parler avec un gars, de faire une expérience. Elle s'est d'ailleurs trouvé un chum depuis ce temps.

– Bravo, félicitations pour ta grande aide thérapeutique.

– Je t'en prie, c'était ma vie avant, cesse de me juger. Prends-moi comme je suis maintenant.

– Je te rappelle que dans ta vie de maintenant, tu viens de te faire une bourgeoise et que je viens juste d'apprendre de quelle façon. Tu me donnes envie de piquer dans la boutique hors taxes une fois là-bas pour aller me reposer dans une prison exotique. N'importe quoi pour ne plus penser.

– Je suis certain que les prisons au Mexique ressemblent à celles du Panama, comme on a vu dans *Prison Break*, et personne n'y a la tête de Michael Scofield.

– Piquer un truc ne remet pas en question notre relation, à ce que je sache. Ça ne brise pas la confiance que tu mets en moi.

– Non, juste la confiance en ton discernement.

– Ah, *come on*, tu veux qu'on en parle un peu plus encore, de discernement ?

– Ok, ok, je n'ai rien dit.

– Tu me paies un café ? Et un muffin ? J'ai besoin d'une minute, plusieurs minutes même, pour digérer tout ça. Tu y vas ou je dois aller les voler ? Prends ton temps.

Pendant qu'il allait nous quérir de quoi manger, je me suis installée face à la baie vitrée. De là on pouvait observer les avions et les employés s'affairant autour des engins, ce qui était plus reposant que la vision des vacanciers prématurément vêtus de chemises fleuries et de bermudas pleins de poches latérales. Je les sentais derrière moi, je pouvais sentir leurs vibrations d'excitation, déjà grisés à l'idée de ce qui les attendait: boire de l'alcool à volonté, manger à volonté, se laisser servir par de pauvres Mexicains et revenir avec un teint précurseur de mélanomes malins. Je sais, j'étais sévère, tous n'aspiraient au fond qu'à sortir de leur quotidien étouffant et sclérosant en consommant un petit moment de bonheur éphémère. J'étais pareille, au fond, étouffée et sclérosée avec mon tas de guenilles inutiles et une relation dans laquelle j'avais probablement poussé mon amoureux à me tromper. Jean-Marc est revenu avec deux cafés et deux muffins démesurément gros, juste comme j'avais cette pensée.

– Dis-moi, sois honnête: c'est ma faute si tu m'as trompée? Je suis trop exigeante, trop négative, je t'en demande trop, tu en as eu marre?

– Nooon, Laurence, ne mets pas ma faute sur tes épaules. Oui, je te trouve souvent trop négative et râleuse, mais ça n'a rien à voir, tu dérapes, là. Ce n'est jamais la faute de l'autre, une erreur comme ça, c'est moi, c'est moi qui me suis laissé égarer.

Je me suis mise à pleurer en espérant que ce soit mes dernières larmes. Sur le tarmac, des costauds faisaient valser sans précaution les valises dans la soute à bagages. J'ai cru voir passer la mienne, rouge, ornée d'un petit foulard jaune attaché à la poignée. Nous avons mangé nos muffins sans plus parler, au son des annonces et des clameurs.

# 2

# Dans le ventre gargouillant du Mexique

*

## L’avion

S’il existe un musée des tortures, et je pense qu’il y en a un au parc Balboa de San Diego, on devrait y exposer, entre les écarteurs de membres et les tenailles pour arracher les ongles, les sièges d’avion de classe économique, pour dénoncer les sévices causés au corps humain. Accompagnés par la photo du designer sans aucun doute lilliputien qui les a imaginés.

Je suis d’un format assez standard, 5 pieds et 6 pouces, 125 livres dont une vingtaine répartie autour du nombril. Je porte des chaussures de pointure huit et demie et mes jambes sont d’une longueur et d’une apparence normale, si on exclut mes genoux qui ont l’air de tubercules venus d’une autre planète. Pourtant, l’espace entre mon siège et le dossier du siège devant moi est nettement insuffisant pour les contenir et leur permettre de s’épanouir à moins que je n’essaie de le faire à la verticale, les orteils dirigés vers le plafond, mais je n’ai pas cette flexibilité. Il manque au moins un pied et demi pour que je puisse les étirer de temps à autre, question de ne pas avoir le sentiment que tout mon être va se faner d’exaspération tandis que les os de mon bassin se dissolvent par la force de l’inertie.

Mon cou est assez long, soit, mais apparemment pas encore assez pour que ma tête trouve son confort sur l’appuie-tête, ni son point de repère. Ou alors il est trop court, je ne suis jamais parvenue à me faire une idée nette à ce sujet. À vrai dire, même si on peut modifier l'angle de cet accessoire, de façon si subtile que le designer avait dû bien se marrer en offrant cette option, je préférerais m'en passer. L'arracher est impossible, j'ai essayé plusieurs fois lors de mes autres voyages. Mes fesses ne sont certes pas des plus dodues, mais elles ont quand même un peu de rembourrage. Pas suffisamment toutefois pour me faire oublier la sensation d'être assise sur des dalles de béton. Qu'est-ce que cela aurait tant coûté de rajouter un petit centimètre d'une substance moelleuse, n'importe quoi, de la guimauve, du Jell-O au citron, de l'air? Et de permettre une inclinaison raisonnable aux dossiers?

Dès que je passe plus de trois heures dans un avion, je me sens sur le point de devenir folle. Encore plus si je dois aller aux toilettes. Je n'ai pas la crainte, comme plusieurs, de me voir aspirée tête première dans le trou mystérieux au centre duquel on essaie de faire nos besoins sans en mettre à côté, dans cette eau bleue sur fond de métal, mais seulement que les murs se referment sur moi et ne m'écrasent plus qu'ils ne me semblent déjà le faire. Je prends très peu de place et je vis une claustrophobie spontanée le temps de faire ce que je dois faire et que je fais le plus vite possible.

J'ai commencé à me trémousser dès que je me suis installée, cherchant la position qui allait me permettre de ne pas m'ankyloser pendant les prochaines heures. Ayant fait du yoga dans mes jeunes années, j'ai essayé toutes sortes d'asanas, ensevelie sous les soupirs d'exaspération de Jean-Marc, pour finalement renoncer et m'asseoir de façon standard en respirant profondément et en tentant de me faire croire que j'étais ailleurs que dans ce fauteuil anti-ergonomique. Jean-Marc, lui, pour qui même un lit de clous est confortable, lisait déjà son journal comme s'il se trouvait étendu dans un transat.

– Comment tu fais ? Tu ne te rends pas compte qu'on est mal, mais vraiment mal assis ?

– Laurence, ça ne fait même pas quinze minutes qu'on est là. Relaxe.

– Pourquoi toi tu es bien et pas moi ?

– Parce que c'est comme ça, tu es mal partout, moi je m'accommode, je m'adapte.

– J'espère qu'au moins ils servent quelque chose à manger.

– Je ne compterais pas là-dessus, si j'étais toi. On aura tout au plus un sachet d'arachides.

– J'ai déjà faim.

– Tu as mangé la moitié de mon muffin.

– Ça ne fait rien, j'ai faim quand même. J'ai faim quand je suis sur les nerfs et trop émotive.

– C'est étonnant que tu ne sois pas plus grosse.

J'ai continué à gigoter un bon moment et je me suis calmée quand l'avion a décollé, en imaginant qu'il serait peut-être détourné vers le Yukon par un terroriste amateur doté d'un espace entre les dents du devant et d'un bégaiement qui le priverait de toute la férocité qui rend les pirates de l'air si effrayants. J'ai toujours souhaité visiter le Yukon, bien plus que le Mexique. Puis, j'ai pensé à Miss Couette et à Raymonde en train de cataloguer, classifier, répondre aux demandes pressantes des médecins, et ça m'a consolée. J'aurais de la chance si le Bureau de santé n'apprenait pas que je m'étais sauvée du pays pour aller me prélasser au soleil. Et puis après tout, un repos est un repos, n'est-ce pas, et rien de plus reposant que d'aller se stresser dans un autre pays, un pays où on sue constamment, avec en arrière plan mental le pénis de son chum dans la bouche d'une bourgeoise sans scrupules.

Pour passer le temps, étant donné que Jean-Marc était maintenant plongé dans sa bible, le bouquin de 700 pages de

Howard Zinn sur l'histoire populaire des États-Unis qu'il lisait *ad nauseam*, à croire qu'il voulait l'apprendre par cœur, je me suis décroché le cou pour prendre connaissance des spécimens qui se trouvaient dans l'avion. C'est alors que je l'ai vu. J'ai croisé son regard qui zieutait lui aussi par-dessus son dossier, probablement à la recherche d'un client potentiel à qui faire son laïus sur les bienfaits de se rire de tout : le *psyclownologue*. Quelles étaient les chances que cet énergumène se retrouve au même endroit que moi, juste au moment où je fuyais mes problèmes ?

– Jean-Marc ! Jean-Marc !

– Quoi ? Mon Dieu, Laurence, arrête de me pincer comme ça !

– Le *psyclownologue* !

– Quoi ? Qui ? Ha ! Ha ! tu es folle. *Psyclownologue*, ah toi, je t'aime donc quand même !

– Le thérapeute que m'a refilé le PAE de l'hôpital ! Il est à ma poursuite !

– Tu dérailles. Tu ne m'avais pas dit que tu avais consulté, en passant. Il n'a pas dû travailler très fort sur toi.

– Non, je ne lui en ai pas donné le temps. Et puis j'ai une vie secrète, comme toi. Tourne la tête, lentement, comme si de rien n'était, vers la droite, puis vers l'arrière, puis un peu à gauche, de biais avec la petite vieille aux cheveux lilas, le siège qui donne sur l'allée.

– C'est un peu compliqué, ces instructions. Pourquoi tu n'utilises pas « tribord » et « bâbord », tant qu'à y être ? C'est si important ?

– Ouiiii ! Tu te rends compte s'il va au même endroit que nous ? Je l'ai insulté ! J'ai ri de lui ! Je lui ai volé un de ses petits bouddhas bedonnants ! Il l'a peut-être remarqué, même s'il en a des dizaines. Il va vouloir gâcher ma semaine de vacances ! Il va me dénoncer à mon employeur, si ça se trouve. Je ne suis pas censée quitter le pays pendant que je suis en congé maladie, je suis à peine censée quitter mon lit !

– Je trouve que tu as déjà commencé à les gâcher, tes vacances.

– Je ne sais pas pourquoi j'appelle ça des vacances de toute façon. Non mais, avoue, les chances pour qu'une chose pareille se produise sont à peu près nulles, et ça m'arrive, à moi.

– Ce n'est rien pour me surprendre.

– Mon Dieu, il se lève. Vite ! Jette un coup d'œil, il faut que tu saches de qui il s'agit si jamais tu as besoin de me défendre. Il va aux toilettes. Mon Dieu, faites qu'il se fasse aspirer !

– Ce petit bonhomme, c'est lui qui te fait peur ?

– Si tu l'avais vu dans son bureau, tu aurais peur, toi aussi. Si ça se trouve, c'est un psychopathe, pas un psychologue.

– T'en fais pas, en une *pichenotte*, je le neutralise.

– Je n'en attendais pas moins de toi. J'espère juste qu'il ne prendra pas le même bus que nous pour aller dans le même entrepôt de touristes.

– Un entrepôt quatre étoiles, je te signale. Et puis tous ces gens que tu sembles mépriser pour une raison obscure dans cet avion ne vont pas tous au même endroit que nous.

– Je ne les méprise pas, ils m'énervent.

– C'est toi qui es énervée.

– Ils sont trop contents.

– Et toi tu es mécontente en permanence. C'est normal de montrer un visage heureux dans cet avion qui nous emmène tous dans un endroit pour nous reposer. Relaxe, sinon je te laisse aux mains des douaniers mexicains. Ils sont dodus, poisseux et très macho. Tu n'aimeras pas ça. Laisse-moi lire, maintenant, s'il te plaît, et cesse de remuer.

Je me suis écrasée dans mon siège, les yeux par-dessus le rebord du siège pour voir revenir le *psyclown.* Il caressait son menton en déambulant dans le couloir comme s'il faisait une promenade de plaisance. Un autre qui était à l'aise n'importe où. Que faisaient ses deux chats, pendant ce temps ? Recevaient-ils des clients à sa place ? Cela ne m'aurait pas surprise, ils n'auraient aucun mal à être plus professionnels que leur maître, juste du fait qu'ils ne pouvaient pas parler.

– Tu me passes ton *laptop* ? On peut prendre Internet d'ici ?

– Oui, à condition que tu paies leur forfait à la con.

– Tu me ferais ce cadeau ? Je veux voir si Diep m'a écrit. Je veux lui dire ce qui arrive.

– Qu'est-ce qui arrive ?

– Tu es bloqué ou quoi ? Le *psyclown,* juste là derrière, à dix bancs de moi.

– Et puis alors ? Ça change quoi qu'elle le sache ? Elle va rappliquer avec une seringue de poison ? Ce type a besoin de vacances comme tout le monde et encore plus s'il passe sa journée avec des clientes comme toi.

– Hé, attention à ce que tu dis, toi.

– C'est juste une coïncidence.

– Ça n'existe pas, les coïncidences. Et puis ça va me calmer les nerfs de lui écrire. Tu veux que je me calme les nerfs, n'est-ce pas ?

Ça, oui, il le voulait, peu importe le prix. Il s'est levé, j'ai eu le loisir de reluquer son joli fessier et d'imaginer la Diane briseuse de couples fragiles le lui tâter, ce qui m'a valu de passer une très mauvaise seconde. Mais j'ai maîtrisé mon émotion et j'en ai retiré une grande fierté ; la prochaine scène pouvait attendre un peu. J'ai toujours trouvé inconvenants ces couples qui se disputent en public, en même temps que je les admire de pouvoir le faire.

Pendant qu'il entrait son numéro de carte de crédit dans son ordinateur, j'ai observé du coin de l'œil le comportement du psychologue. Rien à signaler, sa tête ne bougeait pas d'un poil, il devait tranquillement lire la revue ennuyante de la compagnie aérienne ou un numéro du *Psychotic Monthly* en se flattant le bouc.

J'avais un message de Diep, ce qui m'a remplie de bonheur et aidée à oublier le maniaque de l'humour thérapeutique pendant un moment.

« Madame Laurence, vous devez être au Mexique au moment où vous lisez mon message. Prenez une boisson pour moi, mais sans alcool svp. Pas seulement parce que je n'en consomme pas et que je veux que vous suiviez mon exemple de bouddhiste à moitié pratiquante, mais parce que c'est mieux pour vous qui commencez à prendre l'antipsychotique prescrit que je vous ai remis avant-hier soir, enfin, j'espère que vous le prenez. N'ayez crainte, à si faible dose, il n'y aura pas d'autres effets qu'une légère diminution de votre anxiété et un meilleur sommeil, enfin c'est ce qu'on souhaite à plus ou moins court terme. Bon, vous pouvez boire une ou deux margaritas mais pas plus. De toute façon, les barmans diluent beaucoup les boissons, dans les tout-compris, sinon aucun tout-compris n'entrerait dans ses frais considérant la quantité de cocktails que consomment les touristes. Dites *« gracias »* et non *« thank you »,* vous serez servie comme une reine juste à cause de ce mot, de l'effort que vous faites pour le dire dans leur langue, et cela, même si vous le prononcez comme si vous parliez de Enrico, ha ha ! Ah mon doux Jésus ! Je voulais faire une blague et je me suis trompée. C'est Enrico Macias, et non Enrico Gracias ! Vous pouvez rire, je vous entends d'ici. Et oui, j'invoque parfois Jésus, ayant été élevée de force dans la religion catholique. J'aime Jésus, mais pas le reste, alors je suis passée au bouddhisme, modérément cependant car je n'aime pas les extrémistes et le fanatisme. Je connais des bouddhistes que j'ai envie d'entrer dans le mur de leur enthousiasme envers le Dalaï-lama, d'autres qui pratiquent la Pleine Conscience sans aucune conscience et d'autres qui me cassent les oreilles avec leur Moment Présent. On y est toujours, dans le moment présent, pas dans celui d'après ! Peut-être que je n'ai rien compris à quoi que ce soit, finalement. Mais je persiste à dire que tous ces fous sont fascinants.

Vous connaissant mieux qu'il y a quelques mois, madame Laurence, je conçois que cette semaine risque d'être irritante pour vous dont le seuil critique atteint des sommets au-delà desquels on ne voit que les nuages, ceux qui assombrissent votre capacité à être heureuse de manière simple. Je peux vous le dire maintenant, mais après votre critique assassine de la pièce de théâtre *Le bas manquant*, je suis allée la voir, trop curieuse de comprendre ce que vous aviez tant détesté. Je vous ai trouvé un peu sévère. Moi, j'ai vu dans ce texte une belle métaphore de ce qui manque en chacun de nous et qu'on essaie de trouver par tous les moyens. Ce bas qui disparaît mystérieusement, avalé par la sécheuse, qui défait la paire, le couple... vous voyez où je veux en venir ? Peut-être que ce thème vous concernait au point de vous pousser à en écarter le sens. Je sais comment le sujet du couple est délicat pour vous et je ne veux pas paraître intrusive. Par contre, je vous le concède, la poupée Bout de chou est probablement de trop, à moins qu'elle ne symbolise l'enfant que le couple dans la pièce ne se décide pas à avoir, trop occupé à vouloir trouver le bas manquant.

En tous cas, essayez de tirer le meilleur de cette semaine hors de vos repères habituels, faites toutes les grilles blanches du livre de mots croisés que je vous ai offert. En plus d'être fière de vous, vous aurez mon admiration éternelle. N'oubliez pas de vous enduire de crème solaire dès que vous mettez le pied dehors, que je ne vous revoie pas rôtie comme un poulet avec une rosacée aggravée. Ce n'est plus à la mode de toute façon d'être trop bronzée et les démarcations de maillot de bain font vulgaires, vous ne trouvez pas ? Je n'aime pas porter de jugements comme ça, mais depuis que je vous écris, on dirait que j'ai une tendance à le faire. Auriez-vous une mauvaise influence sur moi ?

Écrivez-moi dès que vous le pourrez, si cela vous tente.

Votre amie et pharmacienne blanche comme un comprimé placebo, Diep. »

Diep avait raison, je n'étais jamais contente de rien, je passais mes nerfs sur Jean-Marc ou bien j'essayais de les calmer par mes vols à l'étalage, ce qui était paradoxal étant donné que ça aussi me mettait sur les nerfs, considérant le risque de conséquences graves dont j'étais consciente ; nous ne sommes pas fous, nous les affligés de la kleptomanie. Mais le (faux) sentiment de contrôle que cela me procurait obscurcissait le bien-fondé de cette connaissance, en arrondissait les coins, et me donnait l'impression de faire partie des dominants. Voler, de même que jouer des tours, était une manière pour moi de tromper mon ennui et d'oublier la piètre estime que j'avais de moi, de prendre le contrôle. Je m'étais retrouvée avec un homme qui étalait son ascendant sur un groupe, un patron, pas un subalterne comme moi qui cherchait à se mettre en valeur en faisant sa drôle, en parfumant le rebord des verres ou en chipant des trucs inutiles. Je cherchais mon pouvoir, il avait trouvé le sien, rien ne lui semblait impossible et je le détestais pour ça, en même temps que je l'admirais. Pour le moment, je le détestais. Et je ne m'aimais pas plus, je m'étais abaissée à retourner à cette relation comme si c'était la seule possibilité qui s'offrait à moi. Je nageais dans la confusion totale. Une pause me ferait du bien.

J'ai assoupli mes dix doigts et j'ai tapé un message-fleuve pour Diep, dans lequel je faisais mention de mes questionnements existentiels et de ma malchance ; la présence du *psyclownologue* prouvait bel et bien l'existence du karma dont elle me parlait souvent pour m'effrayer, en me disant que je devrais payer le prix de tous mes petits larcins, en une fois ou en plusieurs événements pas nécessairement associés à la nature de mon délit et tant que la totalité de la négativité accumulée ne serait pas nettoyée. « Vous allez surcharger votre carte de crédit de mauvais karma et n'aurez plus assez de temps de vie pour la rembourser! » Elle adorait me faire peur.

Le ronflement de Jean-Marc m'a distraite ; il imitait forcément un de ses outils, considérant le bruit de scie sauteuse qui émergeait d'entre ses lèvres froufroutantes. Je lui ai pincé le nez deux secondes, j'ai eu envie de le pincer plus longtemps, car cela m'amuse toujours de le voir ainsi vulnérable – c'est si rare – tentant mollement de se libérer de mon emprise tout en demeurant dans son coma. Il s'est mis sur le mode silencieux et j'ai pu terminer mon message à Diep en lui demandant de me prodiguer ses précieux conseils éclairés.

De petits spasmes agitaient les bras de Jean-Marc tandis qu'il se détendait. J'ai pris son bouquin avec la bonne intention de m'y plonger, question de voir ce qui s'y trouvait de si fascinant. L'histoire ne m'intéresse pas tellement, j'étais un cancre en cette matière à l'école, incapable de retenir la moindre date. « C'est sûr, me disait Jean-Marc, tu ne t'intéresses qu'à ton nombril. Tu devrais t'interroger sur tes origines, ça t'aiderait peut-être. » Je connaissais mes origines, j'avais deux parents caucasiens nés malheureux à Varennes et qui ne m'avaient rien inculqué. Cela ne me donnait rien d'aller au-delà, de savoir si j'avais des racines indiennes ou si des esclaves figuraient sur mon arbre généalogique. J'aurais voulu exister au temps de *Downton Abbey* et faire partie d'une famille solidaire comme celle des Grantham et des Crawley, voilà la vérité. Je me serais même contentée de faire partie de la famille des serviteurs. Il ne pouvait pas comprendre cela, ce besoin de se rattacher à quelqu'un, à une famille. Il n'avait besoin de personne. Même pas de moi.

Au bout de deux pages soporifiques, épuisée par mes propres pensées, j'ai fermé les yeux et, chose curieuse, moi aussi je me suis assoupie. La fuite dans le sommeil est la meilleure, et celle dont on se sent le moins coupable.

## Dans le petit bus vers l'aventure

Les jambes ankylosées, je me suis extraite de mon grabat pour aller aux toilettes, avec la nette intention de fixer le *psyclownologue* dans les yeux, si je croisais ses deux petites billes vitreuses en chemin. Jean-Marc s'était remis à sa lecture historique et a fait comme si je ne lui avais pas marché volontairement sur le pied en m'extirpant de ma prison. Il devait savoir que je chercherais toutes les occasions de me venger de son infidélité par de menus attentats à son confort. Il me paraissait un peu trop sûr de lui et paisible, compte tenu des circonstances, et cela me causait une légère irritation. Je ne savais trop comment je me serais comportée si j'avais été dans ses souliers, mais il me semble que j'aurais affiché une expression de mortification constante pour au moins faire croire à mon remords, à défaut de l'éprouver de manière authentique. On n'enseigne pas comment réparer une trahison à l'école des métiers de la construction, ni dans aucune école d'ailleurs, et celle de la vie n'avait manifestement pas fait ses preuves en matière de relations humaines, étant donné que tout le monde se prenait la tête et qu'il y avait tant de bouquins sur le sujet. Franchement, il n'y avait rien de tangible qu'il puisse faire, sinon que de m'endurer et de subir mes violences qui, à mon avis, étaient et seraient bénignes comparées à celle qu'il m'avait fait vivre.

Le *psyclown* me regardait venir dans sa direction, les yeux ouverts comme des culs de mitraillettes. Il m'avait vue dans le hall de l'aéroport, il savait déjà avant moi que j'étais dans le même avion que lui et il attendait le moment où ma vessie m'obligerait à croiser sa route... ou bien il s'était mis en état d'auto-hypnose et fixait le vide. J'ai hésité entre le saluer pour vérifier laquelle des deux théories était la bonne, ou lui assener une bonne claque sur la tête. Évidemment, je n'ai rien fait de ceci ni de cela : j'ai détourné mon regard, indécise, et me suis engouffrée dans la toilette en espérant être aspirée. Il était plus fort que moi. Il allait me pourrir l'existence durant notre séjour. Le hasard n'y était pour rien : la vie me l'avait envoyé pour me punir. De quoi ? Je me le demandais bien. Ma franchise ? Mon impolitesse ? Le bouddha insignifiant qui, par malheur, était son préféré ? Le fait que je ne lui avais donné aucune chance ? J'en donnais une à Jean-Marc, c'était bien suffisant pour racheter toutes mes fautes. Et quelles fautes, exactement ? Diep devrait préciser cela, si je voulais m'améliorer. J'ai pissé, le derrière dans les airs pour ne pas avoir à m'asseoir sur la lunette des toilettes comme je fais toujours dans les endroits publics, et je me suis lavé les mains en évitant le miroir ; l'éclairage bleuté de ces petits réduits est épouvantable, il nous donne l'air de zombis en phase terminale. J'ai rejoint mon siège avec la crainte que mon ennemi ne me retienne par le bas du chandail ou qu'il me fasse un croc-en-jambe.

– Il sait que je suis là.

– Je lis.

– Je suis certaine qu'il sera dans notre hôtel.

– Je lis.

– C'est ma punition pour l'avoir insulté. Je vais devoir m'excuser, je le sens.

– Tu t'excuseras. Je lis.

– Peux-tu le faire à ma place ?

– Je lis.

– D'accord, d'accord, lis.

J'ai commencé une grille blanche de mots croisés, tellement secouée et déconcentrée que j'en perçais le papier en noircissant les carreaux. Jean-Marc avait raison, ce n'était qu'une coïncidence dont je rirais à gorge déployée avec le principal concerné, en sirotant un daiquiri. Je lui offrirais un bracelet de haricots de lima mi-cuits enfilés sur un fil confectionné par un petit Mexicain pour racheter (en double, si on considère l'œuvre de charité envers un paysan) cette partie de mauvais karma accumulé par le larcin du bouddha en plâtre. Nous deviendrions des amis, il me confierait ses peines d'amour et j'en rirais pour lui montrer combien j'applique sa philosophie de l'humour, et il m'apprendrait à rire également de la mienne, de peine d'amour.

Car Diep avait raison, c'était ce que je vivais, une grande peine, et je sentais que j'aurais du mal à extirper de moi cette souffrance d'avoir été trompée de même que l'idée d'une possible récidive. Le *psyclownologue* était là pour m'aider, sa présence était un signe favorable, un communiqué du destin, carrément, c'est ce que je tentais de me faire croire pour ne pas paniquer. La médication ne produisait pas encore son effet apaisant, je devrais peut-être doubler la dose pour survivre à cette semaine.

Je me suis cachée derrière Jean-Marc, à côté et devant lui, jusqu'à ce que nous ayons passé la douane mexicaine, de manière à ce que le *psyclown* ne me voie pas. Moi, je le voyais très bien, il était en file comme nous, un sac à dos d'un vert extravagant accroché à son épaule, une couleur si suspecte et improbable que je me disais qu'il serait certainement fouillé, mais encore faudrait-il arriver à le distinguer tellement il se fondait dans sa chemise couleur turquoise. Mais non, il est passé comme dans du beurre et, pire que ça, il s'est dirigé d'un pas tranquille vers le Mexicain qui tenait la pancarte affichant le nom de *notre* hôtel. Celui-ci dégageait la joie ; venez, touristes à qui nous allons soutirer pesos et dollars américains, venez dans mon autobus et préparez-vous à cahoter pendant trois heures sur des routes cabossées, votre hôtel est situé au diable vauvert. Le psy exhalait aussi la bonne humeur, la même excitation émanait de tout le monde, j'étais la seule à en être dépourvue. J'étais en sueur depuis qu'on avait mis le pied en dehors de l'avion et je ne savais pas si c'était dû à la présence de mon ennemi ou à la chaleur accablante.

– Souris, Laurence, on dirait que tu t'en vas te faire tuer.

– Il fait chaud, tu ne trouves pas qu'il fait chaud, toi ? Mon Dieu, je vais mourir.

Je m'éventais à toute vitesse avec mon passeport et ce simple mouvement, en plus de ne me procurer aucun soulagement, me donnait encore plus chaud.

– Oui, il fait chaud, on est au Mexique, pas sur une banquise.

– Je préférerais la banquise, une qui dérive vers le large avec les phoques et les baleines et non vers le psychologue qui, au cas où tu ne l'aurais pas remarqué, va prendre le même bus que nous.

– Bon, tu as décidé de faire une fixette sur ce type ? Ok, j'aime autant que tu t'énerves sur lui plutôt que sur moi.

– Je peux très bien m'énerver sur vous deux à la fois.

– Je sais. Donne-moi ton sac. Bon sang, il est lourd, tu as quoi là-dedans, des dictionnaires ?

– Non, mon arsenal de pilules, celles qui vont m'aider à tolérer, entre autres choses, cette chaleur inhumaine. On dirait qu'ils chauffent l'extérieur.

– On est dans un stationnement, les moteurs roulent tous en même temps, arrête de chialer et monte, l'intérieur est sûrement climatisé.

L'intérieur n'était pas climatisé, le système de climatisation était cassé et ça sentait le renfermé. Je me suis assise au fond, là où aucun être humain ne pouvait me voir. J'ai ouvert la fenêtre et une forte odeur d'essence en même temps qu'un vent lourd d'humidité m'a assaillie. Les autres voyageurs entraient à la queue leu leu en accrochant les fauteuils de leur petite valise à roulettes, pestant contre l'étroitesse du couloir ou hurlant des commentaires se voulant drôles, assez fort pour se faire entendre jusque sur Saturne, là où j'aurais aimé me trouver, à patiner sur un des anneaux. Je me sentais mal, l'intérieur de ma bouche goûtait l'acier et le pourtour de mes yeux palpitait. Peu habituée aux médicaments, je vivais les effets secondaires dont m'avait avertie Diep et la chaleur extrême devait peut-être même les renforcer. J'espérais ne pas avoir d'hallucinations, mais je me disais ça alors que la réalité s'avérait bien pire que n'importe quelle divagation : le *psyclown* déposait son sac à dos sur le siège qui donnait sur la fenêtre avant, juste à côté du chauffeur. Cela ne me surprenait pas de lui, il devait être du genre à vouloir se faire ami-ami avec tous ceux dont il pouvait soutirer un bénéfice. Je ne savais pas trop quel bénéfice il pourrait obtenir d'un simple chauffeur, sinon que d'être aux premières loges quand celui-ci allait nous crier ses informations par la tête.

Un gros homme à la chevelure luisante jetait nos valises sur le toit en suant à grosses gouttes, je pouvais entendre ses ahanements, il devait haïr tous ces touristes pour qui il forçait autant, qui ne le gratifieraient pas d'un seul peso, qui l'ignoreraient. Je m'étais munie de la monnaie américaine que j'avais pu trouver dans mes tiroirs, reliquats de quelques courtes virées catastrophiques (comme elles finissaient toutes par l'être) dans le Maine des États-Unis avec Jean-Marc, dans le but de la distribuer aux employés du *resort*. J'avais trouvé grossiers ces touristes qui « achetaient » la gentillesse des employés lors de mon autre voyage dans le Sud et voilà que je comptais faire pareil. J'ai passé mon bras par la fenêtre de l'autobus et tendu un dollar au bagagiste. Il a pris ma main en même temps que le billet et l'a tirée vers sa bouche pour déposer un baiser visqueux sur mes doigts, ce qui a positionné mon bras dans un angle impossible. Mon épaule a produit un « clac » sordide qui a résonné jusque dans mon tympan. J'ai regretté mon geste, en massant la capsule de mon rotateur endolori. Ça commençait bien.

– Tu es donc bien fine.

– Ben oui, il m'a disloqué l'épaule, ça m'apprendra.

– Dommage qu'il ne t'ait pas disloqué la langue.

– Pour ça, il aurait fallu qu'il m'embrasse sur la bouche aussi ardemment que sur les doigts. Tu aimerais que je me fasse disloquer la langue par un beau Mexicain ?

– Il n'y a pas de beaux Mexicains.

– Raciste.

– Il n'y a que moi, ici. Viens là, ma grognonne, que je te bécote. Tu vas voir, on va passer une belle semaine, si tu te calmes un peu.

– Parle pour toi, je ne suis pas amnésique et ma mémoire non plus.

On s'est quand même bécotés un petit moment, sa barbe de deux jours piquait légèrement et son haleine fleurait la menthe poivrée de la pastille qui s'est ramassée dans ma bouche. Peut-être qu'après tout, ces vacances allaient nous faire du bien et nous aideraient à nous reconquérir l'un et l'autre, peut-être qu'une torpeur bienfaitrice s'emparerait de mon esprit et que j'oublierais l'infidélité de cet homme rempli de bonnes intentions. Et que la présence du *psy-clown* n'était rien d'autre qu'un hasard et non une conspiration cosmique montée contre moi.

« N'attendez pas que les médicaments fassent tout le travail pour vous, madame Laurence. Ils vous aideront à calmer votre flux mental, mais ils n'empêcheront pas les pensées négatives, alors vous devez faire un effort pour les contrer, du moins pour ne pas les entretenir. Faire de l'autosuggestion positive ne vous servira à rien non plus, ça ne fonctionne qu'auprès des personnes qui le sont déjà, positives ! Alors ne perdez pas votre temps à radoter devant votre miroir comme une folle, ni à broyer du noir ou quelque couleur que ce soit. Ne broyez rien du tout, respirez et vivez le Moment Présent (ha ha ! Oui, lui ! Le Fameux Moment Présent !), quel qu'il soit. Ce moment vient et passe toujours, qu'il soit noir ou blanc, car aucun ne dure, ni l'un ni l'autre. Par contre, vous pouvez choisir votre pôle.

L'autre matin, je me suis levée sans aucune raison avec une humeur de chien et j'ai aboyé après tous les clients de la pharmacie. J'étais épuisée à la fin de la journée et je crois même que je me suis aliéné une vieille cliente qui, déjà, ne me piffait pas. Non, tout le monde ne m'aime pas, madame Laurence, imaginez-vous donc. Elle a déjà dû transférer toutes ses prescriptions dans une autre pharmacie à cette heure, ce qui est terrible car elle souffre de tant de carences et maladies diverses qu'elle représentait une mine d'or pour notre succursale. J'espère que mon patron ne le remarquera pas.

Si elle n'a pas déménagé toutes ses névroses ailleurs, je vais devoir lui faire le jeu de la grande séduction à sa prochaine visite, pour me racheter de l'avoir traitée en vieille chipie de malade imaginaire qui cherche à ce qu'on s'occupe d'elle parce que personne ne peut l'endurer tant elle est exécrable, et qui achale tous les professionnels de la santé sur qui elle peut mettre la main et nous, les pharmaciens, sommes des proies idéales. Excusez-moi de me défouler sur vous mais j'en ai besoin.

Bref, tout ça pour vous dire que ne pas se forcer à avoir une attitude agréable peut coûter cher. Ne passez pas votre semaine à japper après votre amoureux, vous reviendrez avec la rage, elle ne vous quittera plus et ça ne fera qu'aggraver votre rosacée, en plus. »

En pensant à Diep qui rirait bien de me voir grogner et aggraver mon épiderme, j'ai repéré un joli petit chat en peluche, accroché à la fermeture éclair d'un sac à dos d'enfant qui pendait du support à bagages au-dessus de nos sièges et se balançait au rythme des cahots de la route et de la complainte d'une radio locale qui tonitruait par les haut-parleurs. Le chat semblait me sourire et me tendre les pattes. L'enfant s'est tourné vers moi et m'a également souri. Il lui manquait les deux incisives, j'ai adoré cet espace vide qui laissait voir un bout de langue rose. Ce sourire était beau, spontané, il augurait quelque chose de bon. Attendrie, j'ai pris la main de Jean-Marc en renvoyant sa risette au gamin.

– Il est mignon, non ?

– Oui.

– Tu es mignonne toi aussi.

– Merci.

– Tu souffres de mignonnerie chronique. Sauf quand tu n'es pas du monde.

– La plupart du temps, quoi.

– Laisse-toi aller, tu verras, tout va bien se passer. On va s'amuser, crois-moi. On n'a pas besoin de suivre les autres, on va trouver nos repères et faire notre nid.

– Ok. Je te crois, mon petit oisillon visionnaire.

J'ai respiré un bon coup et je me suis perdue dans la contemplation du paysage qui s'offrait à moi, un horizon parsemé d'abominables et gigantesques hôtels aux devantures dignes d'un parc d'attractions, mégalomanie d'entrepreneurs locaux voulant plaire à des clients pour qui grandiloquence est synonyme de richesse et de bon goût. Fort heureusement, le bus ne s'est dirigé vers aucun de ces hôtels assis dans ces plaines désertiques dont le seul mérite était d'avoir une façade sur bord de mer, et il a continué sur la grande route, solitaire et brinquebaliant vers notre sort. J'avais l'impression que nous allions aboutir dans une troisième dimension, une sorte de *twilight zone* peuplée de lémuriens, de chats rachitiques et de Mexicains gras nourris par les restes des touristes ou encore dans un bidonville comme celui du film *District 9* et que ce serait nous, les extraterrestres balbutiant une langue incompréhensible.

## Les sandales de l'horreur

J'ai eu une agréable surprise quand l'autobus a enfin pris un chemin plus rural, parsemé d'arbres immenses dont certains débordaient de fleurs multicolores. Nous sommes finalement arrivés, à ma grande joie, dans une espèce d'enclave plantée de cacaoyers, sapotilliers, pacaniers, pins blancs et avocatiers, une jungle luxuriante d'arbres indigènes dont je viendrais à connaître les noms, puisqu'ils étaient aussi bien identifiés que les véhicules chez le concessionnaire, par de discrètes affichettes plantées à même le sol. Cette portion de terre arborescente abritait de petits édifices colorés bien alignés sur deux étages seulement: nous ne serions pas logés dans un de ces gratte-ciel impersonnels entourés de cactus à moitié morts dont la vue m'avait inquiétée en chemin. Jean-Marc semblait soulagé que cela me plaise. Il a serré ma main moite d'appréhension et y a mis un baiser, effaçant celui du porteur de bagages.

Notre chambre se trouvait au rez-de-chaussée, tout au bout d'un croissant de petits duplex roses et orangés disposés comme les sépales d'une fleur autour du pédoncule, à la bordure d'un terrain de golf dont la clôture montait jusqu'à la pointe des plus hauts arbres; nous n'aurions pas à craindre de nous faire assommer par une balle perdue, seulement d'entendre des gens nous marcher sur la tête.

– Ciel, que tu es pessimiste ! Attends avant de t'inquiéter.

– Avec ma chance, on aura droit à des folles du talon haut et dur.

– Un talon haut est toujours dur.

– C'est bien ça le problème. Ah mon Dieu, c'est quoi ces sandales ? Tu as acheté *ça* quand ?

– Hier soir. On est super bien, là-dedans ! Et elles sont hyper discrètes, talons ultra mous et silencieux ! Elles ne m'ont presque rien coûté.

– J'espère bien, puisque leur seule vertu est de ne pas coûter cher. Je vais penser à l'hôpital toute la semaine !

Je regardais, horripilée, les sandales Cric bleu marine qu'il avait cachées dans sa valise avant de partir. Il savait parfaitement qu'il était mieux que je ne les voie pas. Je me demandais quand il avait eu le temps de magasiner et surtout, pourquoi il avait acheté ces horreurs. Il pouvait bien ajouter des *super* et des *hyper* et des *ultra* pour me les faire avaler. Je voyais ces savates à longueur de semaine sur mon lieu de travail : docteurs, infirmières et préposés qui fréquentent la bibliothèque sont chaussés de ces sandales en matériau inclassable, voire inexistant dans toutes les chartes de matériaux terrestres. Seule docteure Jivago et autres dissidents semblaient avoir résisté à cette mode hospitalière apparue subitement d'on ne savait trop où, sûrement pas d'un consensus élaboré sur le bon goût. Quand je faisais une marche dans les unités de soins, pour me consoler de travailler à la bibliothèque, je comptais les paires de Cric que je croisais et, de semaine en semaine, leur nombre avait décuplé comme si elles copulaient entre elles et mettaient chaque jour au monde de nouvelles paires. Les nouvelles générations étaient soi-disant plus mignonnes, tout comme on finissait par trouver *E.T.* mignon au bout de deux heures et demie de film.

– Merci quand même, ça va vachement m'aider à oublier le boulot.

– Si tu portais des bottes de travail à caps d'acier toute la semaine, tu aurais envie de porter quelque chose de plus léger pendant tes vacances.

– L'air, c'est léger. Enfin, ç'aurait pu être pire. Genre des Birkenschnock.

Miss Couette m'avait affirmé que les Birkenschnock « remettaient le pied en place » et moi qui avais toujours eu des problèmes à trouver le bon soulier, je m'étais délestée de 145 dollars pour une paire rouge à trois lanières ; j'espérais que, grâce à une couleur tapageuse, l'esthétique douteuse de ces savates passerait inaperçue. Mais c'est comme pour les tout-compris : super pour les autres, mais pour moi, la catastrophe. Miss Couette porte les siennes à longueur d'année, même l'hiver, avec des bas. Elle ne jure que par elles et dit avoir jeté toutes ses autres sandales pour ne pas céder à la tentation de la vaine coquetterie et s'abîmer les pieds à présent restaurés grâce aux Birkenschnock. Je ne pouvais que céder devant une telle ferveur.

Trois mois de torture n'avaient pas réussi à « les mouler à mes pieds », comme m'avait fait miroiter la vendeuse qui m'avait convaincue en m'en vantant les vertus thérapeutiques.

– Vous verrez, le temps de le dire, la structure de vos pieds sera harmonieusement modifiée grâce aux protubérances habilement réparties sur toute la surface de la semelle.

Bon sang. On m'aurait fait marcher sur du verre cassé ou des charbons ardents que cela aurait été moins souffrant. J'avais la vague impression de me trouver sur des vis à tête arrondie réparties entre les petits os des orteils alors que des galets de plage mal poncés grugeaient la plante fragile de mes pieds. Je les avais envoyées valser au Vallon des Valeurs en me remémorant avec douleur la fortune qu'elles m'avaient coûtée mais, en même temps, ce geste m'avait soulagée d'un peu de cette culpabilité insidieuse que j'accumulais à cause de mes larcins.

– Ah, tu as eu des Birkenschnock, toi, miss *Écono-Coquette* ? Ce n'est pas donné. Tu m'étonnes. Tu les avais achetées usagées ?

– Non, on n'achète pas ces chaussures si elles ont déjà été déformées par d'autres pieds, on risque de se les abîmer encore plus.

– Alors tu n'as rien à redire sur mes Cric parce que franchement, côté look, les Birkenschnock...

– Je ne les avais pas achetées pour faire ma fraîche mais pour réparer mes pieds endommagés.

– Ce ne sont pas tes pieds qui sont endommagés, à mon avis.

– Personne ne veut ton avis, surtout chaussé de ces atrocités. Ça annule ta crédibilité. Ne va jamais rencontrer un client potentiel avec ça aux pieds. Tu es sûr de ne pas obtenir le contrat.

– Viens ici, ma belle timbrée, cette discussion m'excite.

– Enlève d'abord tes jolies sandales, elles sont totalement anti-érotiques.

J'en beurrais épais ; elles lui allaient bien, bizarrement, donnant à ses pieds un petit look palmipède insolite et bon, j'adore les canards. J'ai débarrassé le lit de la serviette blanche sculptée en forme de cygne, ou était-ce un rhinocéros ? C'était difficile à déterminer, mais je saluais l'effort de la femme de chambre pour tenter d'égayer, par son talent d'artiste de l'origami en ratine, une chambre plutôt terne. Je me suis étendue sur le lit, version crêpe Suzette, et je me suis laissée faire, parce qu'il fallait que je réapprenne cela, me laisser aller. Mais, surtout, ne pas penser à la Diane et ne pas imaginer qu'il s'agissait d'une aventure précédée par une autre, la menuisière ex-lesbienne au sujet de laquelle je me demandais : pourquoi *ex* ? Qui en avait fait une ex, de cette lesbienne ? Jean-Marc ? Il est dur à venir, l'orgasme, dans un état de paranoïa aiguë, si bien que je l'ai simulé, en extrayant de mon gosier un minimum de miaulements plus ou moins plausibles. Voilà que je me mettais à tricher, moi aussi, et à mentir.

– Tu as joui ou tu as fait semblant ?

– Ni l'un ni l'autre. Je n'étais pas assez réchauffée, ça s'est affaissé comme un soufflé sorti trop vite du four.

– Bon. Je vais jogger.

– C'est ça, va donc jogger.

J'ai retenu la pulsion qui me donnait envie de le sermonner sur le fait que nous, les femmes, ne sommes pas munies d'un piton pour accélérer l'action et nous faire jouir en soixante secondes. Je lui avais tenu ce discours plus d'une fois, plus de dix fois, plus encore, je suis donc passée outre et l'ai regardé revêtir son short et sa camisole en imaginant qu'en courant, il serait englouti par une faille dans le continuum de l'espace-temps Canada-Mexique et que je ne le reverrais plus jamais. J'étais toujours étendue sur le couvre-lit bariolé de motifs étourdissants et je ne ressentais rien, pas plus ma nudité que le noyau dur que semblait être devenu mon cœur. Après qu'il a eu passé la porte, j'ai attrapé une de ses *gougounes* bleues et je l'ai portée à mon nez : elle sentait encore le neuf. Je les ai chaussées et me suis plantée devant le miroir en prenant une pose étudiée. Je n'ai même pas réussi à me faire rire. Pourtant, j'étais ridicule à souhait, vêtue en tout et pour tout de ces souliers. Le *psyclownologue* rirait sûrement, lui. Mon petit gras de ventre créait un pli indélébile, juste là où arrivait généralement l'élastique de mon slip.

Bientôt, j'aurais la silhouette du bouddha que je lui avais chipé. Peut-être devrais-je me mettre au jogging, moi aussi, risquer mes rotules, me pourrir davantage les os des pieds et faire fondre ce petit bourrelet que j'essaie de trouver normal et qui l'est, assurément. C'était d'ailleurs la seule chose qui s'avérait peut-être normale chez moi. Mais je n'avais aucune énergie pour courir, marcher était tout juste tolérable. J'étais en béquilles à l'intérieur de moi.

J'ai soupiré en enfilant une robe Jacob volée à 6,99$ (prix de l'étiquette initiale du V. des V. : 9,99$) et j'ai décidé d'aller explorer ce qui se trouvait au-delà des murs de crépi coquille d'œuf qui allait être notre nid d'amour pendant les sept prochains jours. Dès que j'ai mis le pied dehors, ma robe s'est instantanément collée à ma peau en devenant aussi humide que si je m'étais douchée tout habillée. Je suis retournée à l'intérieur, j'ai mis l'air climatisé à fond, je me suis étendue à nouveau sur le lit et j'ai fixé volontairement les pales du ventilateur qui faisaient semblant de chasser l'air chaud, dans le but de m'auto-hypnotiser. Je me suis abandonnée jusqu'à ce que je me sente avalée par le matelas, espérant cesser de sentir ce que je ressentais, en me concentrant sur le ronronnement de l'appareil qui dégageait une odeur suspecte. J'ai imaginé que des milliers de bactéries entraient dans mes bronches et que d'ici une heure, le temps que Jean-Marc ne revienne, je serais morte d'une maladie pulmonaire foudroyante.

## Rencontres du quatrième type

« Il est plus facile d'aimer les animaux que les humains, peut-être que je devrais adopter un autre chat, essayer un chien, une perruche », me disais-je en rassemblant mes forces pour m'arracher du couvre-lit qui semblait s'être incrusté dans ma peau. « Un animal est fidèle, un chien ne nous trompera jamais, un chat reviendra toujours de ses randonnées de ruelle, au moins pour ses croquettes, et une perruche submergera le flot de nos pensées noires par ses jacassements incessants. Comment retomber amoureuse en sept jours d'un homme qui m'a trahie en sept minutes ? » Sept, j'étais généreuse, à moins que la Diane ait sur les hommes un pouvoir de rétention éjaculatoire que je n'avais pas.

Un bruit provenant de la pelouse arrière m'a tirée de mes pensées. Je me suis enfin levée, couverte d'une pellicule froide et moite, et j'ai ouvert la porte-fenêtre. Une forte odeur de fleurs de frangipanier est parvenue à mes narines. J'ai savouré ce moment olfactif en cherchant ce qui créait ce bruissement frénétique. Une bête furetait derrière les buissons et s'est approchée du balcon en m'entendant faire des *smacks* de bouche pour l'appeler, aussi curieuse que moi. Elle s'est figée en me voyant et a plongé ses yeux minuscules et sans expression dans les miens ; l'Amour. N'ayant jamais rencontré de fourmilier auparavant, j'étais au nirvana. J'ai toujours aimé les animaux au physique insolite, le capybara étant mon préféré entre tous, un pataud qui semble fait d'un seul bloc rectangulaire, sans aucun motif de fantaisie ni aucune élégance et qui est pourtant adorable dans cette nudité esthétique-zéro.

Le long nez du tamanoir a frémi quand je l'ai approché, j'étais peut-être une immense fourmi pour lui et c'est vrai qu'avec cette robe noire cintrée à la taille, je pouvais avoir l'air d'une fourmi grand format, un festin pour une semaine. Je n'ai pas osé tendre la main, je craignais de voir mon bras aspiré, même si j'imaginais cet animal végétarien, pour autant qu'on considère la fourmi et les termites comme des espèces végétales, ce qui est parfaitement idiot. Puis, j'ai vu les autres ; ils étaient plusieurs, de toutes les tailles, ce qui a réduit mon espoir d'apprivoiser mon fourmilier particulier et de pavoiser avec lui toute la semaine en le tenant au bout d'une laisse, de lui apprendre à exécuter des tours d'adresse et à mordre des gens, même Jean-Marc, malgré son absence de dentition. Ils se ressemblaient tous ou presque, mais le mien – voilà que je le considérais déjà comme mien – avait un petit quelque chose, un éclair d'intelligence et de sensibilité dans l'œil ; c'est enfin ce que je désirais voir en lui, tant je ressentais le besoin de me lier à un être vivant autre que Jean-Marc. Ses longs poils bruns formaient un panache sur sa queue. Il s'est mis debout, sur ses pattes achevées par de grands orteils griffus, et a soudainement sorti une longue langue gluante et constellée de petites épines recourbées vers l'arrière. Ce n'était pas très joli. Malgré cela et son corps balourd, sans grâce aucune, je le trouvais aussi abasourdissant de splendeur que le capybara. En le regardant, je me sentais sur une autre planète, comme parfois lorsque je me promène dans les ruelles et croise des chats qui y déambulent tranquillement ou sont assis sur l'asphalte sans rien faire, comme s'ils étaient chez eux et moi l'intruse venue d'ailleurs.

Nous sommes restés là tous les deux, moi et le tamanoir, à nous observer sans rien nous dire. Son langage (s'il en avait un) était mystérieux, il retroussait la trompe de temps en temps et reniflait l'air. J'ai finalement osé tendre la main, il ne s'est pas esquivé, même qu'il l'a sentie. Elle devait être de peu d'intérêt car il a reculé d'un pas, mais il a quand même continué à me regarder tendrement. Notre échange muet a duré le temps que dure un échange muet et j'ai fini par comprendre que rien de plus ne se passerait alors que de l'autre côté, il se déroulait sûrement quelque chose de plus intéressant. Quoi ? J'allais le savoir. J'ai fermé la porte au nez du tamanoir, qui l'a visiblement mal pris puisqu'il est aussitôt retourné à son exploration du gazon en compagnie de ses congénères placides. J'ai repéré une touffe de poils drus rigolote sur son derrière ingrat, là où finissait sa longue queue à moitié glabre qui le différenciait de ses amis ; ainsi, je pourrais le reconnaître facilement au sein de sa petite communauté.

Il y avait en effet de l'action, sur le site. Un jeune animateur au visage poupin, lisse et orangé comme une tranche de patate douce s'escrimait à faire exécuter des *push-up* à un groupe de femmes d'âge moyen vêtues de vêtements en Spandex et d'hommes aux shorts et aux ventres ballottants. Presque tous procédaient à genoux sur les conseils avisés de monsieur Patate Sucrée, qui était conscient de la mollesse musculaire de ses clients. Leur visage cramoisi par l'effort paraissait sur le point d'exploser et certains avaient renoncé : ils étaient assis et prenaient leur pouls discrètement ou essuyaient leur épiderme trempé de sueur. Je n'aurais pas fait meilleure figure qu'eux, avec cette chaleur. La musique au rythme endiablé censée les stimuler semblait produire l'effet contraire. J'étais certaine d'entendre, sous les basses qui faisaient frémir l'eau de la piscine où ils se jetteraient tous après leur *work-out*, l'écho d'une sirène d'ambulance au loin. Les gens étaient fous, ils disaient venir ici pour se reposer et ils s'exténuaient. Moi aussi je m'exténuais, mentalement.

J'étais plongée dans ces considérations inutiles quand j'ai repéré mon *ami*. L'appeler mon *ennemi* s'avérait dangereux, je risquais de m'attirer encore plus de foudres du mauvais karma, alors *ami* ferait l'affaire, à condition de le penser en italique. Affalé sur un siège près du bar, sirotant une boisson verte de laquelle émergeait un parapluie bleu en papier froissé, il était absorbé par sa lecture, un gros livre que j'aurais reconnu à des kilomètres, dans la noirceur totale ou du haut d'une montgolfière : le fameux Howard Zinn. J'allais contourner le bar de quelques mètres pour me cacher derrière un bosquet de *Choisyas Aztec Pearl* dont les petits pétales blancs dégageaient un délicat parfum d'oranger quand j'ai vu Jean-Marc qui revenait de sa séance de jogging. Il se dirigeait mollement vers le bar en quête d'une boisson hydratante pour récupérer tout le liquide sué sous ces 35 degrés Celsius à l'ombre. Il a commandé une bouteille d'eau, qu'il a calée en deux gorgées tout en regardant mon *ami* qui lisait son livre. Le salaud, il allait lui adresser la parole, c'était vendu d'avance ! Le *psyclownologue* qui lisait Howard Zinn… une occasion à ne pas manquer pour se faire aller la trappe et me mettre dans de beaux draps. Non mais, l'avait-il reconnu ? Avec un sourire narquois étampé sur la gueule, il m'a regardée exécuter de grands moulinets pour attirer son attention, armée d'une branche arrachée à l'oranger, comme s'il évaluait un numéro de cirque. Je pouvais lire dans ses pensées : « La suite dépend de moi, espèce de névrosée, hin hin hin ».

Je me suis promis de passer toute la semaine dans le gazon à brouter avec le tamanoir. Il s'est avancé vers moi d'une démarche nonchalante avec un air de conquérant, les muscles encore tendus sous la peau, même à cette distance je pouvais les voir palpiter et narguer l'indolence des miens. Dès que monsieur avait joggé, le monde lui appartenait.

– Tu vas devoir l'affronter d'ici la fin de la semaine, ma chérie.

Il avait appuyé sur le mot « chérie » avec un ton presque menaçant et l'éclair qui s'est allumé dans ses yeux m'a fait soupçonner que lui aussi couvait une certaine animosité. Pourquoi ? Je n'avais rien fait, moi. À part l'erreur d'être toujours là, avec lui, sans être moi-même tout à fait là.

– Tu m'en veux ou quoi ?

– J'ai l'impression que tu vas nous gâcher cette semaine. Ça fait déjà quelques heures qu'on est là et tu n'as pas bougé.

– Ce n'est pas vrai. Je me suis fait un ami tamanoir.

– Ben tant mieux pour toi. J'espère qu'il va te procurer de bons orgasmes, ton fourmilier.

– Ils seront facilement meilleurs que ceux que tu me donnes, ou ne me donnes pas.

– Ce que je te donne, en tous cas, c'est le reste de la journée pour reprendre tes esprits. Je vais lire sur le bord de la piscine. On se retrouvera pour souper. Va explorer les lieux, c'est joli autour, tu vas aimer ça. À moins que tu n'aies envie qu'on soit ensemble... on pourrait prendre le minibus pour aller sur la plage. Choisis, je suis ouvert à tout.

– Je n'ai pas encore repris mes esprits, comme tu dis, et je n'ai pas envie d'aller sur la plage, je ne suis pas prête à me mettre en maillot. Je viens tout juste d'enlever mon coton ouaté et mes bas de laine, j'ai de la misère à être dans cette robe, je me sens toute nue.

– Tu es très jolie toute nue dans cette robe qui te colle au corps. Allez, cesse de faire la *baboune* et viens me voir quand tu te sentiras mieux.

– Et toi cesse d'être le plus fin des deux.

– Est-ce que j'ai le choix d'être fin ou pas ?

– Non. Salut.

J'ai retenu des larmes d'exaspération en regardant Jean-Marc s'éloigner de son pas élastique et détendu de l'après-jogging, parce que je sentais, comme me dirait Diep, que je gâchais du précieux temps de vie et que ce temps qui s'écoulait ne reviendrait jamais. Mais je ne pouvais pas me forcer à être heureuse, je ne pouvais pas faire semblant que tout était correct, et le soleil mexicain qui attaquait ma peau n'allait pas améliorer notre relation ni créer un rapprochement, seulement bousiller ma carnation. La trahison de Jean-Marc m'avait plongée dans le gouffre de la rancune et privée de ma déjà piètre capacité à pardonner. J'étais dans le ressentiment. Il aurait fallu que je consulte un psychologue compétent pour extraire à l'essoreuse le méchant qui couvait en moi comme du jus purulent.

Justement, le *psyclown* était toujours assis au même endroit, mais il ne lisait plus, il m'observait. Avec un grand sourire de pitre. Je n'avais pas le choix, Jean-Marc avait raison, il me fallait l'affronter sinon je devrais faire de l'évitement toute la semaine, courir derrière les touristes plus gros que moi, m'entortiller dans les ipomées grimpantes, m'aménager un coin lecture au sommet d'un cocotier, m'orner la tête d'un chapeau qui me donnerait l'air d'un oiseau du paradis. Diep avait raison, rien n'arrive pour rien, et il est plus facile de faire face que d'éviter. J'ai passé en revue toute la galerie de sourires de Maggie Smith à la recherche de celui qui convenait le mieux à cette situation. Il n'existait pas, alors je l'ai inventé. Il devait ressembler à ceux qu'on trouve sur le visage des martyrs. J'ai pris une grande respiration, j'avais une cinquantaine de mètres à franchir avant de lui tomber dessus, encore que je ne sache pas la distance que font 50 mètres. Chose certaine, ils ont été les plus longs prétendus 50 mètres de ma vie. Je fixais son sourire qui ne tarissait pas, il devait jubiler, préparer des remarques cinglantes pour lesquelles il n'existait aucune répartie qui se vaille, car j'avais tort et j'allais faire amende honorable, oui, je m'excuserais et je passerais la plus belle semaine de ma vie avec, en prime, une psychothérapie gratuite. Qui sait ? Peut-être que la version mexicaine sans chats me conviendrait.

– Comme la vie est étrange, n'est-ce pas ? C'est ce que je me disais quand je vous ai vue dans l'avion, encore plus quand j'ai constaté qu'on prenait le même autobus et maintenant, c'est ce que je me dis encore.

– Je me dis ça, moi aussi. Je vais m'évanouir.

– Mais non. Vous prenez un verre avec moi ? Leurs cocktails laissent à désirer mais leur bière locale est correcte.

– Va pour une bière. Alors, vous allez me disputer ?

Je pouvais sentir, dans mon sac à bandoulière, le petit bouddha qui faisait une bosse contre ma hanche. Je l'avais fourré dans mon bagage, machinalement, sans me poser de question. Ceci devait expliquer cela. L'inconscient à la rescousse, pour nettoyer son mauvais karma.

– Pourquoi ? Vous n'êtes pas la première à avoir mis en doute mes compétences, tous les clients font ça, au début, s'ils ne ressentent pas le clic magique qui les rassurerait instantanément. Sauf que vous ne m'avez pas laissé de chance, vous êtes partie après cinq minutes. Mais ça a été suffisant pour que je vous *capte*.

– Ah bon. Vous m'avez *captée*.

– Personnalité égocentrique, très centrée sur ce que vous ressentez, mais peu sur ce que l'autre ressent. Vous êtes malheureuse, probablement un truc de couple, j'ai vu comment vous parliez avec votre conjoint tout à l'heure, la tension était palpable. Vous n'avez pas beaucoup d'amis, vous avez un problème d'estime personnelle, vous jugez rapidement et souffrez d'impulsivité. Je me demande si vous n'avez pas aussi un problème du genre kleptomanie.

– Comment ça, qu'est-ce qui vous fait croire cela ? Vous pensez que c'est moi qui ai chipé un de vos affreux bouddhas en terre cuite ?

– Ah oui, je pense que c'est vous ! Ça doit d'ailleurs être cette statuette qui a créé ce lien invisible entre nous, qui fait que nous nous retrouvons ensemble ici contre toute attente, quelle guigne ! Ha ! Ha ! Non mais, les chances pour que cela arrive...

– C'est exactement ce que je disais à mon amoureux dans l'avion ! Les chances pour que cela arrive ! Non mais faut pas exagérer quand même avec les trucs ésotériques, c'est une pure coïncidence.

– Il n'y a pas de coïncidence.

– C'est aussi ce que je disais à mon amoureux dans l'avion ! Sapristi, c'est épeurant vrai, cette transmission de pensée.

– Vous êtes très drôle, vous savez. Pas mal plus que dans mon bureau. Ah oui, vous n'aimiez pas mes fauteuils, non plus. Un cadeau d'un de mes patients avec qui j'ai eu le malheur de sortir, ne me dénoncez pas.

– Ne vous en faites pas, je suis aussi une délinquante.

– Par ailleurs (j'adore commencer une phrase par « Par ailleurs »), vous avez foncé dans *mon* fauteuil, celui qui a le haut dossier. Je vous y ai laissée, j'ai trouvé ça intéressant, cette prise de contrôle de la séance dès le départ.

– Ah ! Le maudit dossier qui me faisait me sentir minuscule, je pensais que c'était un truc de psy.

– Je me marre. Continuez.

– Et c'est vrai, docteur, je suis malheureuse, égocentrique, je juge vite, je suis esseulée, en manque d'estime de moi, kleptomane indécrottable et ça va mal avec Jean-Marc ! Bien vu. Je n'aurais pas dû claquer la porte et voler votre bouddha. Je détestais votre décor, ces caricatures de vous, ça me foutait la trouille, et vos chats ! C'est quoi, deux juges de la paix, des gardes du corps ? D'ailleurs, tenez, le voilà, votre bouddha, incroyable mais vrai, je l'avais pris avec moi sur une impulsion dont on pourra analyser la nature *ad vitam aeternam.*

Je l'ai sorti de mon sac avec l'espoir que j'allais me libérer d'un poids en même temps que du sentiment de gêne qui me causait un imperceptible claquement de dents. Il a tâté la statuette, l'air songeur, et m'a regardée avec bonté. J'étais découragée de moi. J'aurais préféré un air de reproche, ça aurait été plus normal, voire acceptable. *On* était trop gentil avec moi. Je me serais tuée sur-le-champ pour m'échapper de moi-même. Comment ? Les possibilités ici devaient être nombreuses, à commencer par la nourriture.

– Laurence, c'est bien ça ? Vous êtes vraiment dans un genre de dépression, n'est-ce pas ? J'ai quelques cachets pour dormir avec moi, si ça vous tente, si vous faites de l'insomnie. Ne pas dormir est pire que ne pas manger. Et je sais où on peut se procurer de la marijuana, ici, pas thérapeutique mais ça se vaut. Ce n'est pas ma première visite dans le coin, j'ai de bons contacts dans le monde interlope.

– Vous êtes vraiment un numéro. Merci, j'ai les miens, de cachets. Voyez comme ils fonctionnent à merveille. Ça fait deux jours que j'en prends et je pense que je vais arrêter et vous accompagner dans la drogue.

– Aucun médicament ne fait effet en deux jours. Et la drogue n'est pas une solution, seulement un *band-aid* sur un bobo, et le pansement finit toujours par se décoller, de toute façon.

– Pourquoi vous avez choisi d'être psychologue ?

– Je voulais comprendre le Monde.

– Je me fais des idées ou vous avez dit « Monde » avec une majuscule ?

– Disons que je voulais comprendre Mon monde, majuscule sur le *m* de Mon.

– Ça fait déjà moins prétentieux.

– À qui le dis-tu. Je peux te tutoyer ?

Mes glandes lacrymales étant sur le point de reprendre du service, j'ai machinalement essuyé mon nez avec une *napkin* fleurie. Le *psyclownologue* fumait de l'herbe et m'offrait des somnifères, il me parlait gentiment, sans condescendance et sans rire de moi, il participait à ma vie, celle qui se déroulait dans cet endroit où je ne voulais pas être mais j'y étais et voilà, soudainement, j'étais contente d'y être et je ne voulais plus me tuer, après seulement cinq minutes en sa compagnie. Ce type que j'avais fui sans demander mon reste et contre qui j'étais prête à porter plainte auprès du P.A.E.

– Par ailleurs, ces portraits idiots de moi sont un cadeau d'un de mes patients caricaturistes qui me consulte depuis deux ans. Il a fallu que je lui demande d'arrêter de me reproduire ainsi, ça n'en finissait plus. J'ai décidé de mettre les moins horribles aux murs tout le temps que durerait sa thérapie. Il souffre d'un abominable manque de confiance en lui et j'ai pensé que ça lui ferait plaisir, que ça l'aiderait peut-être, bien que je commence à croire qu'il soit une cause perdue. Je sais, c'est terrible de dire ça, mais j'ai bu alors je dis tout ce qui me passe par la tête.

– Pourquoi vous ne les décrochez pas pour les raccrocher quand il vient vous voir ?

– C'est ce que je faisais les premiers temps, mais il a commencé à venir deux fois par semaine et j'ai manqué me briser une clavicule lors d'un décrochage... bon, j'avais fumé, mais il faut absolument que je fume un joint avant la visite de ce gus, sinon je me tirerais une balle dans la tête après son départ ou pire, devant lui. Qui sait si ce n'est pas ce qui le guérirait, d'ailleurs.

– Tu es pas mal rigolo.

– Tu es la seule qui a osé me parler de ces caricatures. Les autres sont des hypocrites, ils les détestent mais ne le montrent pas. Moi, je ne les vois plus, ou je fais semblant de ne plus les voir. Pour ce qui est des chats, plusieurs de mes patients les apprécient, ça les calme de les caresser, comme moi avec ma barbe. Touche, tu vas voir comme elle est douce.

Je me suis penchée vers lui pour effleurer son menton. Je me sentais comme si j'avais pris un champignon hallucinogène. C'était l'effet de la bière bue trop rapidement, de la conversation à bâtons rompus qui faisait vriller mes neurones fatigués de tourner autour du « cas Jean-Marc » ; ils se régénéraient en compagnie du psychologue fou.

– Oui, je comprends maintenant pourquoi tu es sans cesse en train de la cajoler, ça m'énervait, ça aussi, de te voir faire ça. Elle est très douce, et apaisante, je me sens super calme tout à coup. Tu en as de la chance, d'avoir accès à une *barbothérapie* à domicile.

– Essaie avec le lobe de ton oreille droite, qui est recouvert d'un fin duvet. Il semble très doux, lui aussi. Mes chats sont également d'une douceur inquiétante. En général, avec mes clients, ils s'invitent. Avec toi, ça a été différent, ils sont allés sur le bord de la fenêtre, demandons-nous pourquoi.

– Oui, pourquoi ? J'adore les chats !

– Nous commençons une thérapie ? Il faudra que tu me paies, alors !

– En pesos ?

– Tu m'as rapporté mon bouddha, ça fera l'affaire, même si je m'en fichais un peu. C'est le cadeau d'un de mes ex, qui m'a trompé. J'aurais carrément dû le jeter.

– Mon Dieu, mon chum m'a trompée aussi, c'est pour ça qu'on se fait la tête !

– Pourquoi es-tu avec lui ici, alors ?

– Il voulait réparer son erreur et il s'y prend avec son portefeuille, il nous paie un gros truc. Je m'obstine à lui dire que c'est au quotidien qu'on doit faire des efforts, y mettre du cœur, pas en donnant un grand coup. Tu sais, comme ces gens qui pensent régler leur vie en une fin de semaine de thérapie-choc alors que c'est chaque semaine, chaque jour qu'il faut y travailler ! Enfin, comme je suis attachée à lui de façon névrotique, j'ai décidé d'essayer de lui pardonner, ce qui n'a pas d'allure, en fait, puisque mon ressentiment n'arrête pas d'augmenter, au lieu de diminuer, c'est fou, il va être au sommet à la fin de cette semaine et je vais tellement stresser de ne pas me sentir capable de pardon que je vais voler quelque chose dans une boutique et me retrouver dans une prison et je vais avoir tout mon temps pour regretter de ne pas m'être forcée à lui pardonner.

– Wow ! Si l'agitation mentale était une discipline sportive, tu serais médaillée d'or ! L'attachement n'est pas de l'amour et se forcer au pardon, ça ne marche pas. Il faut que ce soit naturel. Et voler, même si ça te donne l'impression de contrôler une partie de ta vie, le temps de l'acte, tu le sais, ça ne règle rien. La kleptomanie est répertoriée dans le DSM, vu d'ici, bravo, tu as le profil type. Je m'amuse comme un fou avec toi, on nage en plein délire, sans même avoir fumé quoi que ce soit.

– Argh ! Le DSM, je le sais, je le sais ! Je travaille dans une bibliothèque médicale ! Je suis au courant de « mon cas ». Est-ce qu'on peut parler d'autre chose, maintenant, s'il te plaît ? Genre, es-tu gay ?

– Ha ha ! Oui. Ce n'est pas difficile à deviner, hein ?

– Non, ça transpire par tous les pores de ta peau. Qui est très belle par ailleurs, c'est quoi ta crème de jour ? Ça m'énerve, un mec qui a une plus belle peau que la mienne !

– Laroche-Posay, Hydréane peaux mixtes.

– Ah mon Dieu, j'en ai de celle-là dans les échantillons que j'ai volés chez la sorcière avec qui Jean-Marc m'a trompée ! Je pense même que je l'ai apportée avec moi ! Je vais l'essayer. Elle hydrate bien ? J'ai tendance à déshydrater. Je vais d'ailleurs prendre une autre bière.

– Oui, enfin, je crois. C'est incroyable qu'on ait cette conversation. Il faut qu'on fume de la drogue, tous les deux. Et qu'on explore les environs, on va rigoler à mort toi et moi dans cet endroit. Ton mec adultère, qu'il sèche, même s'il est assez sexy.

– Oui, qu'il sèche et qu'il se trouve une hacienda à retaper. Hé, tant qu'à y être, ton petit sac à dos turquoise, il est hideux.

– C'est aussi un cadeau d'un de mes ex, pas le même que le bouddha. J'ai beaucoup d'ex. D'ailleurs tiens, je te le donne. Fais-toi croire que c'est un talisman qui te portera chance dans le rétablissement de ton cœur, même si c'est le bouddha de la discorde.

– Merci, autant me jeter un mauvais sort ! Je ne suis pas très très bouddha. Je trouverai bien quoi faire avec.

– Regarde ces gens qui se font tremper dans la piscine

après leur gymnastique, au bord de l'arrêt cardiaque, il y a certainement un adorateur du Veau d'or dans le lot, trouvons-le.

– Bouddha n'a rien à voir avec le Veau d'or. Il te faut revoir *Les dix commandements*, avec Charlton Heston.

– Je l'ai vu dix fois, j'étais amoureux du Charlton Heston de cette époque biblique. Pas celui de la National Rifle Society.

– Moi aussi, je l'aimais tellement ! Je voulais le marier. Dans *Ben-Hur*, en jupette et en sandalettes !

– Oui, il était très excitant. En passant, je m'appelle Rémi, Rémi Leclerc.

– Je sais, oui. Moi c'est Laurence.

– Une Petite Peste, voilà ce que tu es.

Nous avons savouré ce moment de complicité en inspectant chacun des touristes barbotant dans l'eau, imaginant leur personnalité dans leur vie quotidienne et le dieu qu'ils pouvaient bien prier. Rémi me regardait comme si j'étais la trouvaille du siècle et franchement, cela me faisait du bien. Je tenais le petit bouddha bedonnant et rieur au creux de ma main et en palpais les contours, me disant qu'il s'agissait là du meilleur larcin de ma vie, s'il constituait la ficelle mystique m'ayant conduite à cette rencontre. J'étais si mal dans ma peau, le jour de ma séance de thérapie, que j'aurais sûrement haï le Dalaï-lama en personne. Rémi Leclerc s'avérait brillant, drôle, joli petit homme délicat de stature et d'esprit. Il allait falloir que je fasse attention à mes premières impressions à l'avenir, et même dès maintenant. Tous ces gens qui s'agitaient autour de nous recelaient aussi un trésor.

Quand Rémi s'est mis à parler de sa fascination pour le Howard Zinn « qui raconte l'histoire autrement », j'en ai conclu que j'étais bouchée ; le même nuage assombrissait mon cerveau lorsque Jean-Marc essayait de me le vendre avec le même enthousiasme. On s'est laissés en se donnant le numéro de nos chambres respectives et en promettant de nous revoir pour fumer l'herbe du diable. La paume que j'ai serrée était ultra douce, il devait s'enduire les mains de Laroche-Posay trois fois par jour.

J'ai couru vers la deuxième piscine, là où Jean-Marc devait se trouver. Je me sentais soudainement de bonne humeur. Une couche de mauvais karma venait de disparaître. Je devais raconter à Diep que je m'étais enfin ouverte à la Vie. Elle serait fière de moi.

# Diep et l'amour

Jean-Marc n'était pas sur le bord de la piscine, il n'était pas dans la chambre non plus. Ses vêtements de jogging traînaient sur le plancher entre les deux lits, je les ai ramassés et j'ai respiré dedans ; ils sentaient la sueur propre, cette odeur qui, au début, me mettait dans tous mes états et qui, maintenant, me laissait indifférente, pire, fâchait mes narines. Ma bonne humeur est redescendue d'un cran, comme si, fragile, elle n'avait tenu que le temps de mon emballement. Je suis sortie sur le balcon à la recherche de mon tamanoir personnel, mais il n'y avait aucun fourmilier, seulement de drôles de gros rats qui gambadaient dans l'herbe. L'un d'entre eux s'est aventuré vers moi quand je l'ai appelé comme on appelle un chat. Ma fibre animalophile a délicieusement vibré. Le tamanoir pouvait aller chasser la fourmi ou le termite, je me passais très bien de lui. Sous mon nez, une autre bête adorable se dressait sur ses pattes de derrière comme en supplication, son petit museau tressaillant. Cela seul embellissait un moment qui aurait sinon été perdu en pensées maussades. J'ai déballé une barre énergétique faite de grains sages et lui en ai offert un morceau, qu'il a pris entre ses petites mains pour le grignoter studieusement. Il tenait de la marmotte et de la loutre, on aurait pu dire qu'il s'agissait d'un gros rat ; c'était en tous les cas un autre de ces animaux bruns à l'esthétique barbare, faits à la va-vite avec les restes, les zèbres ayant accaparé les dernières coquetteries disponibles lors de la création animale.

Contrairement à mon fourmilier, je pouvais établir un vrai contact avec cet animal. Il mangeait dans ma main, maintenant, et m'écoutait lui murmurer des mots doux tout en mastiquant paresseusement, ses yeux de méditant bouddhiste inexpressifs se promenant de son dîner à moi comme si tout était dans ces simples gestes, manger et regarder sans voir. J'avais envie de lui tapoter le dessus du crâne, mais je craignais de me faire mordre. Et puis on ne sait jamais de quoi sont infestés les animaux, et les gens ; à première vue, j'ai l'air à peu près saine, mais si on m'ouvrait le thorax en me sciant les côtes et qu'on le retenait ouvert avec des pinces, on verrait parfaitement combien mon cœur est atrophié, rabougri, comme s'il était la proie d'une bactérie mangeuse de cœur. Il n'aurait rien d'un beau petit cœur rouge à la cannelle pareil à ceux qu'on mange à la Saint-Valentin. Personne n'aurait envie de m'approcher et de me tapoter.

La bête a terminé le granola, m'a jeté un regard indéchiffrable et s'en est retournée à ses affaires. Lesquelles ? Il aurait fallu que je le suive pour le savoir et qui sait, là, dans son troupeau, on m'aurait peut-être élue chef de la horde, on ne m'aurait pas vue comme une dysfonctionnelle affective mais telle une figure d'importance capitale pour la survie de leur espèce, jamais à court de barres aux mille grains.

J'ai été tirée de mes édifiantes pensées par Jean-Marc, qui s'était faufilé silencieusement dans l'appartement grâce au pouvoir de rétention de bruit de ses sandales Cric. Il m'a attirée vers le lit après avoir regardé mon nouvel ami quadrupède s'éloigner en se dandinant sans aucune finesse vers des bosquets d'acacias.

– Tu me trompes avec des animaux, maintenant ? Ils sont mignons, hein ? Ce sont des agoutis.

– Comment tu sais ça ?

– Je sais tout. Je sais aussi que quand je te fais ça, tu te ramollis, tu perds ton sens critique et tu deviens mon objet.

– Lâche mon mamelon, ce n'est pas un bouton de démarrage automatique.

– Avant, ça l'était.

– Avant quoi, on se le demande bien.

– Tu ne me pardonneras jamais, hein ? Ok, ne réponds pas, continue de faire la moue, ça te rend très charmante. Je serai patient. En attendant, si on allait manger avant qu'il n'y ait trop de monde ?

– Ok, sois patient et allons manger avant qu'il n'y ait trop de monde.

– Hé, ne me parle pas en robot.

– D'accord, je ne te parlerai pas en robot.

– Si tu continues à me parler en robot, je vais te traiter en robot et appuyer sur tes boutons de démarrage automatique.

– Non, ne touche pas mes boutons de démarrage automatique, je ne suis plus un robot, allons manger, chef.

J'aimais ces rares moments de connivence, quand nous jouions ainsi, surtout si ça finissait avec ces chatouilles qui me faisaient hurler de rire dans le creux de son oreille, et je riais encore plus fort quand il beuglait que je lui avais percé le tympan. Je manquais d'avoir les deux pouces cassés, quand ce n'étaient pas mes deux maigres poignets qu'il pouvait retenir par une seule main, créant une rougeur qui zébrait ma peau comme l'auraient fait des menottes trop serrées. Ces rigolades d'enfants ne survenaient que lorsque nous étions en vacances, hors de nos repères ordinaires et de nos routines asphyxiant la légèreté que le quotidien semblait aspirer et que nous retrouvions alors graduellement.

Cette partie de chatouillements s'est terminée par un orgasme « correct », qu'il m'a prodigué en s'occupant exclusivement de moi, qui « avait été négligée plus tôt ». Je l'ai qualifié ainsi, de « correct », pour qu'il ne s'infatue pas trop. Je connaissais tellement nos us et coutumes. Je ne pouvais pas me baser sur des vacances pour juger de la satisfaction de mes besoins fondamentaux affectifs et sexuels. Les vacances n'étaient que trop peu de jours dans une année. Le reste de l'année, j'étais frustrée et fâchée et il me blâmait quand je l'exprimais, il me disait de lui « lâcher patience avec mes besoins fondamentaux ». Je ne comprenais pas comment une personne si intelligente puisse nier la base de ce qui fait le couple. « Je n'ai pas le temps de réfléchir à tout ça, j'en ai trop dans la tête, ce n'est pas comme toi avec ta bibliothèque médicale où tu ne fais que chiper des trucs et te moquer des gens. Peux-tu être plus simple ! » Non, je ne pouvais pas être plus simple. Et l'entendre rabaisser mon travail pour en faire une activité de gangster comique n'arrangeait en rien l'impression qu'il avait de moi une piètre estime. Entre l'enfant qui n'était, en effet, qu'une petite chapardeuse de bonbons et de crayons à bille, et l'adulte de maintenant, il y avait des années de besoins affectifs non remplis par mes parents et par mes amoureux, celui-ci et les précédents. J'avais le sentiment, avec Jean-Marc, de lui voler de l'amour, comme si ça lui en coûtait de m'en céder, comme si c'était une chose matérielle qu'il me fallait marchander, quémander ou espérer, si j'avais été une bonne fille qui ne le dérangeait pas trop dans ses plans. Pourtant, il arrivait toujours à me donner l'impression qu'il m'aimait et je surfais sur ce sentiment imprécis, inconsistant, ces déclarations d'amour emportées qu'il me clamait à genoux, quand je lui cognais la tête contre le mur de mes lamentations.

En attendant, un spasme prenait subtilement possession de mon système nerveux, je zieutais les environs d'une manière que je reconnaissais, fébrile, l'œil chercheur. Il n'y avait pas grand-chose dans la chambre à voler, et puis tout ce qui était là nous appartenait, plus ou moins. Il y aurait bien autre chose, plus tard, ailleurs.

Je me suis douchée en utilisant le savon en forme d'ananas donné par l'hôtel; il sentait le pamplemousse, la clémentine ou un agrume hybride, mais pas du tout l'ananas. J'ai eu envie de croquer dedans, fortement, et d'en avaler tout le jus, tandis que je pleurais des larmes qui ont disparu dans une spirale de mousse et de cheveux perdus.

Puisqu'on avait le *wi-fi* dans notre chambre, j'ai eu envie de gémir dans l'oreille de Diep, en attendant que Jean-Marc sorte de la douche. Le message qui m'attendait m'a estomaquée. Je l'ai lu en pliant dans tous les sens un feuillet d'informations sur les activités du club, mais je ne suis arrivée qu'à en faire une boulette informe.

« Madame Laurence, j'ai peur d'être amoureuse. Car il semble que je sois comme vous, enduite de l'apprêt du doute, de l'insécurité et de l'insatisfaction chronique, alors j'ai peur de m'avancer sur le terrain de ces émotions qui poussent la moitié des gens à avoir recours aux pilules que je distribue tels des bonbons apaisants. Je devrais m'adresser à un expert en la matière, mais je n'en connais pas d'autre que vous, qui n'en êtes pas une. Comme vous voyez, je suis vraiment troublée, j'ai même du mal à demeurer stable dans l'espace, comme si le sol était un trampoline. Je vous en prie, madame Laurence, ne riez pas de moi. Ou plutôt oui, riez, si cela peut vous divertir de vos malheurs conjugaux (qui, je vous le souhaite sincèrement, ont pâli au lieu de rougir, sous la force de frappe du soleil mexicain).

Il apparaîtrait que j'ai un certain succès auprès des psychotiques et névrosés de toutes sortes. Je ne parle pas particulièrement de vous, ici, mais de Jonathan, ce troublé bipolaire de type 1. Je lui sers ses médicaments depuis déjà un an et je l'ai vu aller de mieux en mieux, ce qui m'a réjouie car au moins, cela me prouve que dans mon étal de pilules, certaines font bon effet. Les sourires qu'il m'adressait se sont modifiés et agrandis, de semaine en semaine, tellement que j'ai fini par presque voir sa luette avant-hier alors qu'il riait à un de mes mots d'esprit (que j'ai oublié, tellement cela m'a énervée de voir le fond de sa bouche). Il n'a aucun plombage ! Et il a pourtant presque trente-cinq ans ! Je dis « presque » comme si je n'avais pas consulté sa fiche plus d'une fois, pour savoir sa date de naissance, son lieu de résidence, sa fiche médicale, bref, son "pedigree". J'en parle comme d'un chien, mais il ne serait pas faux de dire qu'il a quelque chose de l'épagneul, avec ses longs cheveux auburn qui retombent sur ses oreilles, dont les pointes émergent à travers les couettes comme deux antennes pouvant capter des signaux extraterrestres. Bon, il a ri et m'a dit ceci (je vous le transcris presque mot pour mot car je l'ai noté après son départ) : "Tu as fait partie de ma réhabilitation, Diep et pour cela, je te suis reconnaissant. Que dirais-tu de m'accompagner au cinéma des pauvres, mardi soir prochain, si tu ne crains pas d'approcher un malade mental de trop près ? Je t'invite. Mais bien entendu, si tu es prise par un autre chanceux, je comprendrai." Je ne suis prise, comme vous le savez, par aucun (mal)chanceux. Et des malades mentaux, comme il dit, j'en côtoie plus que des gens normaux, à commencer par vous ! Il était si humble en me faisant sa demande, et si courageux, un courage que je n'aurais jamais eu – même si, à force de vous connaître, j'acquiers un peu de votre effronterie –, que je n'ai pu que marmotter "oui", un oui qui est sorti de ma gorge sèche comme le croassement d'un oiseau qu'on étrangle. Il est devenu rouge, j'ai craint pendant un moment que sa tête n'explose et nous avons ri tant nous nous sentions soulagés de la même tension (non, madame Laurence, pas la tension sexuelle) au même moment. Il m'a donné le nom du cinéma, le titre du film, l'heure, il avait mis toutes ces informations à l'avance dans sa tête, ce qui me fait penser qu'il prévoyait son coup et m'a presque inquiétée. Il a dit, alors que je restais bouche bée : "J'ai l'air d'un gars qui a mijoté ça à l'avance, je sais, mais j'ai seulement vérifié l'horaire avant de venir à la pharmacie, espérant que tu serais de service et comme mardi, c'est demain, je me suis dit : autant être prêt. Je suis juste un anxieux, comme tu le sais, pas un tueur en série qui convoite ses victimes et les étudie pendant des mois. Je suis en fait un bipolaire qui est content d'aller mieux et pense qu'il peut plaire à sa pharmacienne." Un tueur en série. Ça, ça m'a fait peur. Il m'a dit qu'il écoutait la sanguinolente émission *Dexter*, d'accord, mais d'entendre ces mots m'a fait tressaillir.

Donc, mardi, c'est demain, et je me suis demandé, après lui avoir dit oui, si je n'allais pas changer d'avis. Et s'il était en effet un tueur en série qui découpe les femmes en rondelles dans la dernière rangée des salles de cinéma. Il m'a proposé un film d'action, qui fera beaucoup de bruit et sera donc susceptible d'enterrer mes cris et le glougloutement du sang qui s'écoulera de ma jugulaire. Vous voyez comme je suis aussi tourmentée que vous ? Je me crois presque en écrivant cela, en même temps que je l'écris pour vous faire rigoler.

Jonathan est si mignon, et sa voix est comme un filet de miel qui se faufile dans mon organe auditif pour envelopper mon marteau et son enclume en attendrissant tous les bruits autour. Suis-je amoureuse, déjà ? Bon, l'idée de voir un film dans lequel joue Jason Statham est tentante, je suis comme vous avec votre Bruce Willis, j'ai mes déviances hollywoodiennes. Pensez-vous que je devrais apporter des cochonneries à grignoter ou que je devrais offrir le *pop-corn* hors de prix ? Et s'il prend ma main durant la séance et que la mienne est moite ? Ou enduite de beurre et de sel ? Mon doux Jésus, madame Laurence, je me sens comme une petite fille. Aidez-moi !

Votre Diep énamourée. »

Diep, ma Diep adorée.

## Spécimens de tout-compris

Notre chambre se trouvait à quelques minutes de l'aire de repas. Pour s'y rendre, il fallait prendre un sentier composé de plaques rocailleuses disposées avec une logique douteuse dans la pelouse bien tondue ou marcher directement dans le gazon, ce que personne n'osait faire de peur de déranger la disposition des brins d'herbe. Je n'ai pas pu résister à l'appel de la pelouse en apparence aussi moelleuse que de la guimauve végétale. Elle était compacte, touffue, confortable sous les pieds et je me suis dit que si je pouvais trouver des semelles semblables, ç'en serait fini de mes problèmes podiatriques. Nous avons suivi un couple qui allait dans la même direction que nous. Ils se tenaient par la main en se disputant. Mon oreille a voulu capter des bribes, il le fallait, car franchement, qui se dispute en se tenant par la main ? C'était bien beau d'essayer de sauver les apparences, mais il aurait fallu qu'ils parlent moins fort.

– Je t'ai vu déshabiller des yeux cette fille avec le minuscule bikini rouge sur la plage.

C'était intéressant. Comment peut-on déshabiller une fille qui l'est déjà ? J'ai pressé le pas pour me rapprocher d'eux. Jean-Marc traînait derrière, les drames d'autrui n'avaient aucun attrait pour lui, tandis que pour moi, ils constituaient un anesthésiant inespéré. Rien de mieux que les malheurs des autres pour oublier les siens. En tous cas, ça ne me donnait pas le goût d'aller sur la plage. Moi non plus, je n'aime pas tellement les filles en bikini rouge microscopique.

– Arrête, il y a des tas de filles en maillot rouge partout, tu parles de laquelle, au juste ?

– Cesse de faire le fin finaud avec moi. Tu gardes ces lunettes fumées collées sur le nez depuis notre arrivée, je vois bien ce que tu regardes et ce n'est pas moi.

– Je te regarde depuis dix ans.

– Tu ne me vois plus.

– Oui, je te vois. Je vois que tu portes une magnifique robe jaune qui te fait un cul du tonnerre, mais qui t'irait mieux si elle n'était pas accompagnée par cette tronche de l'enfer.

Oh oh ! Ce type avait toute une verve, il faisait même des rimes ! Était-ce une sorte de poète brutal ? Il s'est subitement retourné vers moi. Je pouvais discerner ses yeux qui étincelaient, derrière la fumée de ses fameuses lunettes de voyeur.

– Est-ce que vous nous suivez ou quoi ?

– Euh... oui, je vous suis, forcément, nous allons au même endroit que vous.

– Êtes-vous obligée d'y aller en nous collant au cul ?

– Ça fait deux fois que vous utilisez le mot cul en une minute.

– Hé vous, le gars derrière, elle est à vous, cette peste ? Je lui mettrais une laisse et une muselière, si j'étais vous.

– C'est de ma blonde dont tu parles ?

Jean-Marc s'est avancé du pas qu'il a quand il porte ses grosses bottes de construction aux caps d'acier. Tout juste si les dalles ne tremblaient pas sous ses pieds.

– Elle écoute notre conversation, elle nous colle au cul, ce n'est pas poli.

– Moi, ce que je ne trouve pas poli, c'est que tu parles de ma blonde comme d'un chien.

– Un chien se contenterait de nous renifler le cul, pas de venir sentir dans nos affaires personnelles.

– C'est la deuxième fois que tu dis le mot « cul », tu exprimes un manque ou ton vocabulaire est juste limité ?

– Quatre fois, en fait.

Il fallait que je rajoute mon grain de sel. Et puis c'était quatre, quoi. Le gars, un genre assez costaud pour dévisser un cou à mains nues, a remonté les manches de sa chemise et enlevé ses lunettes de pilote, qu'il a refilées à sa dame. Il avait de petits yeux porcins donc forcément pas très intelligents, et je me suis dit qu'il avait sans doute fait des rimes de façon involontaire, qu'il n'avait rien d'un poète conscient de la force de son éloquence ; c'était un con pure race.

– Tu veux te battre, mec, hein, tu veux en manger une ?

– Écoute, je n'ai pas très faim pour ça, mais si ça te fait plaisir...

Je n'avais jamais vu Jean-Marc se jeter sur quelqu'un d'autre que sur moi et encore, pour gentiment m'esquinter, comme tout à l'heure. Sur le coup, j'ai espéré que notre bataille de chatouillis plus la quantité de spermatozoïdes qu'il avait éjectés ne lui avait pas enlevé ses forces, car il mesurait bien huit pouces de moins que monsieur Con. Il a dû puiser dans les réserves de frustration que je lui avais fournies depuis notre mésaventure conjugale, car le gars s'est pris un poing dans l'estomac si vite fait que moi et la femme avons porté notre main sur notre bouche en même temps tellement nous avons été prises de court, stupéfaites de voir nos hommes prêts à se battre pour nous. Elle aussi devait penser qu'elle ne le méritait pas, car elle écarquillait tant les yeux que je pouvais facilement compter le nombre de cils séparés par le mascara qui entouraient ses deux billes tels des piquets de clôture.

Le gars n'avait visiblement pas envie de répliquer à la seconde près. Il s'est déplié et du coup, il a eu l'air deux fois plus grand, ce qui nous a tous fait reculer d'un pas. Une main pressée sur son ventre, il poignardait Jean-Marc avec l'œil sournois qui était ouvert, l'autre étant occupé à faire je ne sais quoi, peut-être compatir avec l'estomac endommagé. Ou alors, le méridien de l'œil gauche serait en correspondance directe avec l'estomac, il faudrait que je vérifie avec mon acupuncteur chinois. L'œil resté ouvert était toutefois très expressif.

– Tu vas voir, mon salaud, je vais te pourrir tes vacances.

Je n'ai pu me retenir d'éclater de rire – ce qui n'a pas eu l'heur de plaire au gars –, parce que c'est ce que j'avais craint que le *psyclownologue*, à l'époque où je l'appelais ainsi, ne fasse avec les miennes. Le voilà d'ailleurs qui s'avançait vers nous, une main dans une poche et l'autre tenant son Howard Zinn, flegmatique, comme s'il venait assister au deuxième round d'un match de boxe.

– J'arrive en retard ? J'ai manqué quelque chose ?

– Viens, pupuce, on va aller manger. Laissons les pédés entre eux.

– Excusez-moi, euh... Pupuce ? Mon chum n'est pas pédé.

– Moi je le suis, par contre !

Rémi avait l'air tout joyeux d'annoncer ses couleurs. Jean-Marc massait son poing et moi je frétillais intérieurement. Je venais de rencontrer mon premier abruti de tout-compris.

– Jean-Marc, je te présente Rémi Leclerc.

– Je suis le psychologue de Madame.

Il était givré, clairement. Ses yeux pétillaient, un peu rougis, il en émanait une joie sincère mais absolument suspecte.

J'ai vu beaucoup d'yeux rougis dans ma vie et je sais faire la différence entre les yeux qui ont pleuré et ceux qui réagissent à l'inhalation de produits illicites. Il a tendu la main qui ne tenait pas le livre pour serrer celle de Jean-Marc qui n'avait pas frappé le corniaud.

– Ce n'est pas ainsi qu'elle t'appelait il y a encore quelques heures.

J'ai voulu le taper.

– Quoi ? Tu m'appelais comment, petite peste ?

– *Psyclownologue*. Hé, l'autre type m'a aussi appelée Peste ! C'est une conspiration ou quoi ?

– C'est la meilleure *!* *Psyclownologue* ! J'adore ça.

– Et *Petite* Peste diminue la réalité. Je ne savais pas que tu la connaissais déjà autant et si bien. Petite Peste Bubonique serait plus approprié. Je me suis presque cassé les doigts à cause d'elle.

– Hé, je n'ai rien fait, moi, je marchais, c'est tout. C'est toi qui as commencé. Bon, vous n'avez pas faim, vous deux ? Rémi, tu veux manger avec nous ? Jean-Marc, il peut manger avec nous ?

– Ouais. Bien sûr. Tu es de trop bonne humeur, tout à coup, on ne sera pas assez de deux pour te contrôler.

– Qu'est-ce que tu veux dire, me contrôler ?

– Il veut dire t'empêcher de voler des choses.

– S'il y a une chose que je volerais tout de suite, c'est vos maudits Howard Zinn.

– Ben oui, toi, tu lis le Howard Zinn ?

Ça y est, c'était parti pour l'Histoire populaire des États-Unis. Je les ai devancés pour qu'ils puissent palabrer en paix sur leur lecture savante en me réjouissant que mes vacances commencent si bien. Ce rustre allait pourrir les vacances de

Jean-Marc, c'est-à-dire les nôtres ? Il ne savait pas à qui il avait affaire.

Les aliments disposés sur les buffets avaient l'air enduits de vernis tant les lumières qui les éclairaient étaient brillantes ; ils ressemblaient aux photos des circulaires d'épicerie à l'époque où on les imprimait sur papier glacé. Tout devenait tentant, sous cette lumière. Je me suis approchée d'un cuisinier qui faisait sauter des légumes dans un wok. Il émanait tant de vapeur de son poêlon que tout ce que je distinguais de lui étaient ses dents blanches étincelantes. Tous les employés nous mitraillaient de leurs dents, ils semblaient être sincèrement heureux. J'ai renoncé au sauté souriant et me suis retranchée vers le stand à pizza, derrière lequel s'agitait un chef dynamique couronné d'un chapeau haut comme une borne-fontaine. Il martyrisait la pâte blanche et molle de ses doigts enfarinés et la projetait dans les airs en ricanant, sous le regard admiratif d'une petite fille attifée comme une reine de beauté, vêtue de rose de la tête aux pieds, robe à crinoline, ruban dans les cheveux, ballerines à talons plats, vernis à ongles ! Ses lèvres reluisaient de la même couleur et il en émergeait un bout de langue assorti avec lequel elle se les pourléchait, anticipant la pizza qui atterrirait bientôt dans son assiette. Sa maman, une reproduction adulte bien mise dans un dégradé de bleu ciel semblait craindre que sa petite Miss ne se prenne un morceau de pâte dans le chignon puisqu'elle lui protégeait la tête sans la toucher, en tenant sa main griffue juste au-dessus du ruban rose pour ne pas déranger les jolis frisottis dessous. J'aurais aimé voir le mari, mais il n'y avait aucune trace d'androïde assorti. L'assistant bionique du *pizzaman* recouvrait à toute vitesse les pâtes laiteuses de légumes colorés et de boudins de viande non identifiable, puis saupoudrait le tout d'un fromage qui, une fois fondu, ressemblait à un caoutchouc blanchâtre. Mis à part le spectacle, ça n'allait pas être mon kiosque favori. Je me suis dirigée vers le buffet de salades multicolores respirant la santé, où Jean-Marc et Rémi remplissaient déjà leur assiette à ras bord.

– Laissez-en pour les autres, bande de cochons.

– Ça donne faim, se battre.

– Parlant de se battre, regarde qui va aux pizzas. Il doit aimer le goût de la cire fondue sur sauce tomate. Oups, sa femme vient par ici.

Elle s'est approchée de nous en prenant soin de ne pas faire claquer ses talons hauts sur le plancher de faux marbre, ce que j'ai apprécié étant donné que pour les femmes qui en portent, le but des talons hauts, à part de se briser les pieds, est de ne pas passer inaperçues. Dotée d'un réel talent d'équilibriste, elle s'est hissée sur la pointe des pieds pour approcher sa bouche de l'oreille de Jean-Marc ; elle n'avait pas besoin de monter si haut, mais ce devait être une habitude acquise avec son gratte-ciel masculin. Elle chuchotait mais moi, j'ai de toute façon l'oreille absolue.

– Je voudrais vous remercier pour ce que vous avez fait à mon mari. Je rêve de faire ça depuis des années. Je pense que ça l'a calmé, pour tout de suite en tous cas.

Jean-Marc a rougi sous le compliment, un véritable tour de force étant donné qu'il avait les joues cramées depuis son jogging, malgré la lotion solaire. Il s'est contorsionné pour vérifier que le monstre ne venait pas dans notre direction, mais c'était inutile, je le voyais gesticuler pour faire comprendre à l'assistant du chef les ingrédients qu'il désirait sur sa pizza.

– Ah ? Eh bien, euh... de rien.

Elle s'est tournée vers moi et a enfoncé ses piquets de clôture dans mes yeux.

– Tu as de la chance d'avoir un homme qui prend ta défense, jeune fille.

– Ah ? Et bien, euh... merci.

Avant de s'éloigner, elle a posé sa main sur l'épaule de Jean-Marc en la pressant, exactement comme la Diane l'avait fait. Ça m'a retourné l'estomac, je n'ai plus eu faim tout d'un coup et ma bonne humeur est retombée. Puis elle est retournée rejoindre son olibrius sans un mot pour Rémi, déçu, qui s'attendait à une déclaration faite sur mesure pour lui.

– « Jeune fille », elle y va fort, elle est à peine plus vieille que toi, non ?

– Tu aurais aimé qu'elle t'appelle « jeune fille », Rémi ?

– Oui, c'est ça, tu m'as compris, je suis jaloux. Elle ne m'a pas dit un mot.

– Pauvre chou. Tu as fumé quoi, au juste ? Tes yeux sont super vitreux.

– Pas grand-chose. Je me suis fait une petite ligne, par contre.

– Quoi ? Mon Dieu, tu es vraiment drogué.

– Je suis en vacances, je me laisse aller, ce n'est pas courant.

– Tu m'as dit que tu voyais des clients dans cet état !

– Pas dans cet état, tout de même. Seulement un, quoique si tu avais été ma cliente, j'aurais été obligé de me shooter. Ton chum est déjà installé, dépêche un peu.

– Je pourrais en avoir, dis, je pourrais essayer ça ?

– La coke ? Pas question, tu es déjà intérieurement poudrée, on ne va pas aggraver ton cas. Et je n'ai pas envie de me faire cogner par ton petit copain, il est assez impulsif, non ? À croire que vous avez le même système nerveux.

– On n'a pas le même genre d'impulsivité. La mienne ne nuit qu'à moi-même.

– Que tu dis. Hé, tu fais quoi, là ? Ton assiette déborde par tous les côtés. Pourquoi tu ne te couches pas carrément dans les plats, tant qu'à y être ? Bon, moi, j'ai ce qu'il me faut.

J'ai rajouté quelques pacanes, je savais que je mangerais mes émotions faute de pouvoir faire autrement. En allant rejoindre Rémi et Jean-Marc, j'ai repéré la table de nos nouveaux amis qui étaient encore, eux en train de chipoter dans les buffets. J'ai su que c'était leur table grâce à monsieur qui y avait placé ses lunettes fumées pour que personne d'autre ne la prenne, tandis que Madame avait déposé son châle sur le dossier d'une chaise. L'élastique qui est toujours un peu tendu en moi s'est relâché au niveau du plexus, c'était chaud, doux, fondant, comme s'il s'opérait un phénomène de liquéfaction d'une chose dure et froide qui ne demande que cela, être dégelée pour pouvoir couler librement dans tous mes canaux, mentaux et physiques. J'ai ressenti cette merveilleuse détente intérieure, doublée d'une excitation que je connaissais comme nulle autre. Sans ralentir ni modifier mon pas d'un iota, d'un geste absolument naturel, rempli de grâce et de souplesse, j'ai saisi les verres fumés ; il n'avait qu'à ne pas les laisser traîner là. Sa femme allait maintenant voir ce qu'il regardait, du moins jusqu'à ce qu'il s'en greffe d'autres sur le nez. Et puis je rendais ainsi service à l'économie locale, en l'obligeant à acheter mexicain. Un sourire triomphant sur mes lèvres dilatées de contentement comme si elles avaient subi une injection de collagène spontanée– je sentais d'ailleurs tout mon visage détendu, déridé, rajeuni –, j'ai placé les lunettes dans mon sac à bandoulière avant d'arriver à notre table avec la même aisance ; mes tendons, attaches et ligaments étaient huilés, comme si en une microseconde, celle où j'avais posé les yeux sur l'objet de mon larcin, tout s'était remis à sa place. Qu'est-ce qu'il me manquait donc encore pour oser faire une banque ?

Après deux minutes seulement, on l'a entendu se mettre à beugler. J'imaginais qu'il soupçonnait tous ses voisins, surtout ceux de la tablée d'une famille de douze hispanophones où s'agitaient cinq petits garçons furieux qui semblaient possédés par le diable ; ils se criaient tous dessus en même temps en se lançant de la nourriture tandis que les parents riaient en calant de grandes rasades de vin rouge pâle. Il ne pouvait pas nous voir de là où il se trouvait, contrairement à sa femme qui, grâce à une éclaircie dans la foule, profitait d'une voie de communication directe entre elle et moi. Elle m'a fait un petit signe discret de la main, accompagné d'un clin d'œil complice. J'ai opiné de la tête, satisfaite, avec en plus le sentiment d'avoir créé un lien avec cette femme. J'aime bien qu'on m'appelle « jeune fille », moi qui ne le suis plus.

## Conversation de drogués, urinoir en plein air

Je chipotais dans mon tas de crudités sans m'intéresser à la nourriture. La pensée récurrente de la main manucurée sur l'épaule de Jean-Marc m'obsédait. Je n'en voulais pas à la femme qui avait fait le geste, bénin, seulement il avait réveillé ce que je tentais en vain d'assoupir, cette autre main qui avait été accompagnée par tout le corps ; la Diane ne me laisserait jamais en paix et la partie dépotoir de ma psyché, où j'aurais dû l'enterrer, était déjà pleine à ras bord. Elle errait donc dans mon esprit en se cognant à toutes les parois sans trouver de port d'attache et j'en étais la proie : un geste, une odeur, une vision suffisait à la renvoyer à la surface. Rémi voyait bien que j'étais distraite et que j'avalais sans mâcher, pendant que lui et Jean-Marc discouraient sur leur obsession commune, le Bouquin de la Mort sur l'histoire américaine. Il me lançait une œillade de temps à autre en me demandant si « la Petite Peste » allait bien. Jean-Marc lui, heureux d'avoir enfin trouvé un interlocuteur valable, me regardait à peine sinon pour vérifier à intervalles réguliers que je ne dormais pas assise. Comme s'il était possible de fermer l'œil dans ce capharnaüm. Il régnait un bruit infernal dans la cafétéria, les gamins de la famille hispanophones couraient partout autour des tables en poussant des cris aigus, des ballons en forme de cœurs à la main, et un trio de mariachis qui se promenait de table en table hissait le niveau de décibels à un tel niveau que je rêvais de les encager dans leur chapeau à pompons. Quand Jean-Marc est enfin arrivé au fond du tonneau sans fond contenant ses connaissances historiques, j'ai enfin pu placer un mot.

– Je vais faire un tour. Rémi, tu viens ? Jean-Marc, on peut prendre une pause, j'aurais envie d'être un peu seule avec mon ami, tu sais, question qu'on puisse parler un peu, parce que comme tu peux voir, j'ai à peine ouvert la bouche de tout le souper étant donné qu'il n'y en avait que pour Howard Zinzin.

– Bon bon bon, la jalouse. Pour une fois que je peux en discuter.

Il était légèrement ivre, il avait bu comme de l'eau l'horrible vin blanc qui goûtait l'eau.

– De toute façon, je pense que je vais aller me coucher. J'aimerais me lever tôt, pendant que Madame la princesse va dormir, pour aller jogger avant que le soleil ne tape trop.

– C'est une excellente idée, va te coucher, lève-toi tôt, laisse-moi dormir, jogge, et ainsi de suite.

– Hé, Petite Peste, sois gentille avec ton chum.

Je lui ai fait un bisou de bonne nuit, même si j'avais envie de lui arracher sa sale gueule embrumée à l'articulation saccadée, et j'ai pris la main douce de Rémi pour l'emmener vite hors de cet endroit où je m'enfonçais peu à peu dans les souffrances de la Géhenne, alors que les enfants se faisaient ramasser par le fond de culotte par le papa pas content qui s'était enfin rendu compte qu'ils empoisonnaient la vie de tout le monde. La cafétéria se vidait petit à petit. J'ai cherché nos nouveaux amis, ils avaient aussi fiché le camp. Les employés s'affairaient à ramasser les restes sur les tables et Dieu sait qu'il y en avait, ils allaient pouvoir nourrir leurs enfants avant de les coucher.

– Je peux voir ta chambre ?

– C'est justement là que je voulais t'emmener. Laissons ton chum prendre une petite distance d'abord. Je ne voudrais pas qu'il se fasse des idées.

– Ah ben ça alors, c'est moi qui serais inquiète si lui allait dans ta chambre, vous vous mangiez les babines des yeux en jasant. Ah, et puis je ne serais pas jalouse du tout, même que j'aimerais ça, que Jean-Marc découvre qu'au fond, il est gay. J'aurais plus de facilité à me séparer de lui avec ce prétexte. Et puis ça expliquerait peut-être, enfin, certaines choses...

– Wow. Ok, arrête, arrête ! Viens, j'ai de quoi te détendre. Il fait beau. On fume un joint et on va se promener.

– Oui, cette idée me plaît. Il te reste un peu de salive pour discuter avec moi ?

– J'en aurai toujours pour toi, Petite Peste.

– C'est comme une déclaration que tu me fais, là.

– Ç'en est une. J'apprécie ton copain, mais je comprends qu'il te fasse vivre des vexations, ce gars est voué à son travail, marié à sa compagnie ! C'est un type brillant, mais pas trop habile pour la vie de couple. Si tu désires rester avec lui, tu vas devoir te faire à l'idée qu'il ne sera jamais du genre à te faire couler un bain entouré de bougies. Mais moi je pourrais le faire.

– Vraiment ?

– Oui, pourquoi pas ? La vie est étrange, non ? Je suis gay, mais ce n'est pas ce qui me définit. J'aime les gens, les femmes autant que les hommes bien que différemment, à cause de mes préférences sexuelles, mais j'en connais peu avec qui ça a cliqué si vite qu'avec toi. La vibration est bonne, non ? C'est surprenant, compte tenu de nos débuts bancals.

– Oui. Moi aussi je t'aime bien et si tu savais à quel point je regrette toutes les choses innommables que j'ai pu penser à ton sujet.

– Tu les dis innommables, mais tu as été capable de m'en nommer plusieurs lorsqu'on s'est parlé plus tôt aujourd'hui, Petite Peste ! Allez, garde ta salive à pour tantôt, quand on sera *high*.

Sa chambre était exactement comme la nôtre, j'ai été un peu déçue. Mêmes rideaux, même couvre-lit aux motifs *modern*-Mexico. Il avait déposé la serviette sculptée en forme d'animal inclassable sur le bureau, au lieu de la défaire pour l'utiliser. J'ai trouvé ça mignon et respectueux envers l'artiste de la ratine ; moi, j'avais fini par m'en servir pour recouvrir le couvre-lit, je n'aime pas me coucher directement sur l'édredon, j'ai dédain en imaginant les gens plus ou moins bien lavés qui ont pu se vautrer sur ces couvertures. Il y avait un deuxième lit double et j'y ai vu mon compte, au cas où ça dégénérerait avec Jean-Marc durant la semaine ; pas que je le souhaitais vraiment mais bon, autant prévenir et ne pas me retrouver à coucher dans la hutte décorative placée près de la réception.

Rémi a savamment roulé un pétard gros comme mon index. Ma gorge l'a mal pris, je n'ai pas l'habitude d'aspirer de la fumée, acte aussi surnaturel que d'en expirer. J'ai toussoté comme une bronchitique en phase terminale, ça n'arrêtait pas et Rémi me tapait violemment sur le dos pour faire passer ma quinte de toux.

– Sapristi, Rémi, tu devrais être massothérapeute sado, avec la main que tu as. Peux-tu arrêter de me frapper, un peu ? Merci. Ah wow, mon Dieu, ça m'est monté direct au cerveau, je suis déjà raide, *argh*, je ne suis pas sûre que j'aime ça. Ah oui, j'aime ça, finalement, mon Dieu, ça fait des années, je me souviens quand je fumais, dans le temps, je n'arrêtais pas de parler, une vraie pipelette.

– Dans le temps ? Ça augure bien. Tiens, prends-en une autre, respire plus lentement, retiens-la, expire, voilà, sans t'étouffer. Alors, elle est bonne, hein ?

– Ou-ahhhhh, oui, qu'elle est bonne. Où t'étais, tout ce temps ?

– J'attendais ton appel par le PAE.

– Ah oui, c'est vrai, vive le PAE. Mon Dieu, je devrais leur écrire une lettre de remerciement. On fait ça là, tout de suite, on leur écrit une grandiloquente lettre de remerciement. Je n'ai pas trouvé un psychologue mais un ami, comme je n'en ai jamais trouvé à la pharmacie où on est censé en trouver un. J'ai par contre rencontré une pharmacienne vietnamienne dans une autre pharmacie, je te la présenterai un jour si on reste amis jusqu'à Montréal.

– Bien sûr qu'on sera amis à Montréal. Pourquoi pas ?

– Ben, tu sais ce que c'est, les amitiés de vacances.

– Non, je ne sais pas, mais on verra bien. Parlant de rencontres de pharmacie, j'ai connu un mec, un samedi soir... Ils se retrouvent souvent là ou bien dans les supermarchés, quand ils sont désespérés de se trouver une *date*, enfin pour ceux qui, comme moi, n'aiment pas les bars et leur affreuse musique techno. Essaie d'avoir une conversation pendant une pièce de techno, toi. De toute façon, j'ai passé l'âge depuis longtemps et je n'ai pas de musculature à exhiber.

– Tu as quel âge ?

– La quarantaine, vaguement. Donc, le gars, du genre optométriste ou audiologiste, un de ces métiers en « iste »...

– Pas du genre métiers en « logue », genre toi.

– C'est ça. Il m'a abordé dans le rayon shampoing et il m'a demandé de lui lire les composantes d'un shampoing à 15 dollars...

– Ha ha ha ! Je pensais que tu allais dire : il m'a demandé de lui faire un shampoing !

– ... les caractères étaient trop petits et il disait avoir oublié ses lunettes, ben oui, toi, je les voyais dépasser de la poche de son veston. Il portait un veston. Bref, même avec les miennes, je n'y arrivais pas et on s'est mis à rire et il m'a invité à aller chez lui et une fois là, il y avait son petit boston terrier aux motifs de vache avec des yeux globuleux qui me foutait les jetons, faut dire que j'étais stone avant d'aller à la pharmacie et parfois, quand je suis en territoire inconnu, je peux devenir un peu paranoïaque.

– C'est donc bien long, ton histoire.

– Surtout si tu m'interromps tout le temps.

– Je commente, je n'interromps pas.

– Quand j'ai fumé, parfois, ça me ralentit un peu, alors qu'au contraire, je peux parler super vite mais là, ça s'adonne que je parle lentement, alors c'est long. Bon, en tous cas, il m'a sucé mais je te jure, il m'arrachait le gland, je pouvais sentir ses dents frotter la peau et comme je ne suis pas circoncis, c'est hyper sensible et puis il y avait ce foutu clébard qui me fixait, bref j'ai dû lui demander d'arrêter et on a fini sur le divan à écouter *Rencontre du troisième type* ou quelque chose du genre.

– Comment ça, quelque chose du genre ? C'était ça ou ce n'était pas ça ?

– C'était ça.

– Ça me fait penser à un truc que j'ai vécu à la bibliothèque médicale, avec mes deux collègues que je fais flipper avec mes tours à la con.

– Tu es une joueuse de tours ? Ah, ça ne m'étonne pas.

– Il y avait une araignée, immense, qui trônait en plein milieu de sa toile dans un coin d'une de nos fenêtres poussiéreuses qu'on n'ouvre jamais. Quand Miss Couette...

– Miss Couette ?

– Oui, elle a une couette, tu sais, une couette, pas un édredon, une queue de cheval, elle est née avec ou ses parents la lui ont greffée à la naissance, tu sais, comme les parents qui font percer les oreilles de leur bébé sans leur demander la permission, ce que les miens m'ont épargné, Dieu merci.

– Tu n'as pas les oreilles percées ? Wow ! C'est spectaculaire. Tu dois être un spécimen unique sur Terre, on devrait te faire homologuer. Je n'avais pas porté attention plus tôt, je n'en avais que pour ton joli petit duvet. Je peux le toucher un peu ? Je touche rarement des femmes.

– Oui. Mais ne pince pas trop mon lobe, s'il te plaît, même s'il s'agit d'un point d'acupuncture intéressant, malgré que je ne sais pas à quoi il est relié au juste. Bref, quand Miss Couette a vu l'araignée, bon sang, on l'a entendue hurler jusqu'aux soins intensifs. Pourtant, elle était là depuis des semaines, personne n'en faisait de cas jusque-là, elle faisait sa petite affaire d'araignée.

– Quelle petite affaire ?

– Somnoler, attraper des mouches, tricoter de jolies toiles avec ses adroites petites pattes d'araignée, essaie d'en faire une pareille, toi. Miss Couette est arrivée avec le balai, la folle, prête à la tuer, la pauvre bête qui ne faisait de mal à personne et qui avait même l'air enceinte, vu sa grosseur.

– On ne tue pas une femme enceinte.

– C'est ce que je me suis dit en me précipitant sur Couette pour l'empêcher de commettre cet assassinat insensé…

– Assassinat insensé au Mississippi. Ça ferait un bon titre pour un livre, avec tous ces *S*.

– Oui, mais je ne vois pas ce que vient faire le Mississippi là-dedans.

– C'était une minute phonétique. Continue.

– Donc Couette et Raymonde, Bon Dieu, elles m'ont regardée de travers quand j'ai fait passer l'araignée dans un verre vide pour l'envoyer dehors, c'était tout à coup moi, la folle !

– C'est tout ?

– Oui, tu aurais voulu quoi, comme finale ? Qu'elle m'ait piquée et que j'en sois morte ? Je ne serais pas là pour te raconter l'histoire, alors !

– On va se promener ?

– Oui, ça nous ferait du bien.

J'ai sorti les lunettes volées de mon sac et les ai mises sur son nez.

– Tu es cinglée ! Ce sont les lunettes du géant qui a tapé ton chum ? Tu veux me faire tuer ou quoi ? Il est peut-être dehors, il attend juste de mettre la main sur celui qui les lui a prises. Tu ferais mieux de les cacher jusqu'à ton départ d'ici.

– Je pensais en faire cadeau à un employé, je n'avais pas pensé à ça, qu'il pourrait se faire tuer.

Dehors, l'air était tiède et sentait bon toutes ces fleurs des bosquets qui entouraient les chambres et dont j'ignorais le nom, en bonne inculte horticole. Au loin, on pouvait entendre les basses provenant de la discothèque, Rémi voulait m'y entraîner, je ne voulais pas, je savais trop bien ce que j'allais y trouver. Des femmes vêtues de robes fleuries et vulgaires aux décolletés plongeant dans un ravin sombre, faisant tournoyer leur jupe sur une piste de danse éclairée par des lanternes ringardes, devant leur homme affalé au bar, trop éméché pour les accompagner ou juste pas intéressé, produisant l'effet d'une discothèque sous l'emprise d'une religion, divisée en deux, les hommes d'un bord et les femmes de l'autre.

– Tu dois apprendre à te laisser aller, Laurence. Tu es pleine de préjugés.

– Basés sur des déjà-vu. Et je me sens tracassée, tout à coup.

– Quelque chose que j'ai dit ?

– Tu crois vraiment que je ne serai jamais contente, avec Jean-Marc ? Tu as vu tout ça en deux heures ?

– Après douze ans de pratique privée, j'en ai vu et entendu et je pense saisir assez bien les gens. Quand il me parlait de son boulot, il était en transe. Et beau, aussi.

– Il ne l'était pas en parlant de moi ?

– Il n'a pas parlé de toi. Ce gars aime travailler, ça ne l'empêche pas de t'aimer, mais l'amour et l'attention que tu demandes ou espères lui en demandent trop, à lui. Il n'est pas comme ça, aux petits oignons. Il va te payer un voyage au Mexique, mais il ne va pas prendre le temps d'aller te choisir un beau petit bracelet qui t'irait à la perfection parce qu'il t'a bien étudiée. Il ne s'assoira pas avec toi pour discuter de votre vie de couple dans les détails, il ne fait pas d'introspection profonde, il n'a pas le temps d'en faire et puis ce n'est pas dans sa nature, c'est un instinctif, guidé par son bon sens mais pas doté de ces qualités féminines que vous, les femmes, exigez des hommes hétérosexuels. Voilà pourquoi vous aimez avoir un ami gay. Tu as déjà un ami gay ou je peux revendiquer la place ?

– Non, je n'ai pas d'ami gay, en fait je n'ai que peu d'amis tout court, tu l'as dit plus tôt.

– Tu es trop difficile ?

– Être mon ami gay ne te donne pas le droit de me dire ce genre de choses, enfin pas tout de suite. Et puis mes amis d'enfance sont dispersés aux quatre coins du pays ou occupés à leur vie de famille, à magasiner des bidules technologiques pour leurs enfants en même temps qu'ils tentent de les empêcher d'entrer sur les réseaux sociaux dès qu'ils ont huit ans. Mais au moins, ils ont eu le courage d'en faire, des enfants, eux. Et oui, je suis sélective, je n'aime pas perdre mon temps avec les gens.

– Tu le perds bien avec Jean-Marc, apparemment, à courir après la relation que tu n'auras jamais avec lui.

– Tu crois, hein? Tu me fais peur, là. Surtout que tu confirmes ce que je commençais à pressentir. Sapristi, il vient par ici. Je ne veux pas qu'il sache que j'ai fumé. Tu trouves qu'il a l'air énervé, toi?

– Un peu.

– Laurence! Tu as apporté ton jeu de *Rummy*?

– Chut! Pas si fort! Non, je pensais que tu apportais le tien. Ne me dis pas qu'on n'en a aucun!

– Moi, j'étais certain que *tu* apportais le tien.

– Pourquoi j'aurais le mien et que tu n'aurais pas le tien?

– Parce que le tien est un jeu de voyage, plus compact.

– Tu m'as dit que tu trouvais les pièces trop petites et que ça t'arrachait les yeux! Alors, forcément, j'ai cru que tu apporterais ton jeu. Il ne prend pas plus de place que ta brique historique, je te signale.

– Calmez-vous. C'est quoi ce délire de *Rummy?*

J'ai expliqué à Rémi que le *RummyCube* était devenu une passion, un lieu de rencontre pacifique qui nous procurait des moments pendant lesquels nous étions joyeux et détendus, ensemble. Une sorte de thérapeute silencieux qui apaisait nos bouillonnements internes de sorte que, pendant nos parties, nous n'aurions pas besoin de ses bons soins à lui.

– Je n'avais pas l'intention de servir de *psyclownologue* de couple.

C'était bizarre, Jean-Marc semblait vraiment découragé, ce qui m'a fait penser que le *Rummy* comptait plus que moi et que je passais donc après le travail et après le *Rummy*. La drogue me rendait suspicieuse. Ou alors, je voyais enfin clair dans ses priorités. Mais, si j'y pensais davantage, c'était avec moi qu'il jouait au *Rummy*, pas avec un de ses employés, alors ma théorie ne tenait pas la route. Le *Rummy* et moi, on était sur un terrain d'égalité.

– Vous pourriez peut-être jouer avec des cartes ? Ma grand-mère et moi, on utilisait un jeu normal. Ça doit être plus facile à trouver qu'un jeu avec des tuiles, par ici. Il y a un Walmart à Playa Del Carmen, on pourrait aller voir, demain.

– Un Walmart ? Je ne suis jamais entrée de ma vie dans un de ces magasins au Canada et là, je vais y aller au Mexique ? Sapristi.

– Je te le répète, il faut que tu sois ouverte à de nouvelles expériences.

– D'accord, d'accord !

– Rémi, je pense que je vais te la laisser pour la semaine, tu risques de me la rendre plus relaxe, de me l'améliorer. J'ai envie de pisser, moi.

Et il a fait l'impensable. De la même façon qu'il stationne son maudit camion n'importe où, il se permet d'uriner n'importe où. Les hommes croient que, parce qu'ils ont un outil plus pratique que le nôtre pour délivrer leur vessie, ils peuvent le faire sur la voie publique. Au lieu d'entrer dans le bosquet de calliandras qui se trouvait devant lui – j'ai su que ç'en était car il y avait une affichette sous le buisson –, il a ouvert sa braguette et a pissé sur les mignonnes houppettes roses, le zizi au vent, alors que des gens déambulaient tout près et que notre chambre était à une minute de marche.

– Tu fais quoi, là, le Maître du Monde ? Tu penses que la Terre est un urinoir géant ? Je peux voir ton pénis d'ici.

– C'est parce que tu regardes.

– Non, il fait noir et il est pâle, alors forcément, on le voit. Rémi, tu le vois, toi aussi ?

– Oui, je le vois, un peu. Pas assez pour dire s'il est circoncis.

– Il ne l'est pas. Et tu as vu comment il a fait ? Il a ravalé la goutte dans son prépuce au lieu de se secouer, et ensuite il est surpris quand je lui dis qu'il sent le pipi suri.

– Je ne sens pas le pipi suri. Je sais très bien ce que j'ai à faire.

– Eh bien, je t'annonce que ta mère t'a mal enseigné. Et je ne vois pas comment, vu la distance entre ton nez et ton pénis, tu peux savoir ce qu'il sent.

– Ma mère ne m'a pas montré à pisser et je n'ai pas besoin que tu me montres à pisser à mon âge, c'est naturel, pisser, pour un homme, comme un veau qui se met automatiquement sur ses pattes.

– Elle aurait quand même dû t'apprendre à te laver, au moins, veau malodorant. Tu pourrais un peu penser aux autres ? Imagine si tout le monde décidait de pisser en plein air, n'importe où, dès que lui en vient l'envie, ça sentirait bon dans la ville et ça ferait un beau panorama, des queues sorties de leur pantalon à tous les coins de rue, devant les vitrines des magasins, les boîtes aux lettres, les arbres et les poteaux.

– On n'est pas en ville.

– On est dans une petite ville, il y a des gens autour, regarde, la femme du géant frustré qui vient par ici. Je suis sûre que Madame aurait aimé te voir la graine à l'air.

Rémi mimait l'exaspération, mais je voyais bien qu'il se marrait. C'est vrai qu'on devait être très distrayants,

Jean-Marc et moi. Un couple en débandade est toujours un divertissement pour les chanceux qui n'ont pas ce genre de problèmes.

– Bon, je vous laisse, vous deux. Allez régler votre problème de *Rummy* et d'urine dans votre chambre, il se fait tard et je suis fatigué.

– Tu vois, Jean-Marc Dubé, mon nouvel ami gay est déjà fatigué de moi, à cause de toi.

– Mais non, Laurence. Je suis fatigué tout court. Allez, va te coucher, on se voit demain si tu veux.

– Oh oui, elle veut. Moi, j'aimerais bien, en allant jogger, jeter un coup d'œil sur un petit chantier que j'ai croisé ce matin. Pendant ce temps, vous pourriez aller nous trouver un *RummyCube* au Walmart ?

– Tu vois, Rémi, tu vois ? Et il ne s'en rend même pas compte, en plus, il a dit ça naturellement ! Ce n'est pas possible. Bonne nuit, à demain.

Je les ai plantés là sans demander mon reste. J'espérais seulement que le sommeil me gagne avant qu'il ne revienne à la chambre. Et que ce fameux chantier cache des vices de construction, qu'il s'agisse d'une maison brinquebalante bâtie par des ouvriers maladroits, et qu'elle s'écroule sur la tête de Jean-Marc.

# Ménopause et autres bonheurs

Quand je me suis réveillée, Jean-Marc avait déjà quitté la chambre. Il avait dû faire un effort colossal pour ne pas faire de bruit, lui qui réussit à en produire juste en respirant; tout pour ne pas voir la face que j'aurais au réveil. Elle n'était pas belle, je le savais sans même me regarder dans la glace, je sentais le dessous de mes yeux gonflé. J'avais oublié d'emporter mon masque-gel-bleu, qui réduit les enflures, enfin c'est ce qu'il est censé faire mais je n'en ai jamais eu la preuve, je crois même que ça les empire, vu que je suis boursouflée en permanence. Le miroir m'a révélé une nouvelle ride entre les sourcils, qui me donnait l'air soucieux. Y était-elle la veille ? Les rides pouvaient-elles apparaître en quelques heures ou apparaissaient-elles au terme d'une longue gestation, attendant le moment de vulnérabilité idéal pour se dévoiler ? J'avais à peine fermé l'œil. Je m'étais levée plusieurs fois pour faire pipi, j'étais sortie sur le balcon en espérant voir quelques animaux nocturnes, sans réveiller Jean-Marc qui dormait généralement comme une brute, le genre frustrant qui s'endort dès qu'il a la tête sur l'oreiller. J'ai toujours pensé que ceux qui possédaient ce pouvoir n'avaient pas de conscience. Comment peuvent-ils s'endormir aussi rapidement ? Leur cerveau ne produit donc aucune pensée ? Pour ma part, l'oreiller semble accentuer le flux de mon imagination, je devrais peut-être dormir sur une brique.

J'avais décidé de ne pas prendre ma médication, de vivre la suite des événements à froid. Je craignais en effet de geler mes émotions et, ainsi, de me sentir sur le nuage rose de l'indifférence, de l'austère neutralité, alors que je voulais ressentir ma rage, mes brûlures internes, mon ressentiment, pour les expier ou du moins pour les exprimer. Il était hors de question que j'étouffe l'aventure de Jean-Marc sous la couverture molletonnée qu'il aurait souhaité que je confectionne, et avec quoi l'aurais-je confectionnée ? Les mauvais sentiments ne créent rien de solide, c'est évident. Ils sont constructifs dans la mesure où on en conscientise la nature et la portée et, encore, je ne me sentais pas prête à conscientiser autre chose que la raison de ma colère, laquelle apparaissait clairement établie, pas besoin de mille heures de thérapie pour ça. Je ne voulais pas balayer la poussière sous un tapis qui, inévitablement, s'envolerait pour révéler que dessous se tapissaient toujours des miettes d'amertume. Je ne voulais pas faciliter la vie de Jean-Marc, pas sur ce coup, même si je savais que cette manière d'envisager les choses me les rendait difficiles à moi aussi. Si avec le temps, va, tout s'en va, eh bien on allait lui en donner. Mais, en attendant, il était hors de question que je l'aide, le temps. J'étais de trop mauvaise humeur.

J'ai ramassé mes bouchons insonorisants qui traînaient au milieu du matelas : Jean-Marc avait dû dormir dessus car ils étaient complètement aplatis, inutilisables. De toute façon, un bouchon qui protège des sévices de 27 décibels est impuissant contre un ronflement qui en génère 92.

Les fourmiliers s'affairaient dans le jardin. Impossible de distinguer le mien des autres, ils se ressemblaient tous avec leur nez fouilleur tentant de dénicher la colonie de fourmis la plus substantielle. Pauvres petites fourmis travailleuses, finir ainsi dans la trompe d'un animal disgracieux, se faire aspirer sans possibilité de se défendre. Qui s'en prend aux fourmiliers, en contrepartie ? Chaque être vivant est à la merci d'un autre.

Je me suis habillée vitement, d'un ample pantalon écru dont j'ai roulé les rebords pour dégager mes chevilles et d'un t-shirt blanc décoré d'un graffiti : « Je suis là », sortant de la bouche d'un gentil monstre à la Élise Gravel. Jean-Marc me l'avait acheté au début de notre relation. Je m'étais demandé quel était le message, au juste.

J'avais un courriel de Diep.

« Madame Laurence ! Il est tard, alors je vous écris rapidement avant de me coucher. De toute façon, je doute que je puisse m'endormir avant deux heures du matin et je résiste à l'envie de calmer mon excitation mentale avec un comprimé de Zopiclone ; je ne suis pas habituée aux médicaments, enfin, vous comprenez ce que je veux dire.

Ce soir, j'ai eu ma première "date" avec Jonathan. Nous sommes bel et bien allés voir un film d'action, mais la principale action pour moi a été de répondre à ses douces avances. Il est si peu agressif ! Nous avons croisé et décroisé nos doigts de toutes les façons possibles, en regardant distraitement Jason Statham tuer des dizaines de terroristes. Je n'ai rien compris au scénario, probablement qu'il n'y en avait aucun de toute manière, car j'étais trop occupée à ne pas avoir les mains moites. J'ai tendance à avoir les paumes mouillées quand je suis sur les nerfs. Oui, il m'a pris la main ! Pire, il m'a embrassée à la sortie du cinéma ! Pire encore, il m'a embrassée à nouveau quand je l'ai déposé chez lui, car c'est moi qui ai la voiture, il utilise le *Bixi* d'habitude, c'est un gars très écologique, et pas fortuné. C'est donc moi qui ai également la fortune, mais ça ne pourrait déranger que mes parents que mon mari soit d'une classe sociale inférieure. Moi, je me fous des classes sociales, je n'ai moi-même aucune classe ! Ses baisers étaient exquis et respectueux, et il n'a pas cherché à me tripoter sous ma ceinture de sécurité, que je n'avais pas défaite, ne voulant pas lui faire croire que je m'invitais chez lui ou que je l'incitait à m'inviter. Avant de sortir de la voiture, il a fait une chose magnifique : il a touché ma barrette-papillon et il a dit : "C'est très beau, ce papillon. Il est le reflet de la légèreté que je ressens en ta présence."

Je suis si heureuse, ce soir, madame Laurence. Ce garçon est si gentil, maintenant qu'il est bien médicamenté. J'ai déchiré mon code d'éthique avec vous, fort heureusement, sinon je l'aurais peut-être invoqué pour me défendre de tomber amoureuse d'un client. Doux Jésus, je parle déjà d'amour, moi qui n'y connais rien, sinon celui que je porte aux membres de ma famille, qui va de soi. Je ne sais trop ce que c'est que d'éprouver ce sentiment pour une personne qui vient du dehors, un homme surtout. J'aimerais tant que mon oncle soit encore vivant, il était de si bon conseil. Je vais lui faire une prière ce soir et dormir avec ma barrette, même si je risque de me perforer le cuir chevelu et de me réveiller la joue collée dans une mare de sang.

J'espère que tout se passe bien pour vous, que vous vous faites de nombreux amis et que votre amoureux est aux petits soins. Dites-moi que je n'agis pas de façon insensée.

Votre Diep de Montréal. »

Chère Diep, comme je l'aimais ! J'étais bien la dernière qui pouvait lui prodiguer des conseils en matière de gestion amoureuse. « Gestion amoureuse », je pensais comme Jean-Marc, ça n'allait pas dans ma tête.

Rémi était déjà à la cafétéria, assis à une table dans un coin, loin de toute éventuelle agitation. Il n'y avait pas grand monde à cette heure, pas de musique indésirable, le silence ambiant m'a soulagée. Il m'a fait un signe de la main, portant de l'autre une tasse à sa bouche.

– La grimace, c'est pour moi ou pour ce que tu bois ?

– Leur café est infect. Prends un thé.

– Ils ont une machine à cappuccino. Ça ne peut être si mauvais.

– Ça peut l'être, crois-moi. Mais tu as raison, je vais utiliser la machine, parce que l'humain qui fait celui du percolateur doit y mettre de l'huile à moteur.

Je me suis retenue de pavoiser à propos du café délicieusement gratuit que je buvais quotidiennement. Il allait croire que j'étais sérieusement atteinte. Je l'étais, mais inutile d'alerter la planète pour autant. Je ne représentais pas un danger pour la société, je n'allais pas me faire exploser sur la place publique, les poches remplies de grains de café mi-corsés qui, en s'émiettant, s'incrusteraient dans l'épiderme des victimes déchiquetées tout en répandant néanmoins un superbe arôme sur les lieux du crime.

– J'ai vu ton chum passer, dans son petit short flottant. Il a toute une paire de jambes. Les Mexicains gays du chantier vont être affolés en le voyant arriver. Il parle espagnol ?

– Il le baragouine, et pour donner des conseils en matière de construction, il va spontanément trouver tous les mots qu'il faut, crois-moi. Tu crois qu'il y a des ouvriers mexicains gays ?

– Pourquoi pas, on peut rêver. J'aime ton t-shirt. C'est totalement égocentrique. On le sait, que tu es « là ». Ne fais pas cette face, je me moque de toi, gentiment.

– Oui, c'est totalement gentil. Ce n'est pas moi qui l'ai acheté, en passant.

– Ton chum a le don de faire des cadeaux personnalisés.

– Ah ! Très drôle. *Hummm*, il a l'air bon, ce pamplemousse. Je vais me servir, continue de me psychanalyser en finissant ton délicieux café et à faire comme si mon chum était parfait, ce qu'il n'est pas et tu le sais très bien.

– Personne ne l'est. Tu peux m'apporter un petit cappuccino en passant ?

Jean-Marc était trop « aimable », j'étais trop « livre ouvert », tous les aspects de ma personnalité se dévoilaient d'eux-mêmes avant même qu'on les découvre petit à petit et comme il se doit. Il allait falloir que je devienne moins extravertie, ma foi, que j'en garde pour moi et me révèle peu à peu. Comment rester opaque devant un psychologue ? Et ma pharmacienne ? En me censurant et en devenant forcément ennuyante ?

La femme de notre « couple de nouveaux amis » venait d'arriver au buffet de fruits. Vêtue d'une élégante djellaba marron chaud et la tête entourée d'un fichu crème qui s'érigeait comme une meringue sur son crâne, on aurait pu la prendre pour une Francine Grimaldi ayant égaré ses lunettes. Les yeux démaquillés, le visage au naturel, je l'ai trouvée intéressante. Elle m'a souri en affichant une dentition de vedette hollywoodienne qui m'a rendue jalouse, et perplexe. Il fallait que j'enquête.

– Ça alors, ce sont vos vraies dents ? Wow !

– Celles de devant sont des implants. Mais pas mes seins. Ils sont authentiques et quand j'enlève mon soutien-gorge, ils s'affaissent comme des soufflés.

Je l'ai instantanément aimée. Rares sont les gens qui parlent ainsi sans détour et qui ne se cachent pas derrière un beau vernis dont ils passent leur vie à s'enduire et à épaissir les couches, vivant dans la crainte de le voir égratigné. Une autre mal *matchée*, ai-je pensé en le regrettant aussitôt, car franchement, Jean-Marc était nettement supérieur en tout à son conjoint. Qui ne se trouvait pas dans les environs.

– Il est où, votre, ton mari ?

– Thomas dort encore. Il est rentré tard de la discothèque, je me demande bien pourquoi et si je devrais m'en inquiéter. Mais je ne peux pas l'attacher. Il m'a réveillée en rentrant, mes chaleurs ont commencé à ce moment, je n'ai pas pu me rendormir avant l'aube. En plus il sentait la boisson et la transpiration, j'ai dû me replier sur l'autre lit.

Pauvre elle. Au moins, avec Jean-Marc, je n'avais pas à m'inquiéter des bars, des discothèques et des possibilités inhérentes à l'état d'ébriété. Quoique Jean-Marc n'avait pas besoin d'être soûl pour se laisser séduire par une femme, juste très fatigué.

– Je n'ai pas très bien dormi la nuit passée moi non plus, si ça peut te consoler.

– Ça ne peut pas être pire que pour une femme en ménopause, ah mon Dieu, les sales nuits qu'on passe, trempée des pieds à la tête, le cœur qui nous débat, enlève les couvertures, remet les couvertures, on se réveille à moitié mortes, on est de mauvaise humeur, sans contrôle sur nos émotions, pire que d'habitude. Moi, c'est Edith.

– Edith ? Chanceuse !

– Oui ?

– Je me comprends. Je fais une fixation sur une série télé, ce qui rend mon chum dingue, et tu portes le nom d'un des personnages, ton mari aussi. Moi, c'est juste Laurence. Tu confirmes ce que j'ai toujours dit, que je voulais mourir avant ma ménopause. On n'entend que des histoires d'horreur à ce sujet ! Celles qui vivent bien ça se taisent, elles craignent de se faire lapider par les autres moins chanceuses.

Ou alors il n'y en a pas. Ça semble être un véritable cauchemar.

– Ça l'est. Je te jure, ça nous prendrait une pilule contre la rage avant tout. Les hommes sont vraiment chanceux. Je veux me réincarner en homme dans ma prochaine vie.

– Oui, tu pourras au moins pisser partout.

– Ha ha ! Oui, en effet. Surtout que ma vessie rapetisse, en plus. Excuse-moi, je ne veux pas te faire peur davantage, mais c'est une calamité. On devrait être mises en congé maladie dès que ça commence, en invalidité même, le temps d'assimiler le choc et d'apprendre à gérer les inconvénients, car il n'y a que ça, des inconvénients. Je pense même que mon vagin est en cours de rétrécissement, pendant que je te parle, je peux en sentir les parois qui se rapprochent. Bientôt, le chemin sera impraticable, ça me prendra des tubes entiers de gelée lubrifiante si je veux continuer à avoir une vie sexuelle, même si le sexe ne me dit plus grand-chose, parce que tu vois, la libido aussi en prend un coup. Ça, c'est quand je ne suis pas à me débattre avec mes bouffées de chaleur, ou à la pharmacie à tenter de déchiffrer les ingrédients écrits en miniature sur les pots de crèmes miracles censées te remonter la face. Non mais, tu as vu mon cou ?

Tout ça me coupait carrément l'appétit. Je n'étais pas sûre de vouloir voir son cou, j'essayais d'éradiquer de mon esprit la vision de parois vaginales se rapprochant pour fermer définitivement le conduit en expulsant des torrents de gelée lubrifiante inutile.

– Non, tu portes une écharpe.

– Oui, l'écharpe est l'accessoire indispensable à la femme qui a passé quarante-cinq ans, cinquante pour les chanceuses. Le cou ne ment pas. Regarde mes mains, elles sont encore belles, la peau n'est pas encore parcheminée, mais mon cou, ah, non, je ne te le montre pas.

– Si si, montre-le-moi. Ça va me stimuler pour magasiner tout de suite un fusil en prévision de mon coup de vieux à moi qui n'est pas si loin.

– C'est fou, tu fais tellement jeune.

– C'est parce que je souffre d'immaturité chronique et que je ne m'habille pas en « femme ».

– Je devrais faire comme toi. Mais tu vois, à mon âge, si on essaie de trop se rajeunir par le vêtement, on passe pour une vieille qui tente d'avoir l'air jeune et ça fait vulgaire. Si on s'habille comme il convient à notre âge, ça nous vieillit et c'est déprimant. Et puis il nous apparaît une bouée de graisse autour de la taille, oublie donc les jeans taille basse, oublie la moitié de tes jupes et de tes robes. Ah, et les tétines qui nous poussent partout, les poils aussi. J'ai dû commencer l'électrolyse, j'avais une moustache.

– Vraiment ?

– Et mes poils pubiens se mettent à blanchir ! Et à se raréfier ! Mes cheveux aussi ! Ma coiffeuse est désespérée ; peux-tu trouver plus angoissant qu'une coiffeuse désespérée au-dessus de ta tête avec des ciseaux ! Je suis à la fine frontière où tout devient plus compliqué. Plus toute jeune, mais pas encore assez vieille pour profiter des rabais de l'âge d'or, car c'est le seul avantage et encore, dis-moi c'est quoi, ces fameux rabais, personne ne le sait ! On devrait avoir le droit à l'euthanasie dès la ménopause, avant que notre mari ne veuille lui-même procéder. Profite de tes dernières belles années. Crois-moi, la quarantaine, c'est fantastique.

C'était épouvantable de devoir écouter de tels propos si tôt le matin, alors que je sentais encore les plis de l'oreiller imprimés sur ma joue droite, ma pauvre peau manquant probablement d'hydratation ou alors non, elle se dirigeait simplement vers la pente que toutes les Edith de ce monde dévalaient, armées de leurs petits pots remplis d'espoir crémeux. Soudainement, je me sentais sans avenir en tant que femme, condamnée à chercher les endroits ombragés et les éclairages à la bougie si je voulais conserver un tantinet d'estime de moi. J'étais désolée pour elle, qui était une belle femme vraiment chouette dont le mari regardait les poulettes plus jeunes, caché derrière ses viles lunettes fumées.

– Excuse-moi, je suis lamentable. Ce n'était pas une bonne idée de venir ici pour essayer de rabibocher notre couple.

– Ben, vous n'êtes pas les seuls ! Jean-Marc nous a payé ce voyage en pensant que ça aiderait notre relation. C'est plus facile pour lui de dépenser 2 000 dollars que de trouver une heure pour discuter franchement, affronter nos problèmes et trouver des solutions. J'ai juste envie de m'asseoir sur le balcon qui donne sur le jardin pour regarder brouter les tamanoirs et les agoutis en attendant la fin de la semaine, sans bouger d'une miette sauf pour venir manger.

– Je te comprends. C'est quoi, un agouti ? C'est moi qui ai proposé cette semaine à Thomas en pensant que ça nous rapprocherait. Il ne fait que travailler, je me demande s'il s'agit encore de travail quand il rentre passé 20 heures avec une haleine de bière. Depuis qu'il s'est associé à un de ses amis qui a une compagnie de rénovation, il a toujours une bonne raison de ne pas être là pour souper. Je pense que je ne l'intéresse plus. Mais je ne peux pas le blâmer, je suis en train de me désagréger. Si les hommes subissaient les mêmes montagnes russes hormonales au même âge que les femmes, peut-être que les couples se déferaient moins, on se soutiendrait au lieu qu'ils nous laissent pour de plus jeunes pas encore dysfonctionnelles. Churchill avait raison : la vieillesse est un naufrage, un naufrage ! Ah mon Dieu, il vaut mieux mourir jeune et dans un beau corps !

– C'est très intéressant, tout ça, les références historiques et tout, mais si on continue sur ce ton, je vais me mettre la tête sur la plaque à crêpes qui semble bien chaude.

– Oh, je suis désolée, je suis si déprimée !

Elle s'est mise à sangloter. Sous les yeux ébahis de Rémi, je l'ai entraînée dehors après avoir déposé sur notre table l'assiette que j'avais cessé de remplir en l'écoutant, mon estomac se révulsant à chacune des images que ses propos dessinaient dans mon esprit. On s'est assises sur un banc de pierre en forme de haricot et, en lui tapotant l'épaule, je l'ai laissée s'épancher. Ce tout-compris s'avérait intéressant, en fin de compte. Il recelait un bassin de phénomènes humains en tous genres, du psychologue gay à la femme trompée en passant par la femme qui l'a probablement été ou qui s'arrange pour l'être éventuellement. Car si Edith ne se reprenait pas en main rapidement, il me semblait certain que son mec allait déposer ses verres fumés sur le ventre d'une fille où ils ne seraient pas engloutis dans un repli de gras. Mais, au fond, ce n'était qu'une question d'amour, pas d'âge ni de look.

– Ton mari, il t'aime toujours ?

– Je ne sais pas, parfois j'ai l'impression que oui, d'autres fois que non. Je me sens à la merci de mes humeurs, comme si une entité diabolique s'emparait de moi et prenait le contrôle. J'ai beau raisonner, me dire que c'est moi qui vois les choses pires qu'elles ne le sont en réalité, que je les déforme... enfin, je me dis ça quand je reprends mon calme, mais il est trop tard, j'ai passé ma rage sur Thomas. Ma gynécologue m'a suggéré de l'emmener avec moi lors de ma prochaine visite, pour l'informer de ce qui se passe, qu'il sache que ce n'est pas entièrement ma faute.

– Mais ce n'est pas ta faute ! À moins que tu ne sois comme moi, une chipie patentée de nature.

– Ha ha, non, je suis d'une nature assez conciliante, qui ne conteste rien habituellement. Une lavette, quoi. On dirait qu'une deuxième personnalité cherche à émerger, en fait, pour équilibrer le tout, mais ça se fait tout croche.

– Ça sert peut-être à ça, finalement, la ménopause, nous équilibrer une fois pour toutes ? Il y aurait une véritable utilité à ces chambardements ?

– Admettons que ce soit ça, une deuxième vie pour la femme, ha ! Le temps que ça se fasse, nos mecs s'écœurent et s'en vont se refaire une vie de leur côté. Je n'ai pas toujours eu ce regard défavorable sur moi, tu sais. Mon Dieu, c'est difficile de faire le deuil de sa jeunesse. Tu comprends pourquoi les plasticiens font autant d'argent.

Le seul fait d'accoupler les mots « deuil » et jeunesse » était en soi décourageant. Mais elle avait raison. Si on résistait à l'inéluctabilité, au point, par exemple, de vouloir se leurrer et de recourir à la chirurgie pour repousser l'évidence, on n'en devenait que plus malheureuses et puis, de toute façon, ça ne réglait rien de ce qui devait vraiment l'être.

– Je ne devrais pas te dire ça, mais j'ai lu quelque part que pour les hommes, *sixty is the new fifty*.

– Il n'y a pas de beaux slogans comme ça pour les femmes. Et puis, ils n'ont qu'à se laisser pousser un fond de barbe et ça le fait, ça cache leurs bajoues ramollies, pas besoin de se faire remonter la face au complet. Tandis que nous, on doit supporter de voir l'ovale de notre visage se défaire, notre menton s'affaisser pour laisser place au profil dindon, on a l'air de plus en plus fatiguée à cause de nos traits qui s'étirent vers le bas et il n'y a rien à faire pour camoufler les dégâts, c'est odieux.

– Oui, il y a quelque chose à faire, adopter le niqab.

– Tu es drôle. Quand même, trouves-en des hommes passés cinquante ans qui n'arborent pas leur petit filet de barbe, c'est une véritable épidémie capillaire et ce n'est pas pour rien, ça leur enlève dix ans et on les dit encore sexy. Allez, penses-y, cherche. On ne dit jamais d'une femme de soixante ans qu'elle est sexy !

Elle criait presque, à ce stade. Les passants se tournaient vers nous en nous jetant des regards désapprobateurs ; on n'avait pas le droit de brailler dans un tout-compris, on se devait de n'être que léger et heureux. Mais elle avait raison. J'ai fait le recensement rapide des stars nationales et internationales qui avaient pu s'imprégner dans mon esprit grâce à la lecture des magazines « people » feuilletés dans les salles d'attente médicale, je n'ai trouvé aucun quinquagénaire imberbe, à part un ou deux qui, vraiment, auraient eu intérêt à adopter la barbichette. Ils arboraient tous ce petit look cool et décontracté, avec leur bouc, frotte-bonbon ou collier bien taillé qui cachait toutes les tares révélatrices de leur âge.

– Edith, faut changer de disque, sinon autant se flinguer tout de suite.

– Je me flinguerais bien tout de suite. Je ne sais pas pourquoi j'ai apporté un bikini. Tu as apporté un bikini, toi ?

– Non, tu es folle. Allons déjeuner, viens manger avec Rémi et moi, tu vas l'aimer. Il est gay, il ne te jugera pas d'après ton cou.

– Merci, un autre jour peut-être, je vois Thomas qui se dirige vers la cafétéria. Ça va ? Je suis présentable, je n'ai pas les yeux trop gonflés ? Tu es très gentille. Soyons amies. Je t'assure, je ne suis pas toujours comme ça. J'ai un jour ou deux de répit par mois.

– Ne t'en fais pas. Moi aussi, j'ai mes moments, surtout ces temps-ci. On se voit plus tard, alors.

– Si je ne meurs pas de vieillesse d'ici là.

– On va essayer de se rencontrer avant. Pour parler d'autre chose, parce qu'on a autre chose à dire, hein ? Il faut faire le focus sur les belles choses, si on en trouve... parce que moi non plus, je ne vais pas si bien, tu sais.

– Je suis désolée. Oui, tu as raison, il faut que je change de disque. Et tu me raconteras les détails de tes malheurs, pour me consoler des miens. Au fait, les lunettes de Thomas, elles valent 200 dollars, il les avait achetées pour ce voyage. Il va t'étriper s'il les voit sur ton nez, ou sur celui de ton amoureux.

– Je devrais les lui rendre, tu crois ? Je pourrais aller les porter aux objets perdus, ou à la réception ?

– Nah. Ça va nous faire une activité de couple, lui en magasiner des nouvelles.

On s'est étreintes comme de « vieilles » amies et j'ai rejoint Rémi qui en était à son deuxième cappuccino.

– Tu t'es fait une nouvelle copine ?

– Ce qui n'arrive pas à Montréal arrive ici. Tu sais le plus étrange ? Elle s'appelle Edith et son mari s'appelle Thomas ! Thomas !

– Oui, et ?

– Tu n'écoutes pas *Downton Abbey* ?

– Non. Je devrais ?

– Oui, surtout en tant que gay !

– Elle est bien bonne. Il y a des émissions qui plaisent davantage aux gays ?

– Comme si je t'apprenais quelque chose. As-tu écouté et aimé *Glee* ?

– Oui, plutôt.

– Pas moi.

– Mais tu aimes *Downton Abbey* ? Tu es bi, alors ?

– Ok, oublie ça. Bon, je me dépêche de manger et on va chasser le *RummyCube* ?

Nous avons pris le petit autobus destiné à faire la navette entre notre hôtel et les autres hôtels de la chaîne qui eux, se trouvaient au bord de la mer. Il effectuait un arrêt en ville. La route longeait un quartier de maisons ravissantes que sûrement aucun Mexicain de classe ouvrière ne pouvait s'offrir. Certaines étaient encore en construction et j'imaginais Jean-Marc en train de crier des ordres à des travailleurs mexicains devant l'une d'entre elles. Mais pas de Jean-Marc en vue. Le bus s'est arrêté à une intersection achalandée, nous étions à Playa Del Carmen, à trois pas de l'artère commerciale.

## Survient une pulsion irrépressible

J'étais habillée normalement considérant la canicule, mais je me sentais subitement sur-vêtue. Sur les trottoirs je regardais, ahurie, un défilé ininterrompu de maillots, de bermudas et de torses nus, de tongs et de bikinis, des corps dénudés aussi à l'aise ici que s'ils marchaient dans le sable, sur la plage. Je ne savais plus comment regarder les gens. Étais-je trop prude ? Je n'avais pas grandi dans l'ère de la banalisation sexuelle et de la nudité à tous vents. Peut-être que pour ces jeunes qui vadrouillaient avec insouciance, affichant leur éphémère jeunesse, se promener ainsi à moitié nus était tout à fait insignifiant. Les tatouages que la majorité arboraient sur diverses parties du corps leur servaient en quelque sorte de vêtements. Un jour ils seraient eux aussi des Edith, simplement ils ne s'en doutaient pas encore. Tant mieux, au fond. Qu'ils en profitent.

Playa del Carmen s'avérait un véritable centre commercial en plein air. La supposément célèbre 5e avenue regorgeait de bars, de restaurants, de magasins de vêtements de marque et de boutiques de souvenirs en tous genres remplies de cadeaux susceptibles d'accrocher l'intérêt des touristes avides de dépenser leur argent et de rapporter des objets-témoins de leur merveilleux séjour aux pauvres amis et parents restés dans la neige. Les terrasses débordaient jusque sur les trottoirs, où c'était la cohue. J'étais abasourdie par la confusion et le bruit qui se dégageaient de cette bacchanale. Rémi a pris ma main et nous nous sommes faufilés entre les passants pour aller vers une éclaircie.

– Ce n'est pas très agréable. Viens, on va prendre une petite rue plus calme et surtout plus déserte. Tu sais que la mer est seulement à quelques mètres ? T'en rends-tu compte ? La sens-tu ? Non. Je suis venu il y a une quinzaine d'années, crois-moi, ce n'était pas à ce point-là. La beauté sauvage de l'endroit est disparue. Ce n'est pas le vrai Mexique, ça, c'est celui du tourisme. On ira faire un tour à Tulum, en espérant que le cachet a été préservé. Encore que rien n'est moins certain.

Nous avons subi le harcèlement des vendeurs de trottoir et la musique infernale éjectée de chaque boutique et de chaque restaurant jusqu'au bout de la rue principale, pour ensuite nous retrouver sur une avenue tristounette où les habitations aux façades délabrées contrastaient avec le faste clinquant que nous avions laissé derrière nous à un coin de rue. Cela m'a rappelé l'envers troublant de Las Vegas que j'avais connu par mégarde, alors que je m'étais trompée de direction, à la recherche de la route menant vers Zion Park. Et j'avais vu ce que l'on cherche à cacher, le ghetto de la classe ouvrière abritant ceux qui, mal logés, mal nourris, faisaient tourner la roue folle de l'autre côté, dans la ville rutilante et pathétique.

Nous venions de traverser la ligne invisible qui séparait le tapage accepté de la *playa* commerciale, d'une part, de l'endroit où vivaient les gens du coin, d'autre part, dans le tintamarre propre à la pauvreté. Des enfants humblement vêtus s'agitaient autour d'un ballon de plage en poussant de petits cris aigus ou sautillaient silencieusement sur un carré de marelle dessiné à la craie rose sur l'asphalte de la rue. Des marchands tenant de petits snacks de tacos ou des magasins de tabac conversaient en espagnol sur le trottoir et nous regardaient avec curiosité comme si nous étions perdus, ou alors des intrus susceptibles de leur remplir les poches. Je les saluais en souriant, comme si cela m'importait qu'ils me sachent plus proche d'eux que des autres, du côté de l'abîme. Ils s'en fichaient bien, eux aussi voulaient me vendre un truc, on ne s'en sortait pas.

Après avoir déambulé un bon moment en surveillant instinctivement nos arrières, comme si nous craignions d'être attaqués par un pickpocket de dix ans alors que ceux-ci, s'ils existaient, devaient plutôt se trouver sur la *main*, nous sommes tombés sur le Walmart, gros cube de béton balancé au milieu de nulle part comme une bombe atomique qui n'aurait pas explosé. Une tout autre clientèle que celle de la rue principale s'y affairait, des mères de famille surtout, poussant des paniers remplis à ras bord d'aliments, suivies de petits enfants aux cheveux frisés, petits moutons attendrissants accrochés à la jupe maternelle et occupés à mâchouiller quelque bonbon mou pour les aider à patienter.

Je me sentais dans cet endroit à l'atmosphère impersonnelle comme dans un des « dépotoirs » où m'emmenait Jean-Marc, à la seule différence qu'au lieu d'outils de construction s'y empilaient du plancher au plafond des objets susceptibles de servir à la vie quotidienne. Les lieux respiraient l'humilité. Mais si mon jeu de *RummyCube* s'y trouvait, on allait devoir marcher un kilomètre pour le repérer.

– Rémi, tu prends ton bord et je prends le mien ?

– On va se perdre dans ces dédales. On ferait mieux de rester ensemble.

– Tu ne veux pas magasiner pour toi ?

– Quoi ? Non ! On est venus pour acheter votre jeu indispensable, je n'ai besoin de rien. Tu as quelque chose en tête ou quoi ?

– Non non non, juste trouver le *Rummy*. Au plus vite, qu'on sorte de ce bordel. On pourrait s'informer. Ton espagnol est assez bon ?

– Pas tellement. Viens, ce n'est pas en restant figé sur place qu'on va avancer.

– C'est clair. Ce n'est pas en ne bougeant pas qu'on bouge.

Je me sentais soudainement tétanisée. *Il y avait tant de choses* ! Un réflexe d'autoprotection m'empêchait de remuer tandis que le fameux picotement faisait son apparition, s'emparant tranquillement de mes nerfs, rampant jusqu'au bout de mes doigts de voleuse qui se sont soudainement recroquevillés. Il fallait que je me retienne. J'aurais dû en parler à Rémi, mais une puissance mystérieuse endiguait mon bon sens, m'empêchant d'y avoir accès. J'ai bondi sur un panier.

– Tu as besoin d'un panier ? Ne me dis pas qu'on en a pour une heure ! Tu comptes faire ton épicerie ou quoi ?

Non, j'étais en retenue. Il me fallait fixer mon attention sur des choses à acheter. Et à payer. Pourquoi n'arrivais-je pas à lui dire de rester avec moi, il aurait été mon superviseur ! Ma pulsion était-elle si aiguë, si affriolante que je ne voulais pas lui permettre de s'enrayer ? Je pouvais ne prendre qu'une toute petite chose. Laquelle ? J'allais sûrement la trouver dans cet endroit gigantesque et je serais guérie, du moins pour tout de suite.

– J'aime pousser le panier, cela me détend, je peux m'appuyer dessus. Et puis tant qu'à être ici, autant voir ce qu'il y a d'intéressant. Regarde, les serviettes hygiéniques, pas chères du tout, c'est le temps de faire une réserve. J'ai besoin de pâte dentifrice pour dents sensibles, aussi. Je vais regarder aussi pour la crème solaire, Jean-Marc est déjà en train de vider mon tube, il se crème des pieds à la tête et même le cuir chevelu, là où il a moins de cheveux, quand il va jogger. Après, il est surpris qu'ils soient poisseux et tombent.

– Tu es folle. Une vraie fille. Je te laisse aller, ça risque d'être long. On se retrouvera sur le trottoir. Je préfère être dehors qu'ici. À tout à l'heure, ne fais pas de folie.

– Quoi ? De quoi tu parles ? Mais non, je ne prends que le strict nécessaire. Je suis juste curieuse de voir ce que le géant américain vend aux Mexicains.

– Vu d'ici, à peu près la même chose que chez nous. Allez, je te donne vingt minutes, maximum.

Je démontrais une mauvaise foi atterrante. Pour me donner bonne conscience, j'ai rapidement ramassé toutes les choses insignifiantes que j'avais mentionnées à la va-vite, celles qui étaient destinées à contenir ma pulsion, plus trois slips en coton blanc – ceux que j'avais ayant tous été sabotés par le flux de mon cycle menstruel souvent imprévisible –, puis j'ai roulé mon panier jusqu'au rayon des jouets. J'étais, comme on dit, sur le pilote automatique. Ces articles ne régleraient rien, ils ne serviraient que de camouflage ; inutile de me mentir, j'étais dans mon élément. Je me sentais totalement vivante, vibrant d'une énergie atomique. Un flux énergisant coulait dans tous mes conduits vitaux, mon visage devait avoir rajeuni de dix ans, ma colonne se redressait naturellement, mes gestes étaient fluides, contrôle maximal.

Incroyable mais vrai, moi qui pensais être la seule à aduler le *Rummy*, le Walmart mexicain en vendait ! Un format standard avec les plateaux inclinés comme des estrades, où on voit la quantité de tuiles dans le jeu de l'adversaire. Celui qui avait imaginé ces tréteaux n'avait visiblement jamais joué, sinon il aurait compris que bluffer sur le nombre de plaquettes restantes est une stratégie essentielle du jeu. Il y avait aussi des formats de voyage, dans différents étuis tous plus attirants les uns que les autres. J'étais embêtée, je déteste avoir le choix entre plusieurs modèles, prendre une décision relève pour moi d'un tour de force, ne serait-ce que pour trancher entre deux couleurs d'un même article. Je devais être efficace, pour que Rémi ne lambine pas trop longtemps à m'attendre.

Le petit jeu était très petit, nous aurions besoin d'une loupe pour jouer, mais il était pratique, il tenait presque dans une main, bien compact dans sa jolie boîte de métal léger, tellement que je me suis demandé si toutes les pièces y étaient ou s'il existait une version demi-*Rummy*. Je l'ai *déposé* sous mon sac à bandoulière, lequel était *déposé* sur la partie avant du panier, et je me suis dirigée tranquillement vers les caisses, où des Mexicains et quelques touristes, reconnaissables par leur habillement de touriste, attendaient patiemment en files désordonnées tout en jacassant en plusieurs langues. Le cœur me débattait, un peu plus fort qu'il ne le fait habituellement, mais le moteur roulait à plein régime et il était trop tard pour mettre un frein. Le mini *Rummy* passait totalement inaperçu sous mon gros sac mou et difforme, la caissière n'a rien vu alors qu'elle enregistrait mes autres articles et prenait mon argent. Je souriais, trop, une face de clown. J'ai presque réussi à rouler les « r » en disant « *Gracias* » à l'employée, Rosa, pouvais-je lire sur l'étiquette apposée sur son uniforme, tant j'étais soulagée en poussant le panier vers la sortie.

Mon manque de discernement a été gratifié par une alarme au son strident provenant des deux sentinelles de métal postées à la sortie, celles-là mêmes que j'avais toujours soupçonnées d'être du toc pour dissuader les voleurs. Le retentissement qui émanait de ces colonnes était rudement impressionnant, je devais me l'avouer, de par sa capacité à éradiquer tout autre son, voire à faire saigner les oreilles. Il aurait fait passer une alarme d'incendie pour un simple chuchotement. J'ai dû rester sourde pendant les cinq minutes qui ont suivi. Les roues de mon panier se sont enrayées automatiquement, ou étaient-ce mes forces qui s'étaient subitement évanouies ? Toujours est-il que le stress m'a figée sur place et que j'ai revécu cette sensation affreuse expérimentée plusieurs années auparavant à la pharmacie : les suées, les frissons, le haut-le-cœur et la gêne extrême. Cette sensation s'est même amplifiée, car les voix qui m'ont encerclée, comme dans une brume sonore, ne parlaient pas une langue familière et les intonations hostiles que je percevais n'auguraient rien de bon ; on avait pris une touriste caucasienne la main dans le sac, venue jusque dans leur pays pauvre pour voler dans un magasin généreusement offert par sa nation.

J'étais presque soulagée de ne pas comprendre un seul mot de ce que disaient les officiers qui ont pris mes achats et mon bras en m'emmenant, sous les yeux intéressés des honnêtes consommateurs que j'avais dérangés, dans un endroit qui m'est apparu loin, loin, caché derrière les derniers rayons, là où personne ne s'aventure tellement la marchandise devient sans intérêt, sûrement une salle de torture qui ferait bonne figure au Musée des supplices de San Diego. J'ai eu une pensée furtive pour Rémi qui devait rôtir sur le bitume, se demandant ce qu'il y avait de si captivant dans ce magasin pour me retenir aussi longtemps, à moins que l'alarme n'ait retenti jusqu'à l'extérieur. J'ai aussi pensé brièvement à ma chère Diep, puis Jean-Marc est apparu, joggant dans un autre coin de ma conscience, puis Edith, qui ondulait dans sa chasuble avec sur le nez les verres fumés de son mari, lesquels se trouvaient dans mon sac ; tous ces gens devant qui j'allais éventuellement rougir, si on me laissait sortir d'ici vivante. J'avais vu trop de films et de séries où on interrogeait des terroristes en les assoiffant, en les affamant et en les cisaillant ici et là. Étais-je telle une terroriste aux yeux de ces gens ? Les Walmart mexicains recelaient-ils des cellules gouvernementales locales secrètes cherchant à éradiquer le Blanc nord-américain, cachés eux-mêmes sous un emblème américain ? Comment pouvais-je imaginer autant d'idioties dans un moment pareil ? Mon esprit était sursaturé d'images télévisuelles, c'était une autre chose, après ma kleptomanie, que j'allais devoir régler : l'ingurgitation compulsive et *lobotomisante* de certaines séries américaines.

Les jambes molles, j'ai pénétré dans un local lugubrement éclairé par des dizaines de moniteurs branchés sur des caméras qui montraient l'étendue du magasin. Un gros type était assis devant le tableau de bord, il semblait aux commandes d'un vaisseau spatial. Je me demandais s'il m'avait repérée avant même que je ne fasse sonner l'alarme. Il s'est tourné vers moi et m'a souri en brandissant son poing droit, duquel émergeait son pouce, comme s'il me félicitait d'un exploit qu'il approuvait. Ces gens allaient se foutre de ma gueule, et je ne comprendrais rien.

Avant de consteller le plancher de mon petit-déjeuner puis de m'étaler de tout mon long par terre, j'ai eu le temps de repérer le rayon des jouets sur l'un des écrans. Le vomissement était certes réel, mais l'évanouissement était simulé. Il fallait que je prenne tous les moyens possibles pour attendrir la brute qui se curait les ongles derrière un bureau, sûrement le gérant ; il me regardait avec une antipathie si palpable que si elle avait été un glaive, j'aurais été transpercée de bord en bord. Je me suis salement cogné la tête en heurtant le sol, mes talents de comédienne n'incluant pas celui de cascadeuse et, avant de fermer les yeux, j'ai vu les gardiens qui m'avaient emmenée ricaner comme si tout ça était du plus grand comique. Franchement, ça devait l'être.

Passer une semaine à simplement me reposer et remettre ma vie sur les rails aurait été trop simple.

## La salle de torture

J'ai attendu ce qui m'est apparu une éternité d'heures mexicaines, assise sur une chaise pliante, qu'il se passe quelque chose. Le local n'était pas climatisé et mes aisselles révélaient mon stress en exhalant des odeurs anormales que je ne me connaissais même pas. Mes achats et le jeu de *Rummy* miniature gisaient sur une table, témoins de mon ânerie. J'avais envie de me jeter sur les genoux et d'implorer le pardon du gérant, d'ouvrir mon porte-monnaie et de répandre tout ce qu'il contenait, tenez, prenez même ma carte Opus avec dix passages ! Prenez ma carte de crédit, le solde est à zéro ! Je vais payer le prix d'un gros *Rummy* et je vous laisserai même le petit ! Je repartirai les mains vides et jamais plus je ne volerai, jamais ! Évidemment, je suis restée coite en me demandant si je devais y aller du légendaire : « Je ne parlerai qu'en présence de mon avocat. » C'est une phrase que tout le monde comprend, peu importe la langue dans laquelle on la prononce.

Le gérant a passé quelques coups de fil avant de se lever pour me tendre un verre d'eau, qu'il était allé puiser dans la petite salle de bain attenante à son bureau. L'endroit peu salubre me coupait la soif, même si je rêvais de diluer le goût de vomi dans ma bouche. De plus, je craignais qu'il n'y ait glissé la drogue du viol, étant donné qu'il avait congédié les deux gardiens qui étaient sortis, l'air déçu ; ce n'était pas aujourd'hui qu'ils allaient participer à la « séance privée ».

J'ai accepté son verre d'eau et en ai bu une gorgée microscopique avec laquelle j'ai rincé les parois de mes joues. Je me disais qu'il en faudrait plus que cela pour que je m'évanouisse réellement.

Il s'est rassis, a croisé les bras et a enfin ouvert la bouche pour dire, dans un anglais approximatif :

– Señora Laurence, nous avons un problème. J'ai évidemment appelé la police. Nous allons l'attendre pour discuter de ce problème. Vous pouvez appeler quelqu'un, vous avez droit à un appel.

– Merci. Je vais téléphoner à mon mari.

Je trouvais que « mari » faisait plus sérieux que « amoureux ». Il m'a tendu le combiné, qui sentait la fumée de cigarillos, ce qui m'a fait penser que Jean-Marc allait sûrement faire une rechute de tabagisme quand il allait prendre connaissance de ma situation. S'il me sortait de cette histoire sans que je sois entachée d'un casier judiciaire international, je les lui achèterais moi-même, ses petits cigares puants.

J'ai dû m'y prendre par deux fois pour composer son numéro de téléphone cellulaire tellement j'étais nerveuse. Quand je l'ai entendu bramer le « Allo » toujours un peu impatienté qu'il servait à tous ceux qui l'appelaient, comme si on le dérangeait dans un moment d'importance suprême, j'ai fondu en larmes, suscitant son inquiétude immédiate.

– Laurence ? Tu es où ? C'est quoi ce numéro sur mon afficheur ? Qu'est-ce qui se passe ?

– Jean-Marc, je t'en prie, reste calme, je... j'ai... Oh...

Je pleurais trop pour articuler une phrase complète. Le gérant a claqué la langue et m'a arraché le téléphone.

– Señor. Votre femme est au Walmart de Playa Del Carmen. Elle a été prise en flagrant délit en train de voler plusieurs choses.

Je lui ai arraché le téléphone à mon tour.

– Non, non, je n'ai pas volé plusieurs choses, j'ai payé mes choses, j'ai juste oublié le petit *Rummy* sous mon sac.

– Quoi ? *Oublié* ?

Son timbre de voix et le nombre de décibels qui en émergeait m'ont percé le tympan et le cœur. Je savais qu'il ne croirait jamais que j'avais omis de payer le *Rummy* de façon involontaire, il me connaissait trop, il avait toujours craint ce moment, celui où il devrait venir me tirer d'affaire. Inutile d'essayer de minimiser ma faute, j'avais fait l'idiote et j'allais devoir affronter la réalité : j'étais une kleptomane, loin de l'âge adorable où une moue suffit pour se faire pardonner, où le méfait est puni avec une simple tape sur la main coupable d'avoir pris les bonbons à deux sous. Et puis ça ne servait à rien de dorer le titre d'un *k*, cleptomane avec son petit *c* banal suffisait ; j'avais dépassé la limite, surestimé mon pouvoir. La descente aux enfers obligée, celle que traversent pour s'en sortir les alcooliques, toxicomanes et autres dépendants, allait visiblement se produire ici, dans un pays étranger, où je ne pouvais même pas minauder pour me justifier en inventant une histoire à faire pleurer et pouvoir partir la tête à peu près haute, étant donné que je ne parlais pas un mot d'espagnol. Vrai, si le remède d'une telle infection de l'âme était de se faire prendre et de recevoir plus qu'une simple réprimande, comme je l'avais lu dans la littérature sur « ma maladie », j'allais avancer de force sur la voie de la rédemption. Car il était clair que je ne m'en sortirais pas avec quelques coups de règle sur les doigts.

– Viens me chercher, bébé.

– J'ai toujours eu peur d'entendre ces mots. Et tu me les dis là, alors qu'on est en vacances, à des kilomètres de chez nous ? À quoi as-tu pensé ? Je t'attendais à la cafétéria, je voulais t'emmener voir ce que j'ai découvert en joggant après le dîner, louer une voiture, rouler dans la campagne mexicaine, rien qui nous ferait risquer la prison !

– Et toi, pourquoi il fallait que tu ailles voir ce chantier ? Pourquoi tu ne pouvais pas juste déjeuner avec moi et laisser faire ton jogging, pour une fois ? Pourquoi on ne peut pas avoir des vacances de couple normales ?

– Oui ? Pourquoi ? Tu me le dis toi, pourquoi. J'arrive.

– Il ne faudrait pas appeler notre ambassade, ou quelque chose comme ça ?

– Je doute que l'ambassade puisse faire quoi que ce soit pour une fille qui a commis un crime répréhensible.

– Ce n'est qu'un petit jeu de *Rummy* qui ne coûte même pas dix dollars !

– Justement, pourquoi tu ne l'as pas payé s'il était si peu cher ?

– *Ça* ne marche pas comme ça.

– Qu'est-ce qui ne marche pas *comme ça* ?

Je ne pouvais pas commencer à lui expliquer la psychologie de la cleptomane type, du geste, de l'intention, du comment et du pourquoi. J'aurais dû en faire, de la psychologie, avant de me mettre dans le pétrin, comme ça je ne m'y serais pas retrouvée. Le gérant s'agitait sur sa chaise. Il m'a enlevé le téléphone des mains, lesquelles étaient si moites que j'y ai laissé des traces.

– *Señor, Señora,* c'est assez. Nous devons maintenant raccrocher. Señor Dubé, vous trouverez votre femme à l'arrière du magasin. Demandez Luis Fernando Gutierrez à l'entrée. On vous indiquera le chemin. *Hasta ahora !*

Il a raccroché alors que Jean-Marc continuait de beugler à l'autre bout. J'étais désespérée. Je voulais m'enfermer dans une petite pièce sombre, que les murs reculent sur moi et m'écrasent. Il fallait que je tombe dans ses grâces, au moins pour qu'il me laisse aller aux toilettes. J'ai fouillé dans les formules de politesse en espagnol que ma pauvre mémoire aurait pu retenir, mais rien ne me venait.

– Puis-je aller aux toilettes, *por favor* ?

– Oui, oui, mais ne verrouillez pas la porte.

Inutile de formuler cette exigence, la porte ne fermait pas, elle était sortie de ses gonds, tout juste si on pouvait l'entrebâiller. De toute façon, je me sentais si larguée que je m'en fichais bien qu'il m'entende et même qu'il me voie pisser. Alors que mes mouvements étaient fluides lors de mon larcin, j'avais maintenant du mal à lever mes bras et à mettre une jambe devant l'autre, comme si toute ma mécanique avait rouillé d'un coup. J'ai mis du papier sur le siège de toilette et m'y suis écroulée, la tête entre les mains. Là, j'ai pleuré sans retenue.

– *Señora,* cessez de pleurez, ça ne changera rien.

– Pourquoi ne me laissez-vous pas simplement partir ? J'ai fait une erreur, je ne sais pas ce qui m'a pris, je ne vole jamais ! Je ne suis pas une criminelle !

– Vous, les étrangers, vous pensez que vous pouvez venir dans notre pays et faire ce que vous voulez sans que cela ait de conséquences ?

– Je suis désolée, vraiment.

– Être désolé ne suffit pas. Vous parlerez de vos regrets à l'agent de police plus tard. Taisez-vous, j'ai des papiers à remplir.

J'ai à peine eu le temps de relever mon pantalon et de retourner sur ma chaise que j'entendais roucouler Gutierrez sur un ton avenant : « Bonjour ! Bonjour, agent Flores ! » *La policia.* Je l'aurais imaginé bedonnant et difforme, les cheveux luisant de graisse et la peau gravelée ; il était séduisant et semblait sortir d'une page publicitaire pour un parfum ou une montre de luxe. L'uniforme verdâtre qui l'enveloppait et qui n'aurait avantagé personne devenait sur lui une seconde peau, qui bougeait sans craquer, souple, sexy. J'ai tout de suite pensé à l'acteur danois Mads Mikkelsen, à cause de la carrure atypique de sa mâchoire et de ses cheveux raides et bien placés mais pas trop. Il était grand, mince et souriant. Je me suis sentie instantanément rassurée, ce qui témoignait de la continuité de mon absence de discernement entre le moment où j'avais volé le *Rummy* et ce moment-ci. Je devais être au seuil de la folie pour m'accrocher à un détail aussi futile que le look de cet agent de l'ordre. Car n'avons-nous pas coutume d'entendre dire que la police mexicaine était une des plus corrompues ? Et la corruption ne peut-elle pas revêtir différents visages, même celui de la vedette de cinéma affriolante ? Mon fantasme de Mads Mikkelsen a disparu pour laisser place à ce qui devait être en réalité une belle crapule quelconque, qui allait sûrement me soutirer la totalité de mes REER en guise de prix pour ma liberté, avant de me faire assassiner dès que j'aurais mis le pied sur le trottoir, et Jean-Marc ensuite, pour effacer toutes les traces.

Après quelques mots échangés entre lui et le gérant, ce dernier s'est mis lui aussi à sourire en hochant la tête de haut en bas, ce qui a eu pour effet de rigidifier tout ce qui ne l'était pas encore à l'intérieur de mon organisme. Peut-être ne parlaient-ils que de leurs enfants et des vacances, de travail ou d'une éventuelle partie de poker. Aucun ne me portait attention, comme si j'étais invisible ou, en tous cas, de peu d'intérêt. J'aurais dû en profiter pour effectuer une feinte, glisser silencieusement vers la porte et filer entre les étalages du magasin vers la première *« salida de emergiencia »*. Mais je n'étais ni Jack Bauer ni un des héros de *Prison*

*Break*, je n'avais aucun don pour l'esquive en situation de haute dangerosité.

J'ai été interrompue dans mes spéculations sur mes chances nulles d'évasion réussie quand Jean-Marc est entré avec fracas, suivi par Rémi qu'il avait rencontré sur le trottoir, ce qui a doublé ma honte. Les quatre mâles se sont pendant un bref instant jaugés des yeux, puis ils se sont tous mis à parler en même temps, qui en anglais, qui en espagnol, qui en français, je n'arrivais pas à suivre cette fusillade de mots.

– S'il vous plaît, s'il vous plaît !

Le sublime agent a levé une de ses belles grandes mains pour intimer à tout le monde l'ordre de se la fermer, avec une voix autoritaire mais chaude et coulante qui m'a rappelé le persiflage d'un serpent. Il aurait pu tirer un coup de feu au plafond, comme dans les films, ça aurait été la totale. Rémi s'est accroupi à côté de moi et a posé sa main sur ma cuisse.

– Comment tu vas ?

– Tu peux imaginer. Je me sens tarte comme deux. Tu dois être fâché ?

– Oui, je suis fâché. Mais je n'aurais jamais dû te laisser, j'aurais dû rester avec toi, je sentais bien que tu couvais quelque chose. Je ne connais pas les signes avant-coureurs d'un vol à l'étalage, vois-tu.

– Tu n'es aucunement responsable de mes égarements. Et puis même si tu avais été là, ça n'aurait rien changé, je l'aurais fait.

– On en reparlera plus tard.

– Oui, à travers les barreaux de ma cellule.

– Ton chum va te tirer de là. Écoute-le, on dirait qu'il est déjà en train de marchander. En espagnol, en plus. Il est splendide ce policier, hein ? Ça n'a pas d'allure.

– Oui, ça rend juste les choses encore pires. Il ne faut pas se laisser divertir par les apparences.

– Tu as raison. Qui sait si ce n'est pas le gérant poisseux qui est le bon.

– Non, ce n'est pas lui non plus. Sinon il n'aurait pas appelé le beau policier. Du moins, il en aurait appelé un moins beau.

– Chut ! Regarde-les. On vit un grand moment. Deux mecs sexy qui s'affrontent sous nos yeux.

– Grand moment ? Parle pour toi.

Ça semblait jouer dur entre le policier et Jean-Marc. Le premier conservait son sourire et le deuxième gesticulait tellement que je craignais qu'il ne casse la gueule du premier, qui ne paraissait pas du tout impressionné par les spasmes embryonnaires de kick-boxing du second. Le gérant les observait sans rien dire, son regard passant de nous à eux ; il évaluait la situation en tapotant un crayon, peut-être qu'il prenait des paris, qui allait gagner quoi. Oui, quoi ? Le policier a signalé au gérant qu'il sortait de la pièce avec Jean-Marc.

– Où est-ce que vous allez ?

– Je pense qu'il veut négocier quelque chose. Ces policiers sont potentiellement achetables, si on se fie à tous les films qu'on a vus.

– Jean-Marc, je suis désolée.

– Tu l'as déjà dit. Ça ne sert à rien, ici, d'être désolé, on va devoir payer d'une manière ou d'une autre, et de la manière dont ça s'annonce, je crois qu'il va falloir étirer notre séjour.

– Quoi ? Comment ça ? Qu'est-ce qu'il t'a proposé ? On ne peut pas faire ça !

– Crois-moi, ces types peuvent tirer toutes les ficelles et ils vont jouer celles qui font leur affaire.

Le policier a entrebâillé la porte et s'est raclé la gorge pour signifier qu'on avait suffisamment palabré à son goût. Je l'ai regardé dans les yeux et il m'a fait un clin d'œil, l'air de dire qu'il s'amusait bien et que tout allait comme sur des roulettes dans le meilleur des mondes. J'ai détourné mon regard, le menton levé dans un air de défi pour lui montrer que je n'étais sensible ni à ses manières racoleuses ni à sa mâchoire séduisante. Je m'imaginais déjà en prison, violée à répétition, droguée puis utilisée comme escorte malgré mon âge périmé pour une telle fonction ; ou pire, on me jetterait dans une fosse de mafiosos en tant que danseuse exotique, affublée d'un string en dentelle, vulgaire comme ils le sont tous, et de pompons au bout des seins pour camoufler leur affaissement. Il me faudrait plus qu'un clin d'œil pour me rassurer. Rémi me caressait la main de la douce sienne en me chuchotant que tout irait bien, sans y croire une seconde, évidemment. Je me sentais en phase terminale du cancer qui rongeait ma vie, et qui se manifestait par le vol.

Je me passais, déprimée, ce scénario funeste en attendant que Jean-Marc revienne de son long conciliabule. Rémi devisait en anglais avec le gérant, il le faisait parler de sa famille, des enfants dont les visages poupins et rougeauds souriaient sur des photos encadrées avec le plus mauvais goût, comme si cela pouvait atténuer la punition qui était en train de se monnayer. J'aurais voulu avoir un bout de papier à tripoter.

– Rémi, arrête, ça ne donne rien.

– Non, mais ça détend l'atmosphère. Il est assez gênant, ce monsieur. Tu as remarqué la couleur de son teint ? Il doit fumer comme un engin.

– Attention, des fois qu'il connaîtrait quelques mots de français. Tu ne vois pas l'affichette *Défense de fumer* ? Il est jaune à cause des effroyables néons sous lesquels je moisis depuis des heures. Toi aussi, tu es jaune.

– C'est vrai, tu es plutôt jaunâtre, toi aussi.

– Tu devrais partir.

– Je veux connaître la suite de l'histoire.

– Ce n'est pas une histoire qui aura une belle fin.

– Ne sois pas si pessimiste.

– J'ai ce que je mérite et qui aurait dû se produire depuis longtemps.

– Peut-être que tu as fait un genre d'auto-sabotage, peut-être qu'inconsciemment, tu savais qu'il était temps que quelque chose change et que ça devait passer par là.

– Sois gentil, retourne à l'hôtel et si je sors d'ici, je vais tout de suite courir te dire de quoi il en retourne. Sinon Jean-Marc le fera. Je risque d'avoir besoin d'un psychologue prochainement.

– Hum, ça ne pourra plus être moi, maintenant qu'on est amis.

– Tu veux vraiment être ami avec une scélérate ?

– Oui. Je n'en ai jamais eu, de cette sorte d'amis. Ça me changera des pédés habituels.

– Tu es gentil. Merci. J'aimerais être un de ces pédés habituels, présentement, même un que tu as méchamment largué. Je suis si fatiguée, comme si toute ma substance vitale s'était écoulée hors de moi. Tu ne devrais pas dire « pédés », ce n'est pas gentil.

– Ce n'est pas méchant non plus. Allez, respire bien, ne te laisse pas abattre, dis-toi que tu as quelque chose à tirer de tout ça.

– Oui, la fameuse leçon de vie qu'on apprend de ses erreurs et que je n'ai pas retenue, il y a quinze ans.

Il m'a embrassée sur les deux joues devant le regard curieux du gérant qui se curait les ongles avec le bout d'un trombone. Je me suis dit que je devrais mettre la main sur ce trombone; dans les séries américaines policières, on assiste toujours à la scène où le prisonnier menotté en sort un de sa manche pour se libérer, à l'aveuglette, ce qui a toujours suscité en moi une admiration doublée d'un certain scepticisme. Inutile d'y penser, personne ne peut vraiment faire ça, mais le petit bout de métal serait utile pour me suicider en l'avalant, dans un moment de découragement, alors que des rats grimperaient sur mes cuisses pendant mon sommeil à même le sol dans ma prison humide.

Jean-Marc est revenu avec le policier juste comme Rémi allait partir.

– Tu t'en vas ? Tu n'as pas envie d'entendre le verdict ?

– Oui. Il est bon ?

– Ça dépend du point de vue. De celui du playboy ici, oui, du mien, pas sûr.

– Le tien ?

– Quand je lui ai dit que j'étais entrepreneur en construction, il m'a demandé, en échange de la pseudo-liberté de Laurence, que je m'occupe de terminer un chantier laissé en friche par son entrepreneur qui s'est fait prendre dans une affaire de drogue. Il est bizarre, ce type, il m'a proposé ça tout de go, comme s'il avait mijoté son affaire depuis des heures, ce qui est impossible.

– On est peut-être devant un homme d'une intelligence supérieure, un visionnaire !

– Ça m'étonnerait, mais d'un opportunisme supérieur, en tous cas, ça oui. De plus, imagine-toi donc que c'est le chantier par lequel je suis passé hier et ce matin. C'est une baraque qu'il fait rénover pour sa femme avec qui il est en instance de divorce. Ce n'est pas fini: pendant ce temps, Laurence ira habiter chez lui avec une femme qui est, je crois, sa maîtresse, pour servir de gouvernante à son fils, lui apprendre des rudiments de français et d'anglais. Personne ne sortira du pays avant que la maison ne soit terminée.

– Quoi ? Hé, je suis là, hein, je vous entends ! On est coincés ici ?

– Je n'ai pas le choix. Tu préfères être coincée en prison ?

– Pourquoi, en prison ? On ne peut pas juste lui donner de l'argent ?

– Oublie ça, j'ai essayé.

– Je ne peux pas être une nounou ! Je n'ai aucune expérience avec les enfants ! Il a quel âge ?

– Six ans.

– Six ans ! C'est le pire âge !

– Qu'est-ce que tu en sais ? Écoute, il faut voir le positif dans tout ça.

– Le positif ? Toi, tu jubiles parce que tu vas être dans ton élément, avec une touche d'exotisme, mais moi...

– Toi ? Tu veux qu'on parle de toi ? Si tu t'étais retenue, on ne serait pas dans cette situation. Tu crois que je suis content ? Je vais devoir ajourner deux chantiers à Montréal, ou me fier sur un assistant pas trop fiable et passer des heures sur mon cellulaire à tenter de lui faire éviter des catastrophes. Je vais perdre de l'argent, tu n'as pas idée. Tu me trouvais stressé ? Attends de voir. Non, je ne jubile pas. J'essaie de sauver ta peau et crois-moi, tu préféreras l'uniforme de nounou à celui de prisonnière. Et puis ça t'évitera la honte sur la place publique.

– Ça aussi, ce sera une prison. Je suis sûre qu'il va me mettre un bracelet anti-fugue à la cheville.

– J'aurais dû t'en mettre un depuis longtemps. Ce sera une prison de luxe comparé à ce que tu pourrais te taper. Tout ce que tu auras à faire, c'est de t'occuper d'un petit morveux pendant que moi, je me ferai suer sous un soleil de plomb à diriger des employés qui ne comprendront pas un mot de ce que je vais leur dire. Crois-moi, ce type est sérieux, il peut te créer de graves ennuis, tu n'as rien pour toi dans cette histoire. Il ne laissera pas tomber cette affaire comme ça, pas sachant qu'il peut en tirer quelque chose. Et puis c'est un moindre mal, la maison est pas mal avancée, je ne devrais pas en avoir pour plus de quelques semaines si j'arrive à roder un ou deux menuisiers. Merde ! Je ne ris pas, Laurence. Tu as intérêt à te retrousser les manches, toi aussi.

Rémi était éberlué, il n'osait pas intervenir. Le policeman playboy souriait, il devait s'attendre à une scène de ménage d'ampleur pharaonique, mais j'étais si à bout, depuis deux heures que j'étais assise sur cette chaise inconfortable, que je n'avais aucune énergie pour protester davantage et lui donner la satisfaction de constater que, nord-américaines ou sud-américaines, les femmes, on est toutes pareilles, on crie quand on n'est pas contentes. En fait, j'étais surprise que Jean-Marc ne crie pas, lui. Il était même assez réservé. Je le soupçonnais de trouver quelque chose de pittoresque dans cette aventure à laquelle je le contraignais. Il a parlementé quelques secondes de plus avec le policier, Angel Flores de son joli nom, sur la procédure que nous pourrions suivre ; cela ne servait à rien, dans l'esprit du policier angélique fleuri, tout était déjà écrit. Nous allions au *resort* chercher mes affaires, Jean-Marc avait le *permiso* d'y rester jusqu'à la fin de la semaine, ce qui éviterait des « frais d'entretien » supplémentaires, d'autant plus que le chantier était tout près. Pour la suite, on verrait. Moi, une fois ma valise faite, je m'en allais directement chez la *amante* du policier. Jean-Marc a insisté pour m'y accompagner.

– Cela ne sera pas nécessaire, *señor.* Ne vous en faites pas, je vais prendre bien soin de votre amie. Vous pourrez téléphoner, mais comme elle sera à quelques heures de distance d'ici, les visites seront difficiles. *Señora,* Paulina sera heureuse d'avoir votre compagnie, ainsi qu'Esteban, un petit garçon très spécial.

– Pas *señora, señorita.*

Jean-Marc a levé les yeux au ciel. Franchement, autant marcher droit. Je n'étais pas mariée, quoi. Pour l'affreux gérant oui, mais pour le beau policier, non.

– Oh, pardon, je vous croyais époux et épouse.

– Naaah, ça n'est jamais arrivé, c'est comme ça, c'est la vie qu'on a choisie, plus ou moins. Enfin, vous savez... Alors bon, chouette, un petit garçon spécial, allons-y gaiement.

Je beurrais peut-être trop épais, en montrant autant d'enthousiasme que si je venais d'être engagée comme puéricultrice. Ce diable de policier qui avait le culot de se prénommer Angel était un salopard, enveloppé d'un enrobage mirliflore. En d'autres temps, je me serais laissé fasciner, car, franchement, il possédait toutes les qualités pour ensorceler une fille désespérée prête à tout pour amoindrir son mauvais sort. Il repoussait la mèche de cheveux trop longue qui encombrait son haut front intelligent, infusant à ce simple geste une élégance qui aurait dû effacer sa virilité mais qui, au contraire, l'exacerbait. J'étais écœurée d'avoir une pensée favorable pour lui, même si elle n'était qu'esthétique. Il éclipsait mon mâle entrepreneur et faisait de l'ombre à la distinction naturelle de Rémi. Qui le fixait sans interruption.

– C'est fou, plus on le regarde, plus on le trouve irréellement beau. Je te trouve presque chanceuse. Tu penses que c'est un *diablo* ? Il est peut-être gay, au fond. Il est clairement trop beau pour être hétéro.

– Cesse de l'examiner, il doit le savoir, qu'il est irrésistible et il en profite.

– C'est toi qui vas en profiter.

– Hé, tu veux te porter volontaire pour conduire sa voiture, peut-être ? C'est un voyou, il y a des dents de loup dans cette superbe mâchoire, il doit faire des cunnilingus épatants.

– Et des pipes. Tu as vu ses mains ? Elles sont fines, il doit être très habile avec ses doigts. Je ne serais pas surpris que ce type ait des tas de talents.

– Oui, dont le principal est d'escroquer le premier venu. Il profite de son statut pour obtenir des avantages, ce n'est pas reluisant, arrête de te pâmer.

– Tu ferais pareil dans un pays où la corruption est aussi fertile que les cactus. Et puis sans vouloir pousser le bouchon, écoutez-moi qui parle, Madame qui défie le système à sa manière.

– Manière bien bénigne comparée à la sienne.

– Ok ok *amigos, amiga,* nous devons partir. Merci beaucoup, *señor* Gutierrez, je vais vous envoyer les billets pour le spectacle d'Elton John sur le site de Chichen Itza pour vous et votre femme. *Señorita,* nous allons partir ensemble pendant que ces deux gentlemen iront de leur côté.

Il voulait brouiller les pistes, de manière à ce que Jean-Marc soit incapable de situer un iota de début de chemin pour éventuellement venir à ma rescousse. J'étais dans de beaux draps. Il me dorait la pilule, avec sa Paulina et son fils merveilleux, son intention cachée était sûrement de me vendre au marché noir.

– Quoi ? Elton John sur le site des ruines ? On va manquer ça ?

Rémi avait les yeux qui lui sortaient de la tête. Il s'en fichait bien que l'on m'emmène dans les oubliettes du Mexique, il allait manquer Elton John. Il fallait que j'accepte de ne pas être le centre d'intérêt absolu, je ne pouvais pas, même dans un moment si crucial, éclipser Elton John. Ce n'était pas le moment de critiquer ses goûts musicaux douteux.

– Calme-toi. Demande-lui donc s'il n'a pas un billet de trop.

– Je ne peux pas, il m'intimide. Excuse-moi, j'avais le béguin pour Elton John quand j'étais jeune, je ne l'écoute plus depuis son insupportable chanson pour Lady Di, je te le jure. Ça doit être un relent de mon passé qui se réveille à cause de l'énervement. Tu es prêt à partir, Jean-Marc ? Laurence, je vais t'appeler, tu ne seras pas seule dans tout ça. C'est quand même un peu excitant, non ?

– Non, pas trop. Mais merci quand même pour l'encouragement. J'imagine que je dirais les mêmes niaiseries à ta place.

– Excuse-moi, je suis un peu dépassé. Si je pouvais prendre ta place, je le ferais.

– Tu es adorable, mais arrête de dire plus de niaiseries.

– Rémi, ça te dirait de faire le chemin à pied ? L'hôtel est à une demi-heure tout au plus. J'ai besoin de décompresser. Laurence, je vais aller te voir si je peux, si j'ai le temps.

– Prends-le, le temps, s'il te plaît. Appelle-moi au moins. Tous les jours si possible. J'ai un peu peur. Tout ça me semble anormal. Je pense que je préférerais passer une nuit dans un poste de police puis aller droit au tribunal et me faire exiler au Canada pour faire mon temps.

– Ce n'est pas aussi simple. On a les mains liées. Écoute, je ferai comme je pourrai. Tu n'as pas à avoir peur, dis-toi que tu as de la chance dans ta malchance. Tu vas goûter au

Mexique profond, toi qui chialais sur le Mexique commercial. Essaie de séduire le beau mec, peut-être qu'il sera plus clément avec toi qu'avec moi.

– Pourquoi, il n'est pas clément ?

– Hé, tu le fais exprès ou quoi ? Y a pas de clémence, ici, on est ses serviteurs, pas ses invités. Viens un peu.

Il m'a serrée et embrassée, j'ai goûté sur ses lèvres l'arôme de la cigarette qu'il devait avoir fumée en venant me trouver, mais je n'ai rien dit, évidemment. Nous étions au-delà de nos conflits habituels et je ne pouvais sûrement pas le blâmer. Si cette épreuve ne me faisait pas grandir un tantinet, rien ne le pourrait. Je tremblais de tout mon corps tandis qu'il sortait du bureau avec Rémi. Mon intuition morbide me soufflait que je ne les reverrais jamais.

## Sur la route

Je testais la patience de Flores en ramassant mes choses sans me presser, en pliant mes robes et pantalons avec un soin maniaque. J'ai même plié petites culottes, bas et soutien-gorge. Alors que Jean-Marc aurait pété les plombs, lui me laissait être. Il me regardait du coin de l'œil, arborant toujours cette même expression amusée. Il m'énervait ! Est-ce que j'avais l'air de m'amuser, moi ? Je suis allée sur le balcon arrière, espérant apercevoir quelques-uns de mes animaux chéris, que je n'aurais jamais eu le temps d'apprivoiser. L'herbe était silencieuse, et solitaire. Des centaines de fourmis étaient probablement en train de creuser des galeries souterraines, sans se soucier du danger imminent d'être aspirées par les fourmiliers ou assommées par des balles de golf égarées. J'ai développé une barre de granola pour mon agouti, ou n'importe quel agouti affamé, je l'ai abandonnée sur le béton de la terrasse et j'ai refermé la porte-fenêtre sur ce jardin que je ne reverrais plus. J'ai bouclé ma valise à roulettes, pris mon sac à main et, à la dernière minute, en ai extrait les lunettes fumées du mari d'Edith. J'ai écrit un petit mot à la va-vite : « Thomas, on a tous des leçons à tirer de ce qui nous est enlevé ou donné. Soyez gentil avec votre femme, ôtez vos verres fumés et regardez-la dans les yeux. Laurence. » Puis, sur un autre feuillet, je me suis forcée à tracer ma plus belle écriture cursive, même si ma main tremblait : « Jean-Marc, je suis mortifiée. Je ne sais si mon erreur éclipse la tienne, je sais que cela ne se calcule pas comme ça, mais je dois choisir de croire que rien n'arrive pour rien sinon ce sera trop dur. Pense à moi avec indulgence, je vais faire de même envers toi. Je te promets d'être brave, même si j'ai la trouille. Moi qui ai toujours rêvé d'une vie protégée à la *Downton Abbey*, je vais bientôt me retrouver dans la saison 3 de *Prison Break* au Panama et c'est bien tant pis pour moi. »

Voyant que j'avais du mal à mettre un pied devant l'autre en traînant ma valise dont les glissières entrouvertes laissaient émerger des bouts de tissu, comme si mes vêtements s'étaient multipliés depuis mon arrivée ou avaient bouffi sous l'effet de la chaleur, Flores me l'a galamment prise des mains et nous avons accordé nos pas avec une aisance qui m'aurait enchantée en d'autres circonstances. Alors que nous approchions du stationnement, Edith a débarqué du minibus qui provenait de la plage, retenant d'une main un chapeau à larges rebords qui flottaient au vent comme des ailes de papillon. Sa longue tunique *Francine Grimaldienne* faisait des volutes, tandis qu'elle clopinait gauchement vers moi après avoir envoyé son mari au bar. Elle devait avoir forcé sur l'apéro du midi et de l'après-midi. Elle m'a embrassée fougueusement en manquant m'éborgner avec le coin de ses grosses lunettes.

– Laurence, je t'ai cherchée partout avant de partir pour la plage ! J'ai parlementé avec Thomas autour de quelques drinks, ça l'a ramolli. Il est prêt à faire amende honorable et qu'on mange ensemble ce soir, avec ton chum. Mon Dieu, présente-moi donc cet adonis en uniforme !

Flores s'est plié en deux pour la saluer avant de prendre sa main pour y déposer un baiser. Ce type était un clown. J'ai soupiré bruyamment.

– Trop tard pour les réconciliations, Edith. Faudra remettre ça, peut-être une fois de retour à Montréal. Je ne peux rien te dire maintenant, je dois y aller. Ne fais pas ces yeux-là, on les voit même derrière tes verres fumés tellement ils sont exorbités.

– Ne me dis pas qu'il est en fonction? Il... il t'arrête? Chanceuse ! Excuse-moi, je suis un peu pompette. Oups, je crois que mon talon vient de casser !

– Non-non, pas chanceuse du tout. Tu en parleras avec Jean-Marc et Rémi tout à l'heure, ils devraient arriver bientôt. J'ai laissé les lunettes de ton mari dans notre chambre, tu pourras les récupérer.

– Il va être content. Mais tu m'intrigues. Ça va aller ? Je ne te reverrai plus d'ici la fin de la semaine à l'hôtel ? Non ! Ma nouvelle amie !

– Laisse ton adresse courriel à Jean-Marc, ou demande-lui la mienne. Je pourrai peut-être communiquer de là où je serai, si je ne suis pas menottée en permanence. Refile-moi donc ton talon, ça pourrait me servir d'arme, vu sa longueur.

– Cocotte, non ! Tu vas où ?

– Je ne sais pas. Oui, oui, j'arrive, mon colonel.

– Colonel ? C'est un haut gradé ? Quand même, il est juste trop sexy. Quelle gueule ! Grrrrr... !

– C'est un méchant, ne te méprends pas. Et pas un haut gradé, juste un petit agent de police véreux.

– Il est loin d'avoir l'air méchant. Fie-toi sur moi, je sais de quoi a l'air un méchant. Tu as fait quoi, pour mériter quoi ?

– J'ai piqué dans un Walmart et je me suis fait prendre et maintenant, on doit le payer en dessous de la table.

– Un Walmart ? Il y a un Walmart dans le coin ? Où ? Ça me détendrait tellement de magasiner. Et puis quelle table ?

– La sienne, qu'est-ce que tu penses. Je vais devoir prendre soin de son fils illégitime pendant que Jean-Marc rénove la maison de sa femme. J'y vais, là, avant que monsieur ne montre son vrai caractère. Jean-Marc te racontera les détails croustillants, il va rester ici, avant de déménager Dieu sait où.

– C'est incroyable, incroyable. Je ne comprends rien de ce que tu me racontes, j'ai pourtant bu léger. Toi, voler ? Mon Dieu, Laurence. Les lunettes de Thomas, va, mais dans un magasin, dans un pays étranger ? D'accord, d'accord, excuse-moi, ce n'est pas le moment de te faire la morale. Gardons contact, ok ? Écris-moi, tu m'inquiètes. Mais ça ne peut pas être si terrible, non ? Si ?

– Je ne sais pas. N'oublie pas de te mettre de la crème solaire, vieille peau. Et si tu vas au Walmart, fais gaffe, ils ont des espions déguisés en consommateurs, comme par chez nous. Mais qu'est-ce que je te dis là, tu n'as rien d'une délinquante, toi.

– Toi non plus, vu d'ici.

– Merci, ça me rassure tellement. Bon, vas-y donc que j'y aille, « faire mon temps », comme on dit.

– Bisou. Non, mais regarde-le, quand même, laisse-lui une chance.

– Tu te rends compte de ce que tu dis ? Lui laisser une chance ? Edith ! Allez, va rejoindre ton beau et aimez-vous donc un peu, la vie est si imprévisible.

Décidément, Flores était un monstre de patience. Il parlait en espagnol dans son cellulaire en ne nous quittant pas des yeux, sans montrer de signe d'énervement. Je me maudissais d'avoir boudé les cours de langue alors qu'on les proposait gratuitement au cégep. J'avais bien essayé d'apprendre l'espagnol en petits groupes, mais comme on rigolait dès que je tentais de rouler mes *r,* qui ressemblaient davantage à un *w* gargarisé avec un *l,* j'ai abdiqué, par orgueil et dépit, me contentant de retenir quelques mots sans aucun lien entre eux, incapable d'assimiler une seule phrase complète.

Alors que je pensais m'asseoir sur la banquette arrière des canailles, il m'a fait signe que non et m'a fait monter devant, à côté de lui. J'aurais été plus à l'aise d'avoir vue à volonté sur sa nuque plutôt que sa cuisse près de la mienne. Je n'aurais jamais cru un jour avoir droit à un voyage en voiture de police. En d'autres circonstances j'aurais sûrement été excitée, je ne sais en quelles autres circonstances, toutefois ; les chances de monter à bord d'une voiture de police pour rire sont limitées.

Des gens – ces chanceux qui allaient profiter de ce club de vacances que j'avais allègrement dénigré et qui maintenant m'apparaissait comme le paradis sur terre – nous regardaient avec curiosité : qui était cette Blanche qui se faisait embarquer avec sa valise par la police locale, et quelle belle police ! J'étais sur les lieux depuis trop peu de temps pour qu'on me reconnaisse et puis de toute manière, je me sentais bien au-delà des qu'en-dira-t-on. Je voulais juste arriver au plus vite, me déposer dans ma geôle, prendre connaissance de ce qu'allait être mon quotidien pendant les prochaines semaines et perdre connaissance. J'espérais, avant de m'évanouir dans l'oubli, qu'on m'offre quelque chose à manger, même un agouti rôti, mon estomac bourdonnait au point que Flores l'a remarqué.

– Vous avez faim ? J'entends votre estomac.

– Oui, j'ai trrrrrès faim.

Sans rire de mes « r » mouillés, il s'est penché vers moi pour farfouiller dans le compartiment devant mon siège. Un effluve de romarin est parvenu à mes narines, j'ai eu envie de passer la main dans ses cheveux pour les ébouriffer et dégager sa nuque. Souffrais-je précocement du syndrome de Stockholm ? Mon Dieu ! Il a déniché une barre de chocolat aux amandes ramollie par la chaleur et me l'a tendue en souriant. Il souriait tout le temps, ce damné flic.

– J'espère qu'elle est toujours bonne. Je l'ai achetée par erreur pour Esteban, j'ai parfois tendance à oublier qu'il est allergique aux noix. Vous souffrez d'une allergie ?

– Non, aucune, merci. Vous en voulez un morceau ? Ou vous voulez en garder pour tuer Esteban s'il devient insupportable ?

– Ha ha ! Vous avez l'humour noir ! Non, mangez ce que vous voulez. Je viens de parler avec Paulina, elle va préparer un souper pour célébrer votre arrivée.

– C'est vraiment gentil.

Anormalement gentil, ai-je pensé. Quelque chose n'allait pas. Il cherchait à me déstabiliser. J'appréhendais le moment où nous prendrions un chemin connu de lui seul, donnant sur un énorme cratère, là où il déversait tous les brigands qu'il laissait à leur sort, qui consistait soit à se faire manger par le soleil puis par les oiseaux de proie, soit à attendre qu'on vienne les chercher pour en faire des esclaves. Ma gorge est devenue aussi sèche qu'un carré de sable.

– C'est gentil, oui, mais ce n'est pas un événement heureux, il me semble. Rien à célébrer, vraiment.

– Ne parlez pas comme ça. Vous allez aimer l'endroit où je vous emmène. Paulina est une fille gentille, vous l'aimerez. Elle me fait un peu penser à vous. Spontanée, agitée, mince comme un fil. Et vous aimerez autant Esteban, c'est un petit garçon futé. Il parle un peu l'anglais, vous savez, mais vous l'aiderez à apprendre quelques mots de français. Paulina a étudié votre langue plus jeune, vous pourrez vous amuser à vous instruire l'une et l'autre. Enfin, tout le monde a besoin de tout le monde dans la vie, n'est-ce pas ?

Vraiment, ce type était habile, un baratineur de première. Pourquoi utilisait-il autant le mot « aimer » ? Je n'étais pour lui qu'une petite voleuse à l'étalage dont il pouvait tirer parti. Je ne croyais pas un mot de ce qu'il avançait, ce paradis dont il me vantait les vertus sociales. Mais je préférais ne pas contester ses dires et entrer dans son jeu.

– Je vais faire de mon mieux, mais je ne suis pas très bonne avec les enfants.

– Ce n'est pas ce que m'a dit votre ami.

– Quoi ? Je n'ai aucune affinité avec les enfants. Qu'est-ce qu'il vous a dit, au juste ?

– Rien d'important. Esteban n'est pas un enfant ordinaire, vous verrez.

Il a démarré la voiture et m'a ordonné de garder les yeux clos, même si ce faisant, a-t-il ajouté, je louperais le *merveilleux paysage*. C'était cela ou il me mettrait la tête dans un sac de jute, pour que je perde la notion des lieux, au cas où je tenterais de m'échapper. Cela m'apparaissait plutôt amateur et naïf ; je pouvais très bien entrouvrir les paupières à son insu et cueillir des points de repère sur le chemin. Mais m'évader pour aller où et faire quoi ? Me rendre au poste de police pour dire que j'avais été kidnappée par un policier ? J'avais déjà assez fait rire de moi, et puis de toute façon, mes qualités de topographe ne me permettraient jamais de retrouver mon chemin en terre inconnue, moi qui pouvais me perdre entre Notre-Dame-de-Grâce et Côte-des-Neiges. J'ai décidé de jouer la carte de la franchise et lui ai fait part de mes réflexions. Il a éclaté de rire. Ses dents étaient droites, lisses, couvertes de l'émail impeccable et luisant de celui qui n'a jamais fumé, de vraies belles dents de carnivore en pleine santé. J'ai senti toutes les miennes se déchausser d'un coup.

– Ha ha ! Je blaguais, *chiquilla* ! J'ai vu tous ces films de gangsters américains, je voulais vous faire peur ! Appréciez la vue, vous allez voir le vrai pays, celui que vous ne voyez pas dans ces enclos de touristes.

Ce Flores était une énigme. Rien ne semblait mauvais en lui et pourtant, il commettait un acte aussi répréhensible, sinon plus, que celui que j'avais commis pour me retrouver dans cette situation burlesque. C'était à n'y rien comprendre. Devais-je simplement m'amuser de ce retournement du destin et croire les fadaises qui sortaient de sa bouche ? M'emmenait-il vraiment chez lui pour servir de domestique ou bien dans un endroit sinistre où on se servait des petits voleurs pour creuser des tranchées, accomplir des travaux ingrats sur le bord des routes plombées par le soleil cuisant ?

De toute façon, cuite, je l'étais déjà. Et est-ce que la suite des choses pouvait être pire que de passer la semaine dans ce tout-compris en espérant renouveler mon amour épuisé et retrouver ma confiance bafouée, tout en compensant par des amitiés spontanées, Rémi, Edith ? Depuis quand une relation solide se bâtit-elle au sein du romantisme de vacances artificielles comme celles qu'on passe dans ce genre d'endroit ? On a l'impression que c'est pour la vie, on trinque à cette nouvelle amitié, et puis une fois revenu, dans nos pénates, dans la réalité morne et contraignante du quotidien, on oublie ces promesses que l'on s'est faites sous le chaud soleil, enivrés par les daiquiris ingurgités en ligne. Rémi faisait-il partie de ces égarements ? Ma notion de certitude était plutôt ébranlée en ce moment.

Me voyant perdue dans de sombres pensées, Flores s'est remis à me faire la conversation, me donnant toutes sortes de détails cocasses concernant les us et coutumes locaux. Entre autres, il m'a appris que les policiers chargés de faire la circulation étaient équipés d'une paire de pinces et d'un tournevis plutôt que d'une arme ; si vous dépassiez la limite de vitesse permise, on dévissait la plaque d'immatriculation de votre véhicule pour l'apporter au poste de police le plus proche. Ainsi, pour la récupérer, il fallait payer l'amende, pas de compromis ! Ha ha ! J'ai ri par politesse.

À première vue, les Mexicains ne suivaient pas de cours de conduite ; ils s'assoyaient derrière un volant et conduisaient. Pour eux, la signalisation paraissait davantage tenir de la décoration que du Code de la route. Flores filait à toute allure, dépassant d'autres conducteurs incroyablement lents qui avançaient parallèlement sur le même segment de route, évitant avec adresse chevaux, vaches, ânes et poules se dressant devant eux. Pas plus qu'à Montréal, on ne semblait connaître l'usage et l'importance des clignotants.

Nous avons traversé des villages typiques et croisé des *cenotes*, ces petits lacs aux eaux limpides formés, m'a-t-il expliqué, par l'affaissement de sols poreux, où il était agréable de se baigner. Ils étaient probablement très pratiques aussi pour y faire disparaître des gens. Je crevais de chaleur, aussi la vision de ces bassins m'apparaissait-elle comme un mirage. Je me sentais si indisposée par la sueur qui ruisselait sur tout mon corps que je ne captais qu'un mot sur deux de son incessant verbiage truffé de mots en espagnol, comme s'il voulait mine de rien m'initier, du moins m'habituer à sa langue. Le vent chaud fouettait mon visage et petit à petit, d'exténuement, je me suis à demi assoupie. J'ai eu le temps d'apercevoir, à travers un brouillard de poussière, un panonceau sur lequel était inscrit *Via en mal estado* alors que nous entamions l'ascension d'une petite route sinueuse et isolée, parsemée d'une végétation hirsute où je n'aurais pas été étonnée de voir apparaître un coyote, quelques serpents et les acolytes de Flores. J'ai eu peur. Il a freiné puis éteint le moteur ; le bruit qu'a produit le silence soudain était assourdissant. En d'autres circonstances, j'aurais apprécié la qualité de ce silence mais là, il n'augurait rien de pacifique. Flores a rompu la quiétude en respirant profondément, comme s'il se préparait à entrer en transe. Il a regardé droit devant lui puis il a fermé les yeux pendant deux secondes qui m'ont paru deux minutes, avant de les rouvrir en continuant son exercice de respiration. Moi, je la retenais, ma respiration, comme si j'étais sous l'eau. Il a pincé l'arête de son nez, massé ses sourcils, puis il est sorti de la voiture. Ça y est, me suis-je dit, c'est ici que ça se termine. Je me retrouvais dans cette situation extraordinaire parce que j'avais vécu une vie malhonnête ; mon existence était cette route en mauvais état sur laquelle j'avais roulé chichement vêtue depuis ma naissance, et jusque là. J'espérais seulement que la fin ne serait pas trop souffrante.

Flores s'est longuement étiré en bâillant bruyamment et en effectuant quelques rotations du bassin. Il a lentement déboutonné sa chemise et, une fois qu'il l'a eu enlevée et nouée autour de sa taille, j'ai eu l'occasion d'apercevoir de beaux muscles émerger des manches de son t-shirt, assez développés pour étrangler un petit cou comme le mien sans faire trop d'effort. Il s'est tourné vers moi et m'a montré sa braguette en ricanant. Je n'ai pas eu le temps de réfléchir à cette mimique qu'il baissait la fermeture éclair de son pantalon et se mettait à uriner contre un buisson aussi sec que l'intérieur de ma bouche, presque sous mon nez. J'ai ressenti un tel soulagement que j'en ai presque pissé dans mes culottes moi-même. Il a remonté sa braguette et m'a toisée en souriant, comme si de rien n'était. Un autre qui pissait partout et devant tout le monde sans vergogne. Crotte de crotte, il était craquant, dans son t-shirt blanc, le summum en matière vestimentaire masculine à mes yeux, surtout s'il est porté avec un jean. Mais, accompagné de son pantalon d'uniforme, c'était encore pire, ou mieux.

– Vous n'avez pas envie de vider votre vessie, señorita? C'est le temps, nous en avons encore pour une bonne demi-heure.

– Oui. Je vais aller derrière ce petit arbre là-bas. Ce n'est pas trop loin?

– Ha ha, ça ira, il est deux fois plus mince que vous, je vous aurai à l'œil.

– S'il vous plaît, ne regardez pas.

– Je me retourne, mais ne vous sauvez pas. Le désert est rempli de bêtes sauvages.

– Plus sauvages que vous?

– Vous n'avez pas idée.

Je me suis accroupie derrière le tronc de l'arbre de manière à ce que la vision de mon derrière soit offerte à l'erg plutôt qu'à Flores et j'ai fait mon petit besoin dans un monceau de branches qui a absorbé le liquide avec abnégation. La terre était, décidément, un urinoir à ciel ouvert.

## Visite de la prison

Nous avons repris la route en silence. Flores ne parlait plus, ce qui m'inquiétait au plus haut point et allouait à mon esprit l'occasion de naviguer sur la mer déchaînée de mes divagations. De ma vie je n'avais vécu une telle anxiété. Je me voyais écrouée dans un bloc de béton gris, avec en guise de lit un sac de fèves jeté sur un sol poussiéreux parsemé d'ossements d'anciens prisonniers, entre des murs suintant l'urine et ornés d'une unique et microscopique fenêtre d'où je ne pourrais apercevoir qu'un coin de ciel bleu. La maîtresse de Flores me nourrirait par une chatière, me glissant une écuelle de métal contenant les restes du repas de son amant, sûrement agrémentés d'un crachat. Parfois Le Chat viendrait me couvrir de puces et d'affection. Dans cette humidité et ce manque d'hygiène, je développerais une maladie de peau pire que celle de l'homme-furoncles que j'avais contemplé à l'urgence de l'hôpital, ce qui m'apprendrait à avoir ri de lui, pas tout haut, pas rire vraiment non plus, mais d'avoir juste eu une pensée odieuse. Au fil du temps, je me mettrais à la méditation, assise à même la terre battue. Mes dents et mes cheveux tomberaient et je toucherais la vacuité qui me délivrerait de toutes les sensations terrestres. Un jour, mon écuelle resterait au bord de la chatière et on découvrirait mon corps inanimé mais assis, dans un asana de yogi, enveloppé d'une fine couche de poussière dorée qui serait mon ultime vêtement, impossible à acheter dans aucune boutique et surtout pas au Vallon des Valeurs. Chose étrange et qui resterait inexpliquée, un gigantesque et magnifique papillon se serait greffé sur mon visage, les ailes ouvertes, exposant sa splendeur, préservant ma décrépitude. Le Chat m'aimait. Il mourrait de tristesse. Fin.

– *Señorita,* vous dormez ?

– Non. Je médite.

– C'est bien, vous pourrez apprendre ça à Paulina, elle aurait besoin de cela, une méthode de relaxation. Elle est sur le chemin de la rédemption. Tout comme vous.

– Ah bon ? Pourquoi ? Je ne méditais pas dans le sens de méditer.

– Ah. Enfin... Je dois m'arrêter chez un collègue qui habite tout près. Je n'en aurai que pour quelques minutes.

– C'est vous le chef.

Il a effectué quelques manœuvres et nous avons emprunté un chemin transversal qui ne semblait mener nulle part. À ce stade-là, j'étais tellement amaigrie moralement qu'il m'aurait abandonnée en plein désert, je ne m'en serais pas sentie plus mal. Il s'est arrêté à quelques mètres d'une maisonnette qui ne payait pas de mine et me rappelait les maisons décaties peuplées de dégénérés difformes et cannibales dans *The Hills have Eyes*. Jean-Marc avait raison, écouter trop de films d'horreur n'était pas bon pour le mental.

Un homme est sorti sur le porche, enfin, sur l'absence de porche, étant donné que la casa était posée directement sur la terre, sans fioritures d'aucune sorte pour lui donner un cachet de maison. S'il s'agissait là d'un policier, il devait avoir été déchu de son poste depuis longtemps pour habiter dans un endroit aussi isolé et misérable, ou alors c'est qu'il se cachait. Il a eu l'air content de voir arriver Flores, qu'il a pris dans ses bras et serré longuement avant de le faire entrer. Difficile de lui donner un âge, de là où je me trouvais, mais sa posture légèrement voûtée pouvait laisser croire qu'il était plus vieux que Flores.

Je suis sortie de la voiture, car je risquais d'y étouffer. À l'extérieur, ce n'était guère mieux mais, au moins, il y avait un semblant d'air à respirer. J'ai fouillé dans mon sac et j'y ai déniché mon ensemble de feuilles cartonnées, que je traînais partout avec moi. Assise sur une souche, j'ai confectionné un oiseau du paradis qui, en fin de compte, ressemblait à une girafe atrophiée. J'étais en train de perdre mon pouvoir ! J'ai donc pris un stylo et calligraphié quelques lignes d'alphabet, enchaînant les minuscules et les majuscules en guirlandes jusqu'à ce que je me mette à pleurer et que mes larmes diluent l'encre et que les lettres se mélangent dans une flaque bleue. Flores est revenu à ce moment. Il a pris mon oiseau-girafe et l'a fait tourner entre ses mains, l'examinant comme un objet rare.

– Il faudra aussi que vous montriez comment faire cela à Esteban. Vous avez un talent. Ne pleurez pas, s'il vous plaît, je n'ai jamais su quoi faire avec une femme qui pleure.

– En cela, vous êtes comme la plupart des hommes. Je suis fatiguée, et inquiète, c'est normal, non ?

– Oui. Mais il y a pire sort. Mon ami, que je viens de voir, est très malade.

– Pourquoi vit-il si isolé ?

– Il a été pris dans une mauvaise affaire, on l'a menacé, on a fait disparaître sa femme, il a dû venir se cacher ici pour que les malfrats qu'il avait tenté de dénoncer ne lui fasse pas la peau. Je viens régulièrement, je lui apporte des vivres, des livres, parfois c'est Paulina qui le visite et lui apporte des médicaments.

– Vous l'aimez bien.

– C'était mon partenaire, mon meilleur ami. Il est toujours en danger, ces gens ne lâchent pas prise aussi facilement. Ils savent qu'il a des noms, des informations qui pourraient faire tomber, du moins amoindrir sérieusement, leur petit cartel de minables. Je l'aurais pris au ranch mais je ne peux risquer la sécurité d'Esteban et de Paulina, alors on a fait comme ça. On vient le plus souvent possible, pour nous assurer que tout va bien, tout en étant conscients que tout peut arriver. Je suis toujours surpris de le voir si calme, comme s'il acceptait son sort ou qu'il avait fait un *deathwish*. Il refuse même d'avoir une arme. Je pense qu'au fond, il n'aspire qu'à rejoindre sa femme, peu importe la façon.

Il s'est tu pour rentrer en lui-même et nous avons continué sur la petite route en mauvais état sans plus parler. Tout à coup, j'ai senti un poids me quitter. Flores avait du bon en lui. Le souci qu'il démontrait pour son ami me touchait. Et mon sort à moi était entre ses mains. Je n'étais pas sa meilleure amie, certes, mais je n'étais pas non plus son ennemie. Je serais ce qu'il voudrait que je sois, de toute façon.

La maison de Flores était de bonne dimension mais d'allure modeste, dans les tons de rose, d'ocre et de jaune, déposée dans le creux d'une vallée où pâturait un cheval. Quelques bâtiments s'éparpillaient sur le terrain, destinés au matériel et aux animaux de ferme. L'air était devenu doux en cette fin de journée et sentait merveilleusement bon les fleurs et le vent chaud mais sec. Rien de si mal ne pouvait arriver dans un tel eden, n'est-ce pas? Dans ma détresse, j'avais évidemment imaginé que la vie me réservait le pire châtiment, pour expier « mon crime ». À moins que ce ne fût qu'un leurre, une façade qui cachait la vérité; on allait me loger avec l'âne ou avec d'autres captifs enchaînés dans une grange. Je priais pour que ce soit avec l'âne.

Esteban jouait dans le jardin, empilant des blocs de bois les uns sur les autres en une construction précaire. Quand il nous a vus arriver, Flores et moi, il a fait tomber sa tour, s'est hissé sur ses petits bras maigrelets pour s'emparer de béquilles en alliage et a titubé à toute vitesse vers nous en émettant un cliquetis métallique. Mon cœur s'est momentanément arrêté de battre et j'ai dû blêmir à un point tel que Flores m'a demandé si j'allais bien. Puis il a serré solennellement la main du petit garçon en ricanant ; tous les deux riaient, comme s'il s'agissait d'un code secret, la poignée de main qui en dit long. Esteban a plongé dans les miens ses grands yeux de faon bordés de cils longs et fournis en me tendant la main, continuant de s'appuyer sur une unique béquille. J'ai pensé à Bambi pour chasser la vision qui cherchait à se faufiler dans mon esprit. J'allais être incapable de faire face à ce petit garçon ; Esteban rendait mes béquilles intérieures insignifiantes. J'étais pétrifiée, alors qu'il déposait un baiser sur ma main moite, tel père tel fils. Ce faisant, il a manqué tomber vers l'avant et s'est retenu à ma hanche. Je l'ai attrapé et soutenu, alors qu'il remettait sa béquille autour de son bras et se redressait sur ses jambes tordues sans paraître le moindrement troublé.

– Il est handicapé depuis sa naissance. Mais ça n'empêche rien, n'est-ce pas, petit gars ?

– Non, mon oncle, parce qu'on est des super héros et qu'on peut voler !

– Oh que oui, on peut voler. Montre à la dame comment on fait.

Mon oncle ? Flores a empoigné Esteban et l'a levé au-dessus de sa tête en le secouant doucement, produisant des sons d'avion supersonique avec sa bouche. J'étais dans un rêve rose *nanane*, un film cucu de série B, le genre qui passe l'après-midi et que les ménagères écoutent en repassant, humidifiant les chemises avec leurs larmes. Il ne manquait que la maîtresse parfaite.

Suivie par un chihuahua blanc qui la faisait trébucher à tous les pas, Paulina courait vers nous en riant. Le chien riait lui aussi, il a jappé tant que je ne me suis pas penchée pour astiquer abondamment sa petite tête de linotte. Heureusement, grâce à mon ingestion de l'œuvre complète des *Chihuahuas de Beverly Hills,* trilogie monumentale qu'à ma grande honte j'avais adorée, j'affectionne maintenant ces petits lardons.

– Bienvenue, bienvenue, mademoiselle Laurence. Tu as rencontré Esteban. Esteban, tu seras gentil avec la dame ?

– Oui, Mama.

– Pippa, laisse Laurence ! Cette petite chienne est née pour se faire caresser, elle ne te laissera pas une seconde de tranquillité si tu commences.

– Je vois ça. Pippa, je croyais que tu étais un garçon, je n'avais pas vu que tu n'avais pas de zizi ! Viens ici, petite puce.

Pour me donner une contenance, je l'ai soulevée et serrée contre moi et, puisqu'elle sentait bon le petit chien propre, je lui ai aussi bécoté le crâne. Je ne savais plus où me mettre et je n'arrivais pas à rendre son regard à Esteban qui lui, me dévorait des yeux. L'effet Flores reprenait du service : le garnement était irrésistible. Il était hors de question que je craque pour ce bambin malade alors que son espérance de vie était peut-être fort courte. En fait, je n'en savais rien, il semblait en parfaite santé malgré son handicap et puis, pourquoi avais-je cette pensée ? De toute façon, je ne resterais pas assez longtemps dans les parages pour avoir le temps de m'attacher, ou pour devoir me retenir de le faire.

Après avoir libéré son visage des cascades de cheveux noirs parsemés de fils gris qui encombraient ses joues, pour les attacher avec un élastique en queue de cheval façon petite fille, Paulina a pris son fils et l'a embrassé tendrement. Elle n'avait rien de la maîtresse mexicaine sulfureuse. Sur ses joues, quelques cicatrices d'une acné ancienne, à moitié cachées par des lunettes à monture noire vintage. Elle ne portait aucun maquillage à part un trait noir qui entourait ses yeux sombres. Vêtue d'un jeans et d'un ample chemisier blanc dont elle avait remonté les manches au-dessus des poignets, elle affichait une maigreur suspecte. Ses mains étaient striées de veines saillantes. Si ses manches avaient été retroussées plus haut sur ses bras, j'aurais vu autre chose.

Il émanait d'elle un mélange de fragilité et de force, comme si elle faisait partie de ceux qui en avaient *arraché dans la vie*, qui, même une fois « guéris », conservaient des relents de leur passé. Je me suis sentie bizarrement contente que Flores soit avec une femme « normale » et non avec la *poupoune* entretenue que j'avais imaginée. Mais qu'est-ce que ça pouvait bien me faire, de les aimer ou pas, ces gens ? Je n'étais pas ici pour développer des liens mais pour « purger ma peine ». Il fallait vraiment me méfier de ce syndrome de Stockholm, j'étais une proie idéale.

Trois paires d'yeux adorateurs les uns des autres se sont tour à tour posés sur moi et je me suis sentie l'objet d'une affection non méritée, comme s'ils voulaient m'intégrer dans leur cercle. Pourquoi ? Je n'avais rien fait, rien qui me valût leur gentillesse spontanée ! Non, je n'allais pas pouvoir tenir le coup. Il me faudrait trouver un moyen de m'enfuir, rejoindre une guérilla quelconque, apprendre à tirer à la mitraillette et à mettre des villages à sac, n'importe quoi plutôt que de m'amollir dans cette version mexicaine de *La petite maison dans la prairie* où tout n'était qu'amour, acceptation, solidarité. Tout ça grâce à un magouilleur déguisé en dieu solaire devant qui tout le monde devait fondre, moi y compris si je ne m'endurcissais pas sur-le-champ. J'aurais préféré un flic hargneux et une vile maîtresse, calculatrice, ayant enfanté un morveux impossible qui aurait eu toutes ses capacités motrices si bien que j'aurais pu le détester copieusement et n'avoir aucun scrupule à lui apprendre à parler un français inspiré de *twits* et de *textos*.

Paulina m'a tirée de ma catatonie en me prenant par la main pour m'entraîner dans un délire totalement féminin pour lequel j'étais loin d'être disposée, mon énergie rasant le seuil de pauvreté. Elle m'a fait visiter toutes les pièces de la maison en ouvrant et claquant les portes avec trop de bruit, elle riait sans arrêt de son rire cristallin, comme si tout cela était du plus grand comique, en décrivant le tout dans un anglais approximatif dont l'accent chantant aurait peut-être fait bander une armée d'eunuques mais pas moi : son timbre de voix, qui tanguait entre les hautes et les basses, comme si elle était incapable de le stabiliser, me tapait un peu sur les nerfs. Parfois, elle s'arrêtait de gigoter, se massait les bras puis fixait un point dans le vide avant de repartir de plus belle.

Nous sommes sorties par la cour arrière, là où picoraient des poules qu'elle chassait du bout du pied. À la place de ces poules, je n'aurais pondu aucun œuf, je n'aurais pas aimé me faire donner des coups, aussi inoffensifs soient-ils. Elle m'a présenté les animaux de leur petite ferme : chèvres, vaches, chevaux, lapins, cochons. Ils portaient presque tous les prénoms que leur avait attribués Esteban, sauf ceux que la famille mangerait, ce qui m'est apparu sensé car après l'apparition de *Babe* sur nos écrans, je n'avais plus, pour ma part, consommé de porc pendant toute une décennie. Nous sommes rentrées dans la maison et elle m'a fait monter dans sa chambre. Elle s'est mise à jeter sur son lit des quantités de robes aux motifs chamarrés qui, franchement, avaient du style : je n'aurais jamais pu trouver l'équivalent dans un Vallon des Valeurs canadien. Elle les mesurait sur mon corps, séparant celles qui m'iraient décemment de celles qui feraient de moi une caricature de catin. Nous avions à peu de choses près le même gabarit, mais ma minceur était différente de la sienne, plus équilibrée, avec du gras autour des os aux bons endroits, sur les bons os. Elle me semblait friable, j'avais l'impression d'entendre ses os crisser à chacun de ses mouvements. Sa fébrilité, cet état d'excitation extrême qui l'amenait à produire des mouvements compulsifs puis, tout à coup, à frôler la catatonie, m'ébranlait. Je n'étais pas là pour faire une analyse de sa personnalité limite, mais pour le moment, je me sentais envahie par toutes ces manifestations théâtrales. Je me devais de rester polie et d'accueillir sa générosité, avec la forme qu'elle adoptait.

– Paulina, je ne peux pas prendre tes robes. Garde-les, j'ai ce qu'il me faut.

– Non, non, je ne les porte plus, je ne porte plus de robes ou presque, elles font partie du passé, j'aurais dû toutes les jeter. Je laisse de côté celles qui ne te donneraient pas une *bonne image*. Je ne veux pas que tu aies l'air d'une *puta*.

Elle m'a dévêtue sans me demander mon accord et moi, épuisée, je me suis laissé faire comme si j'étais sa poupée. Elle a décidé de m'habiller d'une tunique blanche à petits pois verts en coton léger, toute simple ; elle m'allait comme une gaine et couvrait en plus mon gras de genou, qu'elle avait dû juger nécessaire de camoufler.

Paulina avait l'air vraiment contente que je sois là, elle babillait sans arrêt en empruntant du vocabulaire dans les trois langues, comme si elle n'avait pas dit un mot depuis des jours. Petit à petit, en séparant l'anglais du français et de l'espagnol, j'ai saisi qu'elle se sentait seule dans sa belle maison rurale trop isolée, elle qui avait un jour goûté aux joies de l'urbanité. Mais elle en parlait comme s'il s'agissait, plutôt que des joies, de facilités à se procurer des *choses* dont je n'ai pas trop compris la nature. Quand elle entrait dans ce qui m'apparaissait être des zones plus sensibles de sa vie, elle utilisait l'espagnol, comme si elle se déconnectait de la réalité, ou comme si elle n'était pas prête à me les confier mais qu'elle ne pouvait pas s'en empêcher, emportée malgré elle par le flot de ses paroles. Ses yeux s'assombrissaient et un pli se creusait autour de sa bouche. Bien qu'elle m'intriguât, je ne voulais pas lui poser de questions, de peur de la relancer et qu'elle n'en finisse jamais : j'avais égoïstement hâte qu'elle se tarisse et que je puisse aller me reposer, fermer les yeux et espérer que le clou qui me perforait la tempe gauche s'enfonce une fois pour toutes et que je ne le sente plus.

Dans la cuisine, nous sommes tombées sur une dame habillée comme une employée d'hôpital, qui devait avoir la soixantaine et arborait le faciès pétrifié d'un cyborg. Elle m'a examinée avec un air suspicieux, comme si j'étais coupable de quelque chose. Ah oui, j'étais coupable de quelque chose. Paulina me l'a présentée comme leur « aide essentielle », Fernanda. Elle m'a tendu une main sèche mais ferme, en me transperçant de petits yeux dans lesquels luisait un éclair inquiétant, puis nous a souhaité une bonne fin de journée en claquant la porte derrière elle. J'espérais ne pas avoir affaire à cette aide essentielle. Il y avait enfin des employés occasionnels qui venaient s'occuper des bêtes et du jardin, et que Paulina traitait comme s'ils faisaient partie de la famille, leur offrant repas et parfois gîte. La version mexicaine et moderne de *Downton Abbey*, ai-je pensé en tentant de contrôler un malaise qui s'insinuait en moi, ce qui était paradoxal étant donné que la seule idée de *Downton Abbey* aurait dû me rassurer.

J'étais abasourdie par toutes ces informations qu'elle me débitait à la vitesse grand V comme si nous n'avions que quelques heures à passer ensemble. J'aurais aimé que ce soit le cas, mais en même temps, tout ceci me rendait si curieuse que j'avais envie de comprendre dans quel ovni j'avais été embarquée. Je me sentais tellement loin de mes repères que Montréal et même le *resort*, Rémi, Edith, m'apparaissaient maintenant comme un rêve brumeux.

Paulina continuait à me mitrailler de renseignements plus ou moins pertinents, comme si chaque mot était une drogue et qu'aucun point n'arrivait à terminer une phrase de manière à laisser un espace pour que je puisse en placer un. Il lui en fallait plus et plus encore ; si elle s'arrêtait de parler, elle s'affaisserait comme une poupée mécanique au ressort brisé. Je me demandais ce qui, d'elle, pouvait captiver un homme aussi posé que Flores. Si les contraires s'attirent, ils en étaient la preuve. Par contre, je ne me demandais pas une seconde ce qui, de Flores, pouvait être attirant.

Je me suis secouée pour activer un second souffle, sinon j'allais m'effondrer tant Paulina tirait tout mon jus, pour le peu qu'il me restait. Elle était aimable, et de toute évidence désireuse de se faire aimer. Je n'arrivais pas à la cerner précisément. Elle s'est enfin calmée, comme si elle s'était vidée en une seconde de toute son énergie, et nous nous sommes assises dans le fauteuil berçant sur le porche. Au moins, sa voix avait quitté les hautes et elle ne parlait plus dans les trois langues, seulement en anglais. J'ai fermé les yeux pour au moins ménager mon sens de la vue et j'ai laissé sa voix créer des sous-titres qui défilaient sous mes paupières.

Elle avait commencé des études en littérature à l'Université de Mexico, mais le décès de son père l'avait obligée à quitter l'école pour aller *travailler*, dans quoi exactement, je ne l'ai pas compris, puisqu'elle en omettait des bouts, ou alors c'est moi qui, à cause de la fatigue, ratais certains détails. Il y a deux ans, Flores lui avait proposé une autre vie, une vie *meilleure* dans le ranch qu'il avait acheté pour vivre indépendamment de sa femme avec qui il ne s'entendait plus. Il y venait aussi souvent qu'il le pouvait, il était un ange, il l'avait sortie d'une vie dont elle ne voulait plus ; encore une fois, elle restait nébuleuse au sujet de cette vie. Le fait qu'il soit marié ne paraissait présenter aucun problème pour qui que ce soit, elle ne l'a d'ailleurs pas mentionné et je n'ai pas insisté sur ce détail apparemment trivial, même s'il présentait pour moi un écueil évident.

J'ai profité d'une pause avec un point-virgule pour lui demander si elle pouvait me montrer « ma chambre », j'ai osé l'appeler ainsi tout en ayant à l'esprit qu'il devait s'agir d'un recoin que, dans son hystérie, elle avait oublié de me montrer. Mais non, j'héritais de la jolie chambre jaune où j'avais repéré, avec un petit pincement au cœur, un toutou Snoopy sur l'oreiller, une chambre d'amis qui allait enfin servir à une invitée. J'étais « une invitée », maintenant. Une invitée si visiblement fatiguée que Paulina m'a enfin libérée de son emprise pour que je puisse m'installer. Elle est descendue à la cuisine et j'ai entendu casseroles et ustensiles s'entrechoquer avec bruit. Elle m'a crié que je serais la bienvenue pour souper, sinon elle viendrait me porter une assiette, si je préférais être tranquille jusqu'au lendemain. J'étais trop bien traitée, ça n'allait pas, j'étais censée souffrir, payer pour ma faute, pas être remerciée.

Après avoir défait ma valise et jeté mes guenilles à la va-vite dans les tiroirs et la penderie, je me suis étendue sur le lit, directement sur la courtepointe qui le recouvrait, sans aucun dédain, et je me suis assoupie malgré les échos de voix aux accents colorés qui me parvenaient dans cette langue chantante dont les *r* roucoulants me narguaient gentiment.

## Le cloaque du doute et un début de lumière

Il faisait nuit lorsque j'ai ouvert les yeux. J'avais dormi quelques heures et tout le monde était couché. Seuls deux sons perçaient le silence impressionnant : le bruissement des insectes nocturnes et un bruit reconnaissable entre tous qui venait de la chambre attenante à la mienne ; Flores ronflait aussi fortement que deux gars de chantier couchés en cuillère sur un bloc de béton armé. Il était reparti la veille après m'avoir déposée, aussi n'avais-je pas eu l'occasion de lui parler des *conditions* de mon *internement*. Il avait dû revenir alors que je dormais comme une morte.

Paulina avait laissé sur ma table de chevet une assiette avec un avocat, du fromage, du pain de maïs et un morceau de chocolat. Une carafe d'eau dans laquelle nageaient des tranches de lime complétait le tout. Pouvais-je boire de cette eau ? Je l'ai avalée sans me questionner davantage, j'étais totalement déshydratée et j'ai mangé ma collation en me pourléchant les babines. Tout était trop bon, je ne serais pas malade. Par la fenêtre, je pouvais voir le contour des proches collines se détacher sur l'horizon bleuté et entendre renifler les chevaux qui prenaient l'air nocturne. Tout ça était irréel. De ma fenêtre à Montréal, ma vue consistait en d'autres triplex, aux balcons chargés de vélos rouillés, de barbecues et de meubles de patio éprouvés par les intempéries, et de voisins s'espionnant les uns les autres comme des belettes.

Rien d'aussi idyllique. Il y avait à l'intérieur de moi une fille de la campagne forcée de s'accommoder de l'urbanité à défaut d'avoir eu le courage de s'exiler pour vivre l'aventure rurale.

Sur la pointe des pieds, je suis descendue au rez-de-chaussée. Le carrelage était agréablement frais sous mes pieds. Pippa dormait d'un œil, roulée en boule dans un panier. Elle s'est levée, s'est étirée en bâillant longuement et m'a suivie dans mon exploration en marchant sur la pointe des pattes. Une lumière était restée allumée dans une pièce que je n'avais pas visitée. J'ai craint que quelqu'un ne s'y trouve, aussi ai-je entrebâillé légèrement la porte pour y zieuter : personne dans cette salle, qui était la bibliothèque abritant les livres de Flores, ou plus probablement ceux de Paulina, quoique je ne savais rien des prétentions littéraires du policier, qui égalaient peut-être celles de l'entrepreneur dont je n'avais pas envie de prononcer le nom, même en pensée. Instinctivement, mon œil a fureté à la recherche du Howard Zinn. Des rayonnages montaient jusqu'au plafond, créant un effet de forteresse. Des fauteuils, chaises berçantes et coussins éparpillés sur le plancher donnaient l'impression d'attendre les membres d'un club de lecture. Le résultat était surprenant et gai. Un ordinateur trônait sur un bureau, il était allumé et j'ai pu avoir accès à ma boîte de courriels. Diep s'inquiétait de ne pas avoir eu de mes nouvelles depuis la sienne, fracassante, de son entrée dans la ligue des insécurisées relationnelles. Cela ne faisait même pas trois jours, mais le temps s'était tellement distendu depuis quelques heures que j'avais du mal à me situer dans sa durée réelle.

« Tout va bien par ici, madame Laurence, et j'espère que tout va bien par là où vous vous trouvez, votre rosacée cramoisie sous le soleil. Avez-vous pensé à emporter votre gel antibiotique pour mettre sous votre écran solaire ? J'ai oublié de vous le rappeler. J'ai reçu une cliente qui revenait de Cuba hier, ses joues étaient abominablement rougies, un désastre cosmique, on devait voir ces joues jusque sur la planète Pluton tant elles irradiaient ! Cela m'a fait penser aux vôtres qui, je l'espère, ne subiront pas ce mauvais sort à cause de votre négligence. Bon, c'était pour la partie médicale. Allons vers ce qui vous intéresse vraiment et vous inspire sûrement quelques ricanements mérités, c'est-à-dire : Les aventures de Diep au noviciat de l'Amour avec un grand A.

Je suis tombée sur un fameux numéro : un gars dans la trentaine qui semble vouloir s'engager ! Ça va vite et moi, je suis lente de nature, c'est pourquoi mon oncle m'appelait son “petit paresseux”, vous savez cet animal rigolo qui reste accroché à sa branche sans bouger pendant des heures ? Il ne doit pas se passer grand-chose dans la vie d'un paresseux (vous qui faites les mots croisés savez qu'il s'appelle aussi “ai”, n'est-ce pas étrange ? Je me demande comment on le prononce), aussi ne s'est-il jamais passé grand-chose dans la mienne. Peut-être était-il temps que je descende de ma branche.

Quand j'ai vu son nom s'afficher sur mon téléphone tôt ce matin avant de partir au travail, j'ai eu envie de ne pas répondre, pour éviter d'aggraver la maladie de la dépendance affective, mais en même temps, je me dis que ces élans des premiers jours sont les meilleurs, ils sont spontanés et ils ne dureront pas, alors je dois cesser de me censurer et en profiter. N'est-ce pas ce que vous me diriez ? Je connais des tas de pilules qui pourraient me régler mon cas, calmer ce nerf qui se tend en moi juste à l'idée de ce qui se profile, c'est-à-dire le sexe, je ne vous le cache pas et vous le dis carrément, car je pense qu'il y aura du sexe entre nous et j'ai très peu d'expérience en matière de sexe, cela me gêne de vous l'avouer en même temps que cela me soulage car je n'en parle à personne, de sexe.

J'écris le mot « sexe » à répétition en espérant ainsi banaliser un peu la chose, car je ne l'ai pas fait souvent et j'en ai peu souvent parlé. En fait, je serai franche, madame Laurence, et c'est plus facile de l'être par écrit qu'en personne : je suis vierge. J'ai déjà été nue avec un homme, qui était nu lui aussi, mais rien ne s'est passé, je crois que nous avons figé tous les deux, à moins que ce ne soit moi qui l'aie figé, je ne l'ai jamais su puisque je ne l'ai jamais revu. Je ne voudrais pas que cela arrive avec Jonathan et même si j'ai le sentiment qu'il est un homme plus sensible et attentionné que la moyenne, je suis stressée. Je sais que les médicaments qu'il prend peuvent causer une dysfonction érectile (je rougis en écrivant ces mots, je me sens comme une petite fille prise en défaut, comme vous devez vous être sentie lorsque vous vous êtes fait pincer à voler jadis à la pharmacie, pas la mienne heureusement, ou malheureusement), je suis assez sotte pour presque souhaiter ce problème, pour ainsi échapper à ce que je devrai bien affronter un jour, soit le don de ma virginité aux dieux, et à un homme. C'est terrible tout ça, à mon âge, n'est-ce pas ? Est-ce que vous souriez, sous votre soleil radieux, après, peut-être, avoir fait l'amour, un amour rénové, avec votre Jean-Marc ? Chanceuse, vous avez tellement plus de vécu que moi, tout ce qui doit être accompli l'est, enfin en partie, car ce n'est jamais fini, on le sait, on vit ainsi, pétri par le doute et l'anticipation, jusqu'à la mort.

Bon, j'arrête ce courriel avant qu'il ne devienne encore plus désolant. Écrivez-moi, faites-moi rire comme toujours, dites-moi des choses rassurantes, même si je sais que vous allez prendre plaisir à faire le contraire et à me torturer copieusement avec votre doigté habituel. Diep. »

Je commençais à lui écrire ma réponse lorsqu'un bruit de cliquetis reconnaissable entre tous s'est fait entendre. Esteban avançait avec la régularité d'un métronome, dans deux secondes il serait en face de moi et je ne saurais pas quoi faire. J'avais oublié que sa chambre était située au rez-de-chaussée pour des raisons évidentes, et il devait avoir le sommeil aussi léger que Pippa. Bientôt, toute la famille serait réunie dans la bibliothèque si on ne faisait pas attention. J'espérais qu'il retiendrait sa petite voix de crécelle. Je me suis rapidement déconnectée de mon compte après avoir menti à Diep en lui disant que tout allait bien et que je lui répondrais plus tard. Mais est-ce que tout allait si mal ?

– *Hola !*

– Salut ! Salut, Esteban. Entre, et ferme donc la porte. Idiote. Ça commence bien. Laisse, j'y vais.

Je me suis précipitée pour lui faciliter l'entrée et ai refermé doucement la porte après avoir vérifié que rien ne bougeait ailleurs dans la maison. Esteban s'est laissé tomber sur un des coussins, il a enlacé la chienne et tous les deux ainsi saucissonnés ont fixé les yeux sur moi en silence, comme si j'étais sur le point de commencer un discours de la plus haute importance.

– Tu peux me lire une histoire, *por favor* ?

– Si tu dis s'il te plaît, alors oui, je te lis une histoire. Laquelle ?

– Je ne sais pas. *Cuento chino.*

– *Cuento chino, cuento chino,* ça veut dire quoi ?

J'ai déniché un dictionnaire de poche français-espagnol – il y avait toutes sortes de dictionnaires, trop de dictionnaires – et j'ai cherché *cuento. Cuento chino* : histoire à dormir debout.

– *Cuento chino !* Ha ! ha ! Petit comique !

Il a tapé dans ses mains avec enthousiasme, tandis que je commençais à fureter sur les rayons à la recherche d'un bouquin susceptible de les endormir rapidement, Pippa et lui. À part quelques classiques en français et en anglais, la totalité des livres étaient évidemment en espagnol. Sur le rayonnage consacré aux livres pour enfants, il y avait un *Martine* tout racorni, un que je n'avais jamais lu ! Le temps que je m'installe avec *Martine va sur la croisette*, les deux marmots s'étaient endormis, lovés en cuillère. Ils étaient d'un mignon absolu dans leur abandon, j'avais envie de les ramasser entre mes bras, de m'y imbriquer, de les humer et de m'assoupir contre eux, tel que je le faisais avec mon coussin-banane rempli de grains de lavande. Je les regardais depuis un long moment lorsqu'une émotion inconcevable a semblé monter de très loin, d'un endroit en moi où je n'allais que rarement, pour ainsi dire jamais. Alors que mon esprit produisait des images en séquences, j'ai été prise de sanglots convulsifs qui m'ont obligée à m'effondrer dans un des sofas et à cacher mon visage entre mes doigts pour étouffer le bruit de mes larmes. Je ne voulais pas voir ce film, je savais trop bien duquel il s'agissait. Je ne savais plus où j'en étais ni à quoi je devrais me rattacher pour la suite des choses.

Paulina a choisi ce moment pour entrer, vêtue d'un t-shirt blanc qui devait appartenir à Flores et qui lui descendait à mi-cuisses. Sa silhouette longiligne, entourée de ses longs cheveux défaits, se découpait dans la faible lumière qui la rendait étrangement belle, comme un papillon fantôme. Elle a ramassé une veste dont elle s'est couverte avant de refermer la porte. Elle a éteint une des lampes pour n'en garder qu'une dont l'abat-jour rouge perforé projetait de jolies ombres elliptiques orangées sur le mur derrière. Après avoir déposé une couverture sur les deux petites bêtes complices dans le sommeil, elle est venue s'asseoir près de moi, nous couvrant d'une catalogne dont le poids m'a apaisée. La Paulina nocturne contrastait avec la diurne, le calme qu'elle dégageait était profond et authentique. Elle a appuyé sa tête contre mon épaule et a pris un moment avant de dire, dans un murmure qui m'est apparu comme un refuge, un lieu où je pouvais m'abandonner :

– Pouvons-nous être amies ?

Mes pleurs ont redoublé et, le temps qu'ils cessent, nous étions amies. J'ai respiré l'odeur de shampoing au romarin qui parvenait à mes narines, la même qui parfumait les cheveux de Flores. La tête d'Esteban et le petit crâne sans cervelle de Pippa devaient sentir le romarin, bientôt moi aussi je l'exhalerais par tous les pores de ma peau, cette odeur de la force tranquille.

Elle s'est redressée pour me faire face et m'a demandé pourquoi j'étais si triste. Ses yeux couleur d'amande écalée m'observaient sans aucune gêne mais avec sensibilité, attendant ma réponse. À quel point pouvais-je tout lui dire ? Je lui ai fait un résumé décousu des derniers temps, de l'infidélité de Jean-Marc jusqu'à l'acte qui m'avait conduite chez elle, sans mentionner l'objet de mon larcin. Elle m'a écoutée sans m'interrompre, hochant parfois la tête ou ponctuant mon laïus de « hum-hum » songeurs. Elle était étonnamment tranquille, comme si toute agitation l'avait quittée. J'avais la vraie Paulina devant moi, celle que pondait le calme de la nuit.

– Eh bien moi, je suis, comme me le dit souvent Angel, une sale petite égoïste, et donc je suis un peu contente que tes malheurs t'aient conduite ici. Et puis, j'ai enfin quelqu'un avec qui parfaire mon français, j'avais presque abandonné cette idée, en plus de tout ce que j'ai dû mettre de côté dans la vie ! Et regarde ! J'ai un cadeau pour toi !

Elle s'est extirpée de la catalogne pour aller fouiller sur un rayon, et en a tiré un jeu de *RummyCube* qui semblait dater de l'époque des Mayas. Elle connaissait donc ce détail honteux. Maudit Flores. Mes plaques de rosacée devaient avoir l'air pâles sur le rouge qui a envahi mes joues. J'ai ouvert la boîte décatie et contemplé les tuiles usées avec mélancolie, me remémorant les parties délirantes que nous jouions, Jean-Marc et moi, et pensant que nous ne jouerions probablement jamais plus. Je ne trouverais jamais un adversaire aussi acharné et adroit que lui. Je lui avais souvent dit que si nous avions fait l'amour aussi souvent que nous jouions au *Rummy*, je serais tombée enceinte même s'il était vasectomisé.

– Paulina, ton amant, enfin, Flores, il fait souvent ce genre de choses ?

– Mon amant ? Quoi ? Quelles choses ?

– Acheter les gens, proposer des *deals* comme celui qu'il a fait à Jean-Marc.

– *Deals* ?... Non, non ! Ah mon Dieu.

Elle a pris la boîte de *Rummy* et l'a déposée par terre, puis elle s'est mise à parler tout haut en espagnol en roulant des yeux. Je ne comprenais aucun de ces mots qui résonnaient comme des castagnettes. Quelque chose n'allait pas, mais quoi ? Elle a pris une longue respiration.

– Écoute, Laurencita, Angel m'a demandé de ne rien dire pour le moment. Tu dois savoir que la vérité est différente de celle que tu imagines.

– Je n'imagine rien. Angel s'est servi de mon vol comme d'un prétexte pour obliger Jean-Marc à rénover la maison de sa femme et pour m'obliger, moi, à servir de gouvernante linguistique à votre fils. Tu comprends ?

– Pas trop. Notre fils ? Mon fils, tu veux dire.

– ...

– Et Angel ? Il n'a rien à se reprocher. Si tu connaissais les autres policiers... Et si je voulais qu'Esteban parle mieux les trois langues, je pourrais m'y mettre moi-même, même si je suis un peu rouillée. Mais ce n'est pas une priorité, parler français ou anglais, par ici. Angel est un des rares policiers propres, dans cette ville. Mais il fait affaire avec des gens moins propres, alors parfois, il se salit forcément un peu, lui aussi. Questionne ton *esposo* si tu veux avoir des détails sur la raison de ta présence ici.

– Des gens moins propres... comme des entrepreneurs en construction ? Je le savais ! Ils sont tous pareils ! Même Jean-Marc, même lui ! Je suis certaine qu'il a couché avec sa menuisière ! Il a dû coucher avec toutes ses clientes, mariées ou pas ! Je le hais. Ce n'est pas mon *esposo*. C'est qu'un type venu de nulle part que m'a présenté une ancienne amie qui devait se foutre de ma gueule ! Elle disait que c'était un bon parti. Un bon parti ! Je me demandais pourquoi un si bon parti était célibataire depuis un an ! Sous des airs de bon gars, c'est un fourbe. Je viens de perdre trois ans de ma vie à essayer de la faire, ma vie, avec ce bon parti. Et ça n'a jamais voulu décoller. Je comprends maintenant pourquoi !

– Laurence, arrête, tu mélanges tout. Si quelqu'un doit parler de tout cela avec toi, ce sera Angel ou Jean-Marc.

– Je me suis déjà fait baratiner une fois, par mon Jean-Marc. Il ne me dira jamais la vérité.

– Baratiner ?

– Mentir.

– Je suis désolée. Je ne connais pas tous les détails de l'affaire, juste un peu. Mais il n'est pas bon de tout savoir, parfois, tu sais.

Oui, elle avait peut-être raison mais moi, je préférais faire face et saigner en apprenant le pire que de patauger dans un abîme de perplexité où je me créerais des scénarios effrayants. Elle s'est tue tandis que j'assimilais les bribes d'informations qui crapahutaient entre mes deux oreilles comme des insectes griffus, lacérant la réalité telle qu'elle m'avait été présentée par Jean-Marc. Je ne comprenais plus rien. J'étais là pour quoi, moi, au juste ? Qui était le traître dans cette histoire, et le dindon de la farce ?

– Moi, je suis heureuse d'avoir une amie dans la maison. On va s'amuser, pendant ton séjour. On ira passer du temps à Mexico, tu vas adorer, c'est une ville moderne, avec de la culture, des arts, remplie de mémoires anciennes. Angel me laissera y aller, si je suis avec toi. Seule, il ne veut pas, il dit que je ne suis pas prête.

– Ah ? Je ne peux pas m'amuser tant que je ne saurai pas ce qui se passe vraiment, Paulina. Je ne vis pas dans une maudite série télé où tout le monde s'aime et se soutient, comme toi ici dans ta *Petite maison dans la prairie*. Rien ne va jamais si bien, dans la réalité. Argh, je ne pourrai jamais connaître la fin de *Downton Abbey* ! Je ne pourrai plus écouter cette émission qui me faisait me sentir si bien et qui me déprimerait au coton, maintenant. Je ne pourrai plus rien approcher de ce qui me rappellerait ce salopard. Fini aussi le *Rummy*. Je vais crever les pneus de tous les F-150 que je vais croiser. Et faire des guenilles de luxe avec ma robe Marie Saint Pierre aux manches distendues. Je la portais le soir où j'ai su qu'il m'avait trompée, impossible de la mettre à nouveau. Je ne sais pas pourquoi je l'ai apportée avec moi ici, je dois être masochiste.

– Quoi, de quoi tu parles ? Tu vas trop vite ! Écoute, quelle différence, être ici ou dans ce *resort* ? C'est bien mieux ici, avec moi et la *familia extensa,* non ? Ici, tout le monde aime tout le monde.

Oui, c'était sûrement mieux, faire partie de cette famille en apparence heureuse, recomposée et augmentée d'une voleuse à l'étalage trompée à répétition par son cowboy de gars de la construction. S'il en avait assez de notre relation, pourquoi ne pas me le dire carrément au lieu de me le signifier en élaborant un scénario compliqué dans lequel il se donnait le rôle du bon gars qui sauve sa blonde de la prison ? En la mettant dans une autre prison, plus élégante ? Croyait-il que je serais dupe à ce point ? J'étais maintenant prisonnière du doute, c'était pire. J'ai commencé à ronger l'ongle de mon index droit, une manie dont j'avais réussi à me débarrasser il y a quelques années en gardant toujours un peu de savon sous cet ongle.

– Je vais me recoucher. Ne t'en fais pas trop, Laurence, ma nouvelle amie. Je suis là pour toi. Et la sagesse dit que tout vient avec la patience. Tu es avec de bonnes personnes, ici, en sécurité. Je te raconterai mon histoire à moi un autre jour.

– Ton histoire ?

– Oui, Angel ne t'a pas dit ?

Elle a remonté les manches de sa veste et j'ai vu les cicatrices typiques de celle qui avait dû s'injecter de la drogue plusieurs fois. Sur les poignets, les stigmates anciens de celle qui avait également dû tenter de s'enlever la vie. J'étais médusée. Dans un élan de pudeur, elle a rabaissé ses manches avant de se rasseoir. J'ai pris sa main dans les miennes et nous sommes restées comme ça pendant un moment sans rien dire. Elle a embrassé celle de mes deux joues qui ne ruisselait pas de larmes – un de mes conduits lacrymaux devait être mort à force d'avoir été sollicité. Puis elle est sortie, en laissant Esteban et Pippa dans leur lit de fortune comme si c'était normal, le chien et l'enfant dormant sur des coussins dans la bibliothèque. Tout semblait si simple pour elle alors que tout devait avoir été un cauchemar, un jour. Je n'avais pas l'habitude de cela, la facilité, toujours à me débattre avec mes démons ou les faits de la vie quotidienne, comme si chaque petite chose, geste ou pensée, exigeait d'être pesée, examinée, décortiquée. Ces béquilles intérieures que la vue d'Esteban avait rendues insignifiantes l'étaient encore davantage, maintenant que Paulina m'avait révélé son secret. Elle était ici pour se sevrer et se rétablir. Moi aussi. Ce ranch était une maison de rétablissement ! Fernanda était peut-être, qui sait, une infirmière !

Je ne pourrais jamais me rendormir, sachant que Jean-Marc m'avait menti et qu'il avait mis l'odieux de ma situation sur les épaules de Flores. Jean-Marc aurait acheté Flores, et non le contraire ? Mon imagination m'empoisonnait. Mais les paroles de Paulina semblaient confirmer que le méchant n'était pas celui que je pensais. Je me voyais confronter Jean-Marc et le sublime policier de la rectitude. Il s'effondrerait sur les genoux, baiserait mes pieds, me demanderait à la fois de le pardonner et de l'épouser, et moi de dire non, je n'épouserais jamais un entrepreneur en construction, autant finir en femme de médecin, eux au moins ont leur utilité, ils peuvent prescrire des antidépresseurs pour atténuer le chagrin de la solitude.

Je me suis roulée en boule sous la catalogne, la tête sur un coussin en forme de cœur qui fleurait le romarin, et j'ai fini par sombrer dans les limbes rédempteurs d'un sommeil de plomb, d'où j'ai émergé grâce à l'odeur du café noir émanant de la tasse que déposait Flores sur le guéridon.

## La discussion

– Bonjour.

– Bonjour.

Il s'est assis près de moi et a pointé la tasse qui fumait.

– Tu aimerais un jus d'orange pour commencer ?

J'ai massé mon visage du bout des doigts sans répondre. Il me semblait que tous mes traits étaient tirés, plissés comme dans une composition d'origami amateur. Je lui ai fait signe que oui. Il a déposé sa tasse de café et s'est levé pour revenir avec des quartiers d'orange.

– Mieux encore que le jus.

– Je dois être affreuse.

– Pas du tout. Au contraire, tu as l'air plus détendue qu'hier.

– J'ai dormi comme je ne dors pas souvent. J'avais grand besoin de sommeil.

– C'est tranquille, ici.

Il m'a tendu un morceau d'orange et en a pris un. Nous avons tout mangé en silence. Ce n'était même pas si gênant. Puis nous avons bu notre café tiédi.

– Je dois partir, je serai absent pendant deux jours. C'est comme ça. Je travaille deux jours, je reviens un jour et ainsi de suite, sauf exception. Paulina te montrera les environs. C'est très bien qu'elle ait une femme de son âge avec elle, ça va l'aider.

– Votre femme, ta femme, elle en est où ? J'ai vu ses bras. Elle est toxico, non ?

– Oui, mais ce n'est pas ma femme. Ha ha ! Elle est bonne. C'est ce que t'a dit ton ami ? C'est ma sœur !

– Mon Dieu ! Oui, c'est ce qu'il m'a dit.

– Il a dit n'importe quoi.

– À quel point, n'importe quoi ?

– Sur pas mal de points, je pense. Mais oui, Paulina a eu des problèmes, comme tu n'as pas idée. Je l'ai emmenée ici pour qu'elle s'en sorte. Drogue, prostitution, enfant d'on ne sait qui.

– Esteban ?

– Mais oui, Esteban. Un enfant de l'héroïne. Et l'héroïne n'est pas Paulina.

– J'avais compris.

– Encore surprenant qu'il ne soit pas plus mal en point. Elle couchait avec des hommes sales. Pour payer ses shoots. Quand elle a su qu'elle était enceinte, elle a tenté de se tuer. C'est alors que je suis intervenu, avec George, mon collègue. Dur de faire sortir une femme d'un cartel de drogue et de prostitution, alors que même la police en fait partie. Il y a laissé beaucoup, comme tu sais, et elle aussi. Mais elle va mieux. Depuis qu'elle est sortie du centre de désintoxication, Fernanda vient l'aider à réguler ses traitements. Elle commence enfin son sevrage de la méthadone, après deux ans. Mais elle n'est pas encore assez stable à mon avis pour aller plus loin que la maison de George et encore là, je n'aime pas qu'elle y aille. Je ne veux surtout pas qu'elle aille à Mexico, alors si elle t'en parle, ne l'encourage pas. Quand je t'ai vue, après avoir discuté avec ton époux...

– Ce n'est pas mon époux.

– ... j'ai pensé que ce serait une bonne idée, que tu viennes ici, et ton ami semblait vouloir te donner une bonne punition. J'ai fait un plus un.

– Une dépendante au vol plus une dépendante à l'héroïne.

– Je me suis dit que ce serait intéressant pour vous deux, d'être ensemble.

– Tu n'y as pas pensé longtemps, héberger une voleuse.

– Il n'y a rien à voler, ici, et puis tu n'as nulle part où aller.

– C'est une cure fermée.

– Si tu veux appeler ça comme ça. Moi, de mon côté, je vais pouvoir tirer un trait sur cette fichue maison, ma femme sera contente et va enfin me lâcher, puis je pourrai procéder au divorce. C'est une situation inattendue et inespérée. En une semaine ou deux, tout sera réglé et vous pourrez repartir au Canada. En attendant, je profite d'une jolie femme, ma sœur a de la compagnie et Esteban va avoir une tata. Tu as quand même du potentiel !

– Hum.

– J'y vais. On se revoit dans deux jours, peut-être moins. Ne dis pas à Paulina que je t'ai raconté tout ça. Elle va préférer le faire elle-même. Elle est orgueilleuse à ce sujet, et encore blessée. Vous allez vous faire du bien, j'en suis convaincu.

– Attends. Est-ce que tu fais partie de la corruption policière ? On dit que la police au Mexique est une des plus corrompues. La manière dont tu as transigé avec Guttierez, ça m'est apparu bizarre.

– Pas si bizarre. Il m'appelle pour les gentils brigands comme toi.

Il était depuis toujours ami avec Gutierrez et celui-ci faisait affaire avec lui pour gérer les vols à l'étalage qui sévissaient dans ce quartier défavorisé. Ensemble, ils séparaient le bon grain de l'ivraie, les petits voleurs affamés et nécessiteux et ceux qui faisaient partie de réseaux organisés. Le gérant et le policier s'échangeaient des faveurs, rien d'illégal. Parfois, Flores revenait au ranch les bras chargés de cadeaux, « surplus d'inventaire » pour Esteban, Paulina et George, alors que Gutierrez se faisait offrir tout ce sur quoi Flores pouvait mettre la main. Pendant ce temps, il n'avait pas à s'occuper des vrais truands. Il voulait une vie calme, après avoir travaillé avec des délinquants plus costauds, pour offrir une tranquillité d'esprit à Paulina et à son filleul et être certain de toujours leur revenir vivant et non troué de balles.

– Ce genre de transaction n'est rien comparé à ce que tu ne peux même pas imaginer. Et puis, les entrepreneurs en construction, ils ne sont pas un peu corrompus aussi ? Et au niveau planétaire, je dirais.

Je ne pouvais qu'être d'accord et si j'avais eu mes deux mains, j'aurais même applaudi. J'ai levé ma tasse de café pour approuver ce cliché, devenu vérité universelle. Je préparais une répartie qui n'est pas venue et il est sorti alors que j'avais la bouche ouverte, sous le choc de notre conversation. J'étais en totale déconstruction de la réalité. Toutefois, ce que je retenais de tout ça pour le moment était que – chic alors ! – j'étais, aux yeux de Flores, mignonne dans le désespoir.

J'avais échoué dans le laboratoire de l'amour, de la bonté et de la rédemption. Mon cynisme n'allait pas survivre.

À l'heure actuelle, Jean-Marc devait être en train de subir la morsure du soleil sur son chantier et je n'ai pu m'empêcher d'imaginer l'éclosion d'un mélanome malin qui rongerait son beau nez jusqu'à l'os. J'ai pensé au stress créé par le choc de nos vies incompatibles. À toutes ces demandes de réponses à nos besoins que nous nous faisions mutuellement, en vain, accumulant plus de déceptions que de réparations.

Et ce n'était pas plus sa faute que la mienne. J'ai pensé à la Diane et à toutes les femmes, épouses esseulées pour qui il construisait des maisons susceptibles de remplir leur vide, dont il s'était peut-être montré le sauveur, le temps d'une échappée. Puis, une bonne odeur de pain grillé qui parvenait à mes narines a effacé ces pensées amères et je me suis dit que la plus chanceuse des deux, finalement, c'était moi.

## D'autres discussions

J'ai fait ma toilette en repensant aux propos de Flores. Cette situation était abracadabrante. Devais-je l'écrire à Diep, ou attendre un peu, que tout se stabilise ? Était-il si essentiel de tout dire, de toujours tout dire ? Peut-être fallait-il que je me retrouve dans un tel bourbier pour enfin changer mon existence. Il était maintenant important de parler avec Jean-Marc, pour savoir le fin fond de l'affaire. Une dernière partie de moi s'accrochait à une bribe d'espoir : même s'il était vrai qu'il avait voulu se débarrasser de moi, peut-être n'était-ce pas par rancœur ou par haine. Ou pire, par simple lassitude.

Nous nous acharnions pour trouver un compromis acceptable, en vain. Je savais que j'aimais Jean-Marc et j'étais certaine qu'il m'aimait aussi, ce qui me faisait penser à la théorie selon laquelle on peut s'aimer tout en étant incapable de faire évoluer cette affection dans le cocon traditionnel du couple. Paulina m'a tirée de mes pensées en m'appelant pour le déjeuner.

Esteban était assis à la table et mangeait des céréales aux couleurs de l'arc-en-ciel. Pippa attendait, aux pieds de Paulina, qu'elle lui jette un morceau de jambon. Après qu'elle a eu refusé mon aide, je me suis installée dans la chaise berçante au bout de la table, car dès que j'en vois une, je dois m'y asseoir, c'est plus fort que moi, mon système lymphatique le revendique.

– C'est la chaise d'Angel. Tu es assise sur lui, enfin, en quelque sorte ! C'est agréable, hein ?

– Hum oui. Encore plus depuis que je sais que ce n'est pas ton amant.

– Mais oui, j'ai bien vu que tu étais confuse, hier. Esteban, Laurencita croyait qu'Angel était ton papa !

– Non, mon oncle !

– Je sais, Esteban, je me suis trompée, enfin, Jean-Marc m'a... enfin, ce n'est pas important.

– Il est beau, mon frère, hein ? Et gentil. Si tu savais quelle sorcière il a mariée. Elle a dû l'ensorceler pour qu'il lui passe la bague au doigt. À partir de là, sa vie est devenue un enfer. Elle voulait toujours des choses, plus et plus de choses. Elle aurait dû marier un médecin.

– Ou un entrepreneur en construction.

– Après deux ans, il en a eu assez. Et puis elle était jalouse qu'il décide de s'occuper de moi. Elle a couché avec le jardinier – comme c'est ordinaire, n'est-ce pas ? – puis elle a commencé à harceler mon frère pour qu'il lui fournisse un appartement près du terrain de golf – encore plus commun. C'est là qu'il s'est mis en colère. J'étais encore sous l'emprise de ma toxicomanie, à ce moment, et j'entendais leur dispute de ma chambre, d'où je ne sortais que pour aller aux toilettes tant j'étais mal, et puis je ne voulais pas la voir, elle ne voulait pas me voir, elle ne me tolérait pas. Il a accepté de rénover un appartement qui était libre là où elle voulait, à condition qu'elle accepte de divorcer. Entre-temps, imagine, elle s'était mise avec un avocat qui défend les mafieux, elle ne pouvait trouver meilleure chaussure à son pied, la garce. Enfin, tout ça tire à sa fin.

– C'est une histoire incroyable.

– Non, c'est assez ordinaire, je trouve. C'est mon histoire que je trouve extraordinaire. Je suis sobre depuis plusieurs mois maintenant et mis à part des moments d'agitation, comme tu as pu les remarquer, je suis tellement mieux. Ç'en est presque fini de boire des jus aromatisés à la méthadone ! Et je suis en état de m'occuper de mon fils comme une vraie mère. Je retrouve celle que je suis vraiment et que je croyais perdue à tout jamais !

– Je ne sais plus quoi dire. Je me trouve insignifiante, tout à coup.

– Ne dis rien et mange. Tu n'es pas insignifiante. Tu as aussi un petit problème et nous allons en parler aussi.

– Mon problème est plus profond qu'il ne paraît. Voler, c'est juste un symptôme.

– Je sais. Je parle plutôt de ton problème avec ton mec. Moi je suggère qu'il vienne ici et que vous fassiez le point. En fait, je suis curieuse de le voir, je rencontre si peu de gens. Angel a eu une si bonne idée de te faire venir chez nous ! Il pense que si je vais en ville, je vais rechuter. Si tu allais dans un magasin, tu ne penserais jamais à voler encore, non ? Pas maintenant.

– Euh, probablement que non. Je pense que j'ai eu ma leçon.

– J'ai volé moi aussi, beaucoup. Pour payer mes doses. Parce que les passes ne suffisaient pas. Si tu savais avec qui j'ai pu coucher. Il faudrait que je fasse passer des tests d'ADN à la moitié des notables de Mexico pour savoir qui est le père d'Esteban. Parce que tu sais, j'étais une pute de luxe. Tu as vu mes robes ? Puis, je suis devenue tellement accro à la drogue que je suis devenue une pute de rue. J'ai descendu les échelons. C'est pathétique. Si Angel n'était pas arrivé à ce moment-là, je serais morte, avec le petit dans mon ventre. Il n'y avait plus de vie possible pour moi.

– Je suis désolée. Tu as du courage.

– Angel m'en a donné. Il lui faudrait maintenant une fille gentille avec une tête sur les épaules.

– ...

– Mange, mange, ça va être froid. Esteban, ne donne pas le lait sucré de tes céréales à Pippa, elle va devenir obèse et diabétique et on devra lui couper ses petits orteils.

Après le déjeuner, je suis allée marcher seule. Mes idées de prison glauque m'apparaissaient loufoques à ce stade. J'appréciais tout de même la chance d'avoir abouti dans un endroit que mon imagination n'aurait pas pu créer, toujours à inventer le pire. Je suis allée voir les animaux. Un palefrenier brossait les flancs d'un cheval bai. Je me suis toujours méfiée des chevaux, du fait qu'ils sont si grands, comme je n'aime pas les hommes trop grands non plus ; dans un cas comme dans l'autre, les embrasser sur le museau exige une posture du cou inconfortable et inquiétante pour les cervicales. Dans un cas comme dans l'autre, ils sont toutefois bien équipés. Enfin, on peut seulement se l'imaginer, quoique dans le cas du cheval, cela soit flagrant.

J'ai salué l'employé qui me regardait avec curiosité en me trompant de langue. Le *« buongiorno »* que je lui ai envoyé l'a visiblement étonné, mais il a répondu de même. Mon cerveau surmené devait être en train de se fissurer et de s'ouvrir sur des continuums linguistiques insoupçonnés et inattendus.

Je me suis dirigée vers le poulailler pour échapper à son regard inquisiteur, craignant qu'il ne veuille me faire la conversation dans une énième langue, et j'ai trouvé une pierre où m'asseoir pour observer les volatiles. L'une des poules courait comme si elle était pourchassée par un coq en rut invisible, tandis que les autres picoraient placidement. J'ai cherché le fameux coq, introuvable. Il devait faire sa sieste, épuisé après avoir fécondé celles qui, du lot, montraient le flegme typique des femelles contentées, laissant la dernière aux prises avec les affres de la frustration. Je me sentais très empathique avec cette poulette hystérique. J'ai pris une feuille cartonnée dans mon sac pour contrecarrer ce transfert aviaire malsain avec une vulgaire créature ailée de bas niveau... si au moins ça avait été un paon ou un faisan ! J'ai commencé à la plier machinalement, en me disant qu'une poule sacrée se cachait peut-être dans ce carré de papier. Esteban est apparu et s'est assis à côté de moi à même le sol.

– Tu vas te salir, Esteban. Prends ma place.

– J'aimerais être sale. Je suis toujours trop propre.

– D'accord, sois sale.

– Tu fais quoi ?

– Je ne sais pas. Une poule sans tête, peut-être, comme moi.

– Tu es une poule sans tête ?

– Oui, je pense, parfois.

– Tu me montreras ?

– À être une poule sans tête ?

– Non ! À en faire une !

Je n'ai rien d'une enseignante. Mon grand-père était un monstre de patience. Il m'avait montré comment plier le papier sans jamais s'énerver, même lorsque je devenais rouge de rage quand la feuille refusait de se laisser dompter. Par contre, dès que j'ai compris comment cela marchait, comment je devais lâcher prise et laisser la feuille devenir ce qu'elle demandait à être – parce que chaque feuille comprend sa propre personnalité et son besoin personnel –, je suis instantanément devenue *l'Origamigirl*. J'aurais dû en faire une profession.

– Ok, Esteban. Tu as envie de devenir *l'Origamiboy* ?

– Quoi ?

– Prends ce bout de papier et fais exactement comme moi.

– Je veux le bleu, pas le rose.

– Ok, le bleu, tu as raison, je prends le rose, restons tout de même dans un semblant de normalité, faisons de l'origami dans un enclos à poulets et ayons l'air normaux.

– Je ne comprends pas ce que tu dis, tu parles trop vite.

Deux jours ont passé sans nouvelles de Jean-Marc ni de Angel. Je ne savais pas lequel des deux me manquait le plus, lequel attisait le plus ma curiosité. Paulina et moi jouions au *RummyCube*, plusieurs parties de suite, en buvant des jus de fruits dans lesquels elle ajoutait une goutte d'alcool. Elle aimait me servir à boire, en compensation pour son abstinence obligatoire. Esteban savait maintenant fabriquer une grue qui pouvait tenir debout sur le bout de sa queue. Je prenais mon erre d'aller en acquérant quelques rudiments d'espagnol qui, eux aussi, tenaient debout. Cela aurait pu être merveilleux, mais je ne parvenais pas à relâcher cet élastique tendu en moi. Je n'arrivais pas à savoir si ce séjour constituait une punition, des vacances ou un simple temps d'arrêt propice à mon rétablissement. Je n'étais pas malade, quand même, et j'aurais pu arrêter de voler si je l'avais vraiment voulu, non ? J'étais en attente de quelque chose, une résolution et, encore une fois, j'attendais qu'elle vienne de Jean-Marc. Quand comprendrais-je donc que je devais prendre mes propres décisions, basées sur ce que je ressentais et non sur ce que lui me présentait comme option ? Maintenant.

J'ai demandé la permission à Paulina d'utiliser son téléphone et de briser ce silence qui, s'il ne durait que depuis deux jours et demi, s'éterniserait peut-être si je n'y mettais pas un terme.

Aurais-je dû être surprise du soulagement qu'il a manifesté en entendant ma voix ? C'était la même émotion que la fois où je l'avais appelé après avoir appris sa trahison. Il fonctionnait de la même façon que moi, au fond, espérant que la résolution vienne de mon côté. Qui étions-nous donc, l'un sans l'autre, qu'étions-nous l'un pour l'autre ?

– Flores est sur le chantier. Il retourne au ranch ce soir. Ça se peut que je l'accompagne. Il faut qu'on parle, on a besoin de se parler. Je deviens dingue, sans toi.

– Arrête-moi ça, tu me fais toujours sentir que tu deviens dingue *avec* moi. Pourquoi tu m'as menti ? Pourquoi tu m'as dit que Paulina était sa maîtresse ?

– Pour que tu gardes une distance. J'étais jaloux. Je vois très bien le *potentiel* de ce type.

– Comme si je n'allais pas découvrir qu'elle est sa sœur, franchement, je ne te savais pas si naïf, c'est presque touchant. Et tu crois que je peux tomber pour le premier venu, alors que notre histoire n'est même pas terminée ? Tu me connais mal. Je ne suis pas comme toi, je ne vais pas me défouler de mes frustrations en baisant à tous vents.

– Non, toi, tu voles à tous vents.

– Pourquoi tu m'as envoyée ici, si tu étais si inquiet que je puisse me jeter sur le bel agent ?

– Bon bon bon, je savais que tu le trouvais de ton goût. Il fallait qu'on décide quelque chose, vite. Je ne pouvais pas te laisser aller au poste de police, pas dans ce coin du Mexique où on n'en aurait rien eu à foutre, de tes droits de citoyenne canadienne ! J'y ai vu une porte de sortie, une solution moins accablante. J'avais déjà rencontré Flores la veille sur le chantier, on avait parlé, il me paraissait correct. Ses ouvriers étaient nuls et il voyait que je savais y faire alors bon, tu connais la suite.

– Pas tant que ça. Tu lui as donc offert tes services, pendant nos vacances, avant même que je ne me fasse pincer au Walmart !

– Et j'ai vu aussi une occasion pour réfléchir à nous, à distance, pour un temps. Je réfléchis mieux quand je travaille.

– Ça ne paraît pas parce que sinon, tu serais le maître mondial de la réflexion et Jacques Languirand ferait pâle figure à côté de toi, ce qui n'est pas le cas. Et puis, quel « nous » ? Depuis quand tu parles d'un « nous » ?

– Écoute, on en parlera face à face, ok ? Je dois y aller.

– Ça avance, au moins ?

– Oui, ça ira plus vite que prévu.

– Pas trop vite, j'espère.

– Bon, il se passe quoi là-bas, au juste, pour que tu dises ça ?

– Rien. Un semblant de liberté, de l'espace, des gens éclopés qui vont bien. Bien mieux que « nous ». C'est inspirant. Et je me suis fait un genre de petit frère. Et de grande sœur.

– Et Flores, ce sera ton grand frère ? Arrête donc.

– Je me recompose, Jean-Marc. Une famille. Bon sang, c'est ça ! Il y a des gens, ici, ils sont là, je sais qu'ils ne disparaîtront pas ! Je me sens comme dans une famille, dans une vraie maison, pas toute seule dans un petit appartement exigu à attendre un gars qui n'arrive jamais parce qu'il travaille trop tard ! Tu exiges que je m'ajuste à toi, à tes horaires, je dois être disponible quand tu l'es, ce n'est jamais le contraire.

– Je suis entrepreneur, pas fonctionnaire ! Je n'aurai jamais d'horaire régulier. Je ne t'ai jamais demandé d'attendre après moi !

– Ha ! Explicitement, non. Mais si je ne me moule pas à toi, on ne se verra jamais. J'ai besoin d'un gars stable, fonctionnaire ou pas, qui fait du neuf à cinq, qui souhaite construire quelque chose avec moi, pas pour les autres.

– Tu n'auras pas ça avec un policier, aussi beau soit-il.

– C'est par la connaissance d'une personne qu'un cœur tombe amoureux, pas par les yeux. Flores est beau à regarder, mais je ne le connais pas. Tu me penses si superficielle ? Arrête de faire de la projection. Maintenant, je te connais, maintenant, mes yeux sont ouverts.

– Tu es excitée par la nouveauté. Attends que la poussière se dépose et tu verras les vraies couleurs.

– C'est toi qui es négatif, maintenant que je t'apparais détendue. Tu n'as pas l'habitude, hein ? Pour une fois, je me sens bien, je suis presque heureuse.

– Tu as le bonheur rapide.

– J'ai le bonheur que je peux. S'il dure deux jours et demi, tant mieux, ce sera toujours ça. Et puis merci, merci finalement. Je réalise en te parlant combien c'est reposant, d'être ici. Bien plus que dans ce club de vacances, et bien plus qu'avec toi.

– Tu es vraiment fâchée contre moi. Tu as raison, je ne suis pas bon en couple, je ne l'ai jamais été. Mais je peux changer, je peux changer mon rythme de travail, je pourrais même dissoudre ma compagnie et me faire engager comme menuisier, ou enseigner à l'École des métiers de la construction.

– Arrête, ce n'est pas toi, ça, être un employé. Tu aimes trop diriger, donner des ordres, tu es né pour être un patron et tu es un bon patron, sauf quand tu couches avec tes menuisiers femelles. Il n'y a juste pas de place dans ta vie pour être un chum comme j'en ai besoin. N'essaie pas de te changer radicalement. Et moi, je n'ai plus envie d'essayer de le faire non plus.

– Alors tu as pris ta décision.

Il a prononcé ces mots avec le début d'une larme dans la voix, le son que produit le chagrin lorsqu'il étreint la gorge. Cela m'a fait de la peine. J'ai instantanément douté de tout ce que j'avais dit, j'ai eu peur de me tromper. Mais il ne fallait surtout pas que je fasse marche arrière. Il n'était plus question de le tester, mais de me tester, moi.

– Il faut qu'on se voie, je ne veux rien statuer par téléphone. Je t'aime, tu sais, je t'aime quand même et quoi qu'il arrive, sache-le.

– Moi aussi. Rémi et Édith te saluent.

– Ah oui, eux. Salue-les pour moi aussi.

– À plus tard.

– C'est ça.

Plus tard, Flores est arrivé les bras chargés de victuailles, seul. J'étais bêtement là à les attendre sur le perron, le cœur battant, vêtue d'une robe appartenant au passé sulfureux de Paulina. Nous avions passé une heure à choisir celle qui ferait damner Jean-Marc. Dans cette rayonne vaporeuse imprimée de roses rouges sur fond blanc, je me faisais l'effet d'un bouquet prêt à être cueilli. Par qui ? J'avais passé un bandeau assorti autour de ma tête pour dégager mon visage et Paulina avait coloré mes lèvres et mes joues trop pâles d'un léger vermillon. Tout à coup, je me suis sentie futile. J'ai léché le rouge sur mes lèvres pour le faire disparaître. Il goûtait la framboise bon marché. Je ne sais pas à quoi je m'attendais au juste, sûrement à vivre une joie, car quelque chose s'est déplacé dans ma cage thoracique en faisant un petit bruit de conduit d'évier qui se bouche. Malgré la teneur de ma conversation téléphonique avec Jean-Marc, j'espérais vraiment une discussion éclairée et positive, une conclusion heureuse qui nous amènerait à considérer la possibilité d'une amitié viable pour la suite des choses. Parce que j'étais prête à cela, conclure notre histoire. Jean-Marc était outillé pour faire face aux pires désastres de chantier mais face aux problèmes de la vie affective, il était démuni. Flores a lu la déception sur mon visage.

– Ne sois pas triste. Tu es plus jolie quand tu souris. Il a décidé de travailler tard et de prendre toute sa journée de demain pour venir te parler.

– Je n'ai plus envie de lui parler. C'était maintenant ou jamais.

– Ne sois pas une enfant. Il y a des choses qui peuvent attendre. Tu ne peux pas te détendre un peu, pour changer ? Tu es trop habituée d'être stressée, dans ta vie.

– Arrête de me dire ce que je dois ou ne dois pas être. Je suis une enfant et je suis triste si je veux, bon.

Il a sorti une bouteille d'un de ses sacs et l'a agitée devant mes yeux, comme une carotte devant un âne affamé, pensant que j'allais le suivre aveuglément. J'avais honte de me comporter ainsi devant lui, comme une petite fille mécontente. C'était indigne.

– Est-ce que l'enfant triste boirait une tequila avec moi ? Papa te donne la permission.

– Oui.

Il se moquait de moi. J'aimais cela.

## Dans le confessionnal asiatique avec l'ex B.E.C.

« Chère Diep, voici, comme tu les aimes, une lettre écrite sur du papier, en lettres cursives et avec un cadeau, un origami animal de race inconnue fait par un petit garçon bien intentionné qui débute dans le métier.

Tu mériterais une missive détaillée, après les réponses énigmatiques que je t'ai faites, mais ce serait une lettre laborieuse, avec trop de mots, alors je vais garder les détails pour notre rencontre qui est, je l'espère, pour très bientôt. J'ai lu tes messages quotidiens avec joie.

Sache seulement que, depuis plus d'une semaine, je ne suis plus avec Jean-Marc dans le tout-compris. Je suis à la campagne, dans une hacienda, avec des gens que je n'aurais jamais rencontrés si ça n'avait été d'un geste que j'ai commis et qui a fait basculer l'équilibre précaire que j'essayais de conserver, sans toutefois y parvenir. J'habite donc avec Angel, sa sœur Paulina et Esteban, le fils de cette dernière. Je vis une Expérience, je ne saurais appeler cela autrement. Dire que je rechignais à venir au Mexique ! Tu me sermonnes depuis le début de notre relation avec le karma. Eh bien maintenant, j'y crois aussi !

Tout va bien. Comment tout peut-il si bien aller ? Je suis entourée d'amour et cela m'amène à puiser dans ces ressources que j'avais en moi et qui, au contact de Jean-Marc, n'arrivaient pas à émerger, puisque j'étais dans une constante bataille, à tenter de lui extorquer cet amour auquel je pensais d'abord avoir droit, jusqu'à penser ne plus y avoir droit du tout.

Tiens-toi bien : j'ai enfin commencé à méditer, peux-tu croire cela ? Je fais comme tu me l'as déjà suggéré : je fixe mon attention sur un objet que je place dans l'espace devant mes yeux clos et je le fais tourner dans tous les sens pour en étudier les contours, sans y attacher aucun jugement, aucune pensée. J'ai repéré un quintet de cactus plantés en une mystérieuse figure géométrique sur le terrain (je flaire une affaire d'extraterrestres à la *crop circle*) et j'y suis très à l'aise (sur un coussin, pas sur un cactus). J'y vais quand le soleil ne frappe pas trop fort et avec un grand chapeau, ne t'en fais pas. Je ne veux pas finir calcinée sur un *om*. Et non, ma rosacée n'a pas empiré.

Je réalise ici, dans le silence et la nature, combien je faisais fausse route dans le domaine des relations et de l'amour. Présentement, j'examine ce qui se passe autour de moi comme si j'assistais à une pièce de théâtre (sans poupée Bout de chou et sans bas) et je vois une vie de famille comme je n'en ai jamais eu, une vie simple qui se passe d'analyse, de critique et de commentaires. Moi, je n'aurais aucun commentaire à émettre ? Eh oui, ma chère Diep, je suis bouche bée devant cette expression de l'être humain dans ce qu'il a de plus... humain. Personne ici ne craint de montrer ses imperfections, si bien que je n'ai d'autre choix que d'accepter les miennes. On dirait que mon cerveau est au ralenti et que le singe fou qui s'agite continuellement dans mon esprit a enfin trouvé une aire de relâchement. Je dors bien, mieux, et je me réveille reposée. N'est-ce pas un signe des temps ?

Pour ce qui est de Jean-Marc, il est retourné à Montréal sans moi. Il est venu me voir une fois au ranch, nous avons eu une discussion qui s'est terminée avec des cris et des mots pas gentils qu'aujourd'hui je regrette. Il semblerait que nous n'arriverons jamais à communiquer sans nous emporter, alors il est reparti sur le mode fâché en pensant que j'avais une histoire avec Angel et que c'est pour lui que je désirais rester encore un peu, ce qui est faux. Il n'y en aura pas, d'histoire avec Angel. J'ai une histoire avec moi. Ma dépendance à Jean-Marc s'est éteinte en même temps que ma compulsion au vol; il n'était pas mon vrai gardien de sécurité. Et Angel, aussi policier de métier soit-il, n'en est pas un non plus. Au contraire, par son accueil, il m'a ouvert la porte d'une liberté dont j'ignorais l'existence et qui se trouvait en moi. C'est moi qui, par mes tics, mes manies et mes dépendances, me maintenais dans une prison. Je me sens maintenant comme dans un grand magasin vide, où il n'y a rien à prendre mais tout à y installer.

Je serai donc bientôt de retour à Montréal, mais pour une courte durée, le temps de régler mes affaires. Je vais demander une année sans solde au travail et sous-louer mon appartement. N'aimerais-tu pas y habiter, pour être plus près de la pharmacie ? Je te laisserais mon coussin-banane.

Mon ancienne existence n'est pas si loin et pourtant, elle commence déjà à s'effacer de ma mémoire. La bibliothèque médicale, les allées et venues entre chez moi et Jean-Marc, ce chemin que j'ai fait cent fois la larme à l'œil en imaginant que le sol m'engloutirait, le Vallon des Valeurs volé mille fois, ma penderie aussi peuplée que le tiers-monde, les tours infantiles que je jouais à mes collègues et que je mets en pratique avec Esteban, le F-150, les anecdotes de chantiers, rien de cela ne me manquera. Seulement la pharmacie et une certaine pharmacienne...

Je ne sais pas encore ce que je ferai pour gagner ma vie, ici, au Mexique. Angel me suggère de poser ma candidature pour être agent double chez Walmart, il dit que je serais excellente pour repérer les voleurs à l'étalage. Bon, je t'en dit trop et pas assez : tiens bon, tu sauras tout dans quelques jours.

Accepteras-tu, quand je serai à Montréal, de t'extirper de ta pharmacie pour qu'on ait enfin un vrai rendez-vous, qu'on se parle autour d'un café et non ainsi, par lettre ou séparées par un comptoir ? C'est bien, les courriels, mais une relation ne peut pas s'y limiter. Je t'emporterai ainsi dans mon cœur étiquetée du statut de vraie amie, et non seulement d'amie épistolaire.

T'ai-je déjà dit combien j'aime nos échanges, ma chère Diep ? Qu'ils puissent durer pour une éternité. Mais l'éternité n'est pas assez longue pour que nous puissions arriver à nous connaître comme je le voudrais, aussi bien que des sœurs jumelles.

Et je suis si contente pour toi, Diep, que ton aventure avec Jonathan se poursuive et que le sexe se passe bien. Non, je n'ai pas ri quand tu m'as narré ta première fois, j'ai même été jalouse, car la mienne n'a pas été si tendre et rigolote. Je m'en souviens comme d'une chose douloureuse et sanguinolente qui ne m'a pas donné envie de recommencer avant toute une année ! J'ai très hâte de rencontrer ton amoureux et non, je ne tenterai pas de le séduire, et oui, je serai délicate et je ne dirai que de bonnes choses sur toi, et non, je ne lui dirai pas que je sais déjà tout ce qu'il y a à savoir sur lui ! Je feindrai l'ignorance, je mimerai l'innocence quand il me racontera les détails et anecdotes que tu m'as révélés, pipelette que tu es. Tu sais que je suis une bonne comédienne. Diep, fais-moi confiance, tête de nœud !

Je ne sais jamais comment terminer une lettre, j'ai toujours du mal à dire adieu.

Si mon avion n'est pas détourné vers le Yukon, nous serons ensemble dans quelques jours, pour parfaire et couronner ce qui doit l'être. Tu es ma précieuse amie. Laurencita»

## Sortie de prison

Je me laissais couler dans un quotidien où les montagnes russes étaient remplacées par les montagnes mexicaines, lesquelles s'avéraient nettement plus douces et peu abruptes. J'apprivoisais ma nouvelle vie avec une insouciance qui m'était peu caractéristique, participant aux tâches avec une placidité qui s'apparentait à celle d'une vache broutant l'herbe, seulement distraite par quelques mouches. Ma relation avec Esteban prenait un tour inattendu ; c'est moi qu'il venait voir tous les matins au réveil et nous commencions la journée par une histoire tirée d'un bouquin choisi au hasard dans la bibliothèque, tandis que Paulina s'affairait dans la cuisine, contente de ne pas l'avoir dans les jambes. Je lui jouais des tours, je n'avais pas besoin de mon *Manuel des farces et attrapes* pour le surprendre. Il me suffisait de me cacher derrière une porte et de lui faire un « beuh ! » strident pour le rendre hilare. Je lui avais montré le tour du verre qui goûte la crème à mains, mais sa mère n'avait pas aimé ça, le jus à la méthadone mélangé à la lotion à la vanille, alors on s'est dit qu'on ne le ferait pas à Angel.

Deux jours après avoir écrit la lettre à Diep, qui attendait toujours d'être postée, j'ai demandé à Flores de « sortir ». Je l'avais vu préparer un sac d'effets pour George, cet homme dont la réclusion me peinait. Même si la communication serait presque nulle, j'avais envie d'accompagner Angel chez lui et de faire sa connaissance. Je lui avais même fabriqué un immense papillon aux ailes grandes ouvertes avec un carton bleu azur que j'avais trouvé dans une caisse contenant du matériel d'art, cachée dans une penderie où se trouvaient d'autres trésors pour d'éventuelles créations : balles de laine, tubes d'acrylique, tablettes à croquis, tuiles de céramique, craies et crayons de couleur.

– Non, Laurence, ce n'est pas une bonne idée.

– Paulina y va bien, elle. Elle y va même parfois seule.

– Non, jamais seule, avec un des gars de l'écurie. Tu me dis l'avoir vue y aller seule ? Je n'aime jamais qu'elle y aille, de toute façon.

– Tu es armé.

– Oh, ça ne changera rien si jamais la cache de George a été exposée, que j'aie un fusil à la ceinture.

– Voyons, les risques que cela arrive sont minimes, non ?

– Minimes veut dire possibles.

– *Pleeeeease !*

Il a réfléchi pendant un moment, j'étais certaine qu'il refuserait, mais il a finalement acquiescé.

– Je dois ensuite me rendre à Playa Del Carmen, rencontrer mon ex et notre avocat, pour signer les papiers de divorce.

– Parfait, je suis partante pour ça aussi.

– Tu pourras faire des achats au Walmart pendant qu'on procède.

– Ah, excellente idée. J'irai faire la causette avec notre ami Guttierez.

Je me suis retenue de lui sauter au cou. J'avais vraiment envie de sortir du ranch, de voir ce que j'avais manqué du paysage le jour où il m'avait emmenée ici, si angoissée que je ne voyais rien de rien. J'ai enfilé ma robe Marie Saint Pierre, dont j'avais fini par arracher les manches qui me serraient trop sous les bras. Plus question pour moi de porter un vêtement inconfortable par pure coquetterie. Elle n'était plus qu'une robe ordinaire, sans ses manches de fantaisie, une Marie Pierre quelconque, et je l'aimais davantage ainsi, dans sa nouvelle simplicité. J'ai fait mon sac, emprisonné le papillon dans un beau papier de soie rouge que j'ai chiffonné avec précaution pour ne pas abîmer ma fragile créature ailée, et j'ai sauté dans la voiture de Flores. Dans mon emportement, j'avais laissé ma lettre pour Diep à la maison. Qu'à cela ne tienne, je lui écrirais un petit courriel pour lui dire qu'une missive écrite à la main s'envolait vers elle, en courrier enregistré pour qu'elle arrive le plus vite possible, avant que mes nouvelles aient perdu de leur nouveauté. C'était fou, depuis l'avènement du simple clic pour envoyer un message, le simple fait de mettre une lettre dans une enveloppe, la timbrer et aller la déposer à la poste était devenu un de ces gestes qu'on associe à une corvée et donc, qu'on oublie.

J'ai senti mon cœur se dilater et se mettre à voleter en moi lorsque nous avons passé les barrières du ranch. Si on avait ouvert ma cage thoracique, on aurait vu un nouveau cœur, tout rouge, comme un cœur en cannelle de Saint-Valentin, un cœur aimant et qui se sentait aimé. Les larmes qui voilaient ma vue diluaient le paysage. J'étais heureuse, oui, j'aurais pu dire cela sans me tromper, heureuse.

La cabane de George me semblait éclairée d'un soleil différent, même si elle n'avait sûrement pas changé d'un poil depuis l'autre fois. Rudimentaire mais plaisante, elle avait des volets peints en rouge se découpant sur un vieux crépi orangé. La porte était ouverte. Je m'attendais à voir George sortir alors que Flores stationnait la voiture à quelques mètres de distance. J'ai recoiffé mes cheveux ébouriffés par le vent et j'ai mis l'origami dans mon sac. Flores m'a souri.

– Tu es gentille, ça lui fera plaisir.

– C'est le but. C'est un papillon de liberté. Enfin, je veux dire que le but, c'est la liberté et le papillon en est la représentation.

– *Bueno*. C'est bien, Laurencita. C'est beau.

Son sourire m'a transpercée, là où j'étais prête à l'être. Nous avons marché jusqu'à la cabane et, juste avant d'y entrer, il m'a prise par la main.

## Fin de sentence

« Madame Diep, je vous envoie la lettre que Laurence vous a écrite et qu'elle n'a jamais pu poster. Je suis Paulina, l'amie de Laurence et la sœur de Angel Flores.

Laurence et Angel se rendaient chez un ami ex-policier porter des provisions et des médicaments. Deux membres d'un gang associé à la drogue étaient dans la cabane de George quand votre amie et mon frère sont entrés. Ils n'avaient pas repéré la voiture des bandits, laissée plus loin. George a été retrouvé mort et, je suis infiniment désolée, les prochains mots seront brutaux, mais votre amie a aussi perdu la vie. Angel a reçu deux balles mais au moins, il est sauf. Il est actuellement à l'hôpital, dans un état stable, mais moralement très affligé. Si la vie était comme au cinéma, il aurait eu le temps de dégainer son arme, les méchants seraient morts, peut-être qu'il aurait été trop tard pour George mais Laurence serait en vie. La vie est un film triste, la plupart du temps.

Il m'a dit qu'il lui tenait la main quand elle a reçu la balle qui l'a tuée. Il lui tenait la main. Il n'avait tenu la main d'aucune femme depuis des années, à part la mienne. Aurait-il eu le temps de dégainer son arme si cette main avait été libre ? Nous ne le saurons jamais. Mais je suis certaine que Laurence était heureuse de tenir la main de mon frère, et qu'elle n'a pas eu le temps de se rendre compte de ce qui arrivait. J'aime penser que sa dernière sensation a été sa main dans celle de mon frère.

J'ai osé lire la lettre qu'elle vous a écrite et je suppose que vous l'aimiez autant que nous. Tout cela est très dur.

N'hésitez pas à m'écrire. Je joins mon adresse courriel. Votre amie est irremplaçable, mais je vous répondrai si vous m'écrivez. Et vous serez toujours la bienvenue ici, si le cœur vous en dit. Nous pourrions parler d'elle. J'aimerais parler d'elle avec vous, car, pour le moment, je parle avec elle dans ma tête et je ne reçois que l'écho de mes propres paroles. Je dois, après m'être sevrée de la drogue, me sevrer de la présence d'une amie. Il semble que ma vie soit un incessant sevrage. Mais je ne devrais pas me plaindre, c'est inapproprié. Excusez-moi.

J'aimais Laurence. Nous nous aidions mutuellement à avancer sur nos chemins respectifs. Elle était positive, rieuse et amenait dans l'existence d'Esteban une couleur radieuse, l'encourageant à utiliser toutes ses ressources créatives. Ils étaient comme larrons en foire, à rire et jouer constamment, à fabriquer une multitude d'objets en papier qu'ils cachaient partout pour que je les découvre, dans le frigo, dans la boîte de céréales, sur mon nez le matin au réveil. Elle était tel un personnage de bande dessinée, pleine de surprises, dotée d'une imagination sans bornes. Je pense que mon frère commençait à développer une complicité avec elle, il le désirait en tous cas. Laurence, elle, retrouvait en Esteban son petit frère perdu.

Peut-être apprendrez-vous la nouvelle de sa mort avant la réception de cette lettre, qui ne sera pas une consolation.

Une vie vient de se terminer bêtement. Mais la nôtre se poursuit et nous devons continuer à la remplir. J'ai toujours eu du mal avec les manques, les vides. Écrivez-moi, remplissez-moi d'elle, et de vous, s'il vous plaît.

Paulina. »

*Pour Denis, qui n'a jamais cessé de me tenir la main dans des moments où je pensais ne même plus en avoir, de mains.*
*Pour Yves, qui m'a inspiré cet entrepreneur atypique.*
*Pour mes amis passés, présents et futurs, filles et garçons.*
*Et pour tous les autres.*

*S.M.*

Achevé d'imprimer sur les presses
de Marquis-Gagné
à Louiseville, Québec, Canada.
Troisième trimestre 2014